팬데믹
모빌리티
테크놀로지

KB173251

이 저서는 2018년 대한민국 교육부와 한국연구재단의 지원을 받아 수행된 연구임
(NRF—2018S1A6A3A03043497)

팬데믹
모빌리티
테크놀로지

김태희 김기흥 박혜영

박명준 한광택 백욱인

노대원 황임경 복도훈

김양선 이윤종

앨
피

모빌리티인문학은 기차, 자동차, 비행기, 인터넷, 모바일 기기 등 모빌리티 테크놀로지의 발전에 따른 인간, 사물, 관계의 실재적·가상적 이동을 인간과 테크놀로지의 공-진화co-evolution라는 관점에서 사유하고, 모빌리티가 고도화됨에 따라 발생하는 현재와 미래의 문제들에 대한 해법을 인문학적 관점에서 제안함으로써 생명, 사유, 문화가 생동하는 인문-모빌리티 사회 형성에 기여하는 학문이다.

모빌리티는 기차, 자동차, 비행기, 인터넷, 모바일 기기 같은 모빌리티 테크놀로지에 기초한 사람, 사물, 정보의 이동과 이를 가능하게 하는 테크놀로지를 의미한다. 그리고 이에 수반하는 것으로서 공간(도시) 구성과 인구 배치의 변화, 노동과 자본의 변형, 권력 또는 통치성의 변용 등을 통칭하는 사회적 관계의 이동까지도 포함한다.

오늘날 모빌리티 테크놀로지는 인간, 사물, 관계의 이동에 시간적·공간적 제약을 거의 남겨두지 않을 정도로 발전해 왔다. 개별 국가와 지역을 연결하는 항공로와 무선통신망의 구축은 사람, 물류, 데이터의 무제약적 이동 가능성을 증명하는 물질적 지표들이다. 특히 전 세계에 무료 인터넷을 보급하겠다는 구글Google의 프로젝트 룬Project Loon이 현실화되고 우주 유영과 화성 식민지 건설이 본격화될 경우 모빌리티는 지구라는 행성의 경계까지도 초월하게 될 것이다. 이 점에서 오늘날은 모빌리티 테크놀로지가 인간의 삶을 위한 단순한 조건이나 수단이 아닌 인간의 또 다른 본성이 된 시대, 즉 고-모빌리티high-mobilities 시대라고 말할 수 있다. 말하자면, 인간과 테크놀로지의 상호보완적·상호구성적 공-진화가 고도화된 시대인 것이다.

고-모빌리티 시대를 사유하기 위해서는 우선 과거 '영토'와 '정주' 중심 사유의 극복이 필요하다. 지난 시기 글로컬화, 탈중심화, 혼종화, 탈영토화, 액체화에 대한 주장은 글로벌과 로컬, 중심과 주변, 동질성과 이질성, 질서와 혼돈 같은 이분법에 기초한 영토주의 또는 정주주의 패러다임을 극복하려는 중요한 시도였다. 하지만 그 역시 모빌리티 테크놀로지의 의의를 적극적으로 사유하지 못했다는 점에서, 그와 동시에 모빌리티 테크놀로지를 단순한 수단으로 간주했다는 점에서 고-모빌리티 시대를 사유하는 데 한계를 지니고 있었다. 말하자면, 글로컬화, 탈중심화, 혼종화, 탈영토화, 액체화를 추동하는 실재적·물질적 행위자agency로서의 모빌리티 테크놀로지를 인문학적 사유의 대상으로서 충분히 고려하지 못했던 것이다. 게다가 첨단 웨어러블 기기에 의한 인간의 능력 향상과 인간과 기계의 경계 소멸을 추구하는 포스트-휴먼 프로젝트, 또한 사물인터넷과 사이버 물리 시스템 같은 첨단 모빌리티 테크놀로지에 기초한 스마트시티 건설은 오늘날 모빌리티 테크놀로지를 인간과 사회, 심지어는 자연의 본질적 요소로 만들고 있다. 이를 사유하기 위해서는 인문학 패러다임의 근본적 전환이 필요하다.

이에 건국대학교 모빌리티인문학 연구원은 '모빌리티' 개념으로 '영토'와 '정주'를 대체하는 동시에, 인간과 모빌리티 테크놀로지의 공-진화라는 관점에서 미래 세계를 설계할 사유 패러다임을 정립하려고 한다.

차례

3부　**팬데믹과 재현의 모빌리티**

팬데믹과 (비)인간 모빌리티: 인류세의 공간, 테크놀로지, 재현

_ 김태희

이제 전 세계적으로 '모빌리티'라는 말은 일종의 화두가 되어 가고 있다. 그러나 우리 사회에서 이 말이 널리 사용된 것은 실상 그리 오래된 일이 아니다. 최근 불과 수년 만에 이 낯선 용어가 우리 사회를 휩쓸고 있다고 해도 과언이 아니다. 전통의 '서울모터쇼'가 2021년부터 행사 이름을 '서울모빌리티쇼'로 바꾼 것은 징후적이다. 2022년 미국 라스베이거스에서 열린 세계 최대 규모 국제전자제품박람회CES의 핵심도 모빌리티 혁신이었다.[1]

이 말이 이렇게 각광 받는 것은 어떤 이유인가? 무엇보다 인류세 Anthropocene의 위기를 그 이유로 들 수 있다. '새로운 모빌리티 패러다임 new mobilities paradigm'의 주창자인 존 어리John Urry는 인류세에 대해 다음과 같이 쓴다.

---

[1] 유창욱, 〈[CES 2022] 전동화부터 전자화까지…'모빌리티 대변혁' 한 자리에〉, 《이투데이》 2022년 1월 7일자. https://www.etoday.co.kr/news/view/2094524(접속일: 2022. 01. 23.)

석탄, 가스, 그리고 석유라는 화석연료가 현재 에너지 사용의 80퍼센트를 책임지고 있다. 이런 화석연료를 태우는 기술, 그리고 열을 에너지로 전환하는 기술이 지난 3백 년간 세계 경제와 사회가 체험한 가장 중요한 변동이었다. … 그런데 이처럼 기후를 변화시키는 석탄, 석유, 가스 같은 탄소자원의 급속한 착취를 통해서 서구의 에너지 전환자들은 지구의 궤도를 규정하고, 지질학적 시간의 명백히 새로운 단계를 촉발시킬 수 있었던 것이다.[2]

이처럼 "지질학적 시간의 명백히 새로운 단계"에서 일어나는 기후위기를 극복하기 위한 새로운 테크놀로지의 일환으로서 특히 자동차 모빌리티의 혁신이 일어나고 있다. 자동차 모빌리티는 20세기를 지배했으며 기후위기에 책임이 가장 큰 모빌리티 양식이므로, 이러한 혁신의 취지와 방향은 기본적으로 올바르다고 할 수 있다. 흔히 CASE, 즉 연결Connected, 자율Autonomous, 공유Shared, 전동화Electric로 요약되는 이러한 혁신은 단순한 테크놀로지 변화에 머물지 않고, 우리 사회의 모빌리티 전체를 뒤흔들 거대한 잠재력을 지니고 있다.

그러나 이런 대혁신이 진행되고 있는 상황에서, 코로나19라는 전대미문의 팬데믹이 전 세계를 덮쳤다. 이로써 많은 것이 변화했다. 도시를 오가는, 혹은 도시 경계를 가로지르는 사람들의 움직임은 급감했다. 종종 도시 전체가 봉쇄되기도 했다. "(예상되는) 이동을 제한하고 인도

---

[2] John Urry, *What is the Future?*, Cambridge: Polity, 2016, p. 41. (김홍중, 〈인류세의 사회이론 1: 파국과 페이션시(patiency)〉, 《과학기술학연구》 19(3), 2019, 4쪽에서 재인용)

하고 규제하는 경계 혹은 '게이트'"[3]는 전염병에 맞서는 예방적 조치로서 정당화되는 좀 더 엄격하고 발달한 감시 시스템들 아래 통제된다. "신체, 테크놀로지, 제도에 있어서 자기통치의 형태"[4]를 통해 작동하는 이동통치governmobility가 팬데믹으로 인하여 새로운 차원에 도달했다.

이러한 상황에서 우리는 모빌리티라는 말의 의미를 더 폭넓게 사유할 필요를 느낀다. 이 단어가 주로 '정보통신기술 등 첨단기술이 가미되는 새로운 이동수단', 혹은 더 나아가 '(새로운 유형의) 자동차 모빌리티'의 의미로 국한되어 사용되는 추세이지만, 인문사회과학에서는 이 말을 이보다 폭넓게 사용한다는 것은 이미 여러 차례 거론된 바 있다. 인문사회과학에서 모빌리티는 이동과 관련된 거의 모든 현상을 포괄한다. 사람과 물건의 이동뿐 아니라 정보 · 이미지 · 자본의 이동도 포함하며 이로 인한 다양한 사회적 변화, 즉 공간 · 도시 · 인구 · 노동 · 자본 · 권력의 변화뿐 아니라 이러한 이동과 변화를 뒷받침하는 테크놀로지와 인프라까지 포함한다.

우리는 자동차 모빌리티에 초점을 맞춘 현재의 모빌리티 담론을 확대하여, 넓은 의미에서 모빌리티가 인류세의 이른바 "대가속"[5] 시기에 어떻게 변모해 왔는지를 살펴볼 필요가 있다. 이러한 고찰을 통해 이 가속의 시대에 팬데믹이 어떤 전복점tipping point으로 작동할 가능성이

3   Mimi Sheller & John Urry, "The New Mobilities Paradigm," *Environment and Planning A* 38(2), 2006, p. 212.

4   Jørgen Bærenholdt, "Governmobility: The Powers of Mobility," *Mobilities* 8(1), 2013, p. 29.

5   Steffen Will, Wendy Broadgate, Lisa Deutsch, Owen Gaffney, Cornelia Ludwig, "The Trajectory of the Anthropocene: the Great Acceleration," *The Anthropocene Review* 2(1), 2015, p. 81.

있는지 드러날 것이다. 팬데믹은 모빌리티를 변화시킬 뿐 아니라, 그동안 모빌리티가 어떠한 모습이었는지를 드러낸다. 팬데믹은 사람들에게 차별적으로 작용함으로써, "이동할 수 있고 이동으로부터 이득을 보는 사람들, 그리고 혜택을 받지 못하거나 모빌리티를 스스로 결정하지 못하는 다른 사람들 사이의 불평등"[6]을 극명하게 드러내기 때문이다.

❖ ❖ ❖

이 책의 1부 '팬데믹과 모빌리티 공간'은 '공간'을 키워드로 하여 팬데믹의 여파를 살펴본다. 새로운 모빌리티 패러다임의 주창자들은 '모빌리티 전환Mobilities Turn'이 그보다 이전 사회과학에서 일어난 '공간적 전환Spatial Turn'을 심화하는 것임을 분명히 한 바 있다.[7] 그러나 인문학과 사회과학에서 모빌리티 개념이 단순히 물리적 모빌리티만 의미하는 것이 아니듯, 공간 개념 역시 단순히 물리적 공간만을 의미하지는 않는다. 그것은 사회적 공간, 위상학적 공간을 포괄하는 폭넓은 개념이다. 그러므로 1부에 실린 세 편의 글의 공간 개념 역시 물리적 공간을 넘어서는 폭넓은 개념으로서, 서로 다른 개념장에서 진동하면서도 팬데믹이라는 유례 없는 격변을 중심으로 상호 공명한다.

김기홍의 〈코로나19 방역의 공간화: 인간-동물 감염병 경험과 공간 중심 방역〉은 팬데믹과 모빌리티 공간을 논의하기 위한 실증적이면서

---

6 Mimi Sheller, "Exclusive Interview with Dr. Mimi Sheller," *Mobility Humanities* 1(1), 2022, p. 111.

7 Mimi Sheller, "From Spatial Turn to Mobilities Turn," *Current Sociology* 65(4), 2017, p. 623.

도 이론적인 기본 배경을 제시한다. 먼저 이 글은 질병을 외부에 존재하는 일종의 고정된 자연적 실체로 간주하는 고전적 관점을 비판적으로 바라보면서, 질병은 "근대적인 형태의 삶의 방식, 가령 집약적 농업이나 산림 훼손, 도시화와 전 세계적인 교역시스템과 긴밀하게 연관된다"는 주장에 힘을 싣는다. 이러한 주장은 자연스럽게 질병의 가변성, 비결정성, 수행성을 강조하는 사회구성주의적 인식으로 기운다. 나아가 이 글은 질병경험disease experience을 사회문화적이고 물리적 맥락에 정위하기 위해 '공간성' 개념을 끌어들이면서, 단순히 "질병과 관련된 물리적 공간만을 의미하는 것은 아"닌 질병경관desease-scape이라는 독창적 개념을 도입한다. 이 개념은 '위험'이라는 일반 개념을 공간적 맥락에서 고찰하는 위험경관riskscape이라는 기존 개념에 착안하면서도, 여기에 좀 더 구체성을 담보한다. 이 글의 필자가 설명하듯이 경관 개념은 급격한 전환을 설명하기에 적합하므로, 현재의 팬데믹 상황과 같은 격변 상황에서 그 어느 때보다 이론적으로 적실하다. 질병경관이라는 핵심 개념을 확보한 이 글은 이를 통해 한국의 방역정책이 공간을 중심으로 하는 방역전략임을 설명한다. 물론 전통적으로 전염병에 맞서는 방역의 기본 방침은 공간을 통제하는 것, 다시 말해 공간을 넘나드는 모빌리티를 통제하는 것임은 이미 여러 학자가 지적한 바 있다. 그러므로 이 글에서 한국과 대비하여 다루는 서구 국가들의 방역 형태도 공간과 모빌리티의 통제를 기본으로 한다는 것은 부인할 수 없다. 그들이 특히 초기에 선택한 강력한 봉쇄전략 역시 이러한 틀에서 이해할 수 있다. 그럼에도 불구하고 흥미로운 것은 이러한 기본적 틀 안에서 다른 국가들은 일종의 "행동방역"에 무게를 실었다는 점이다. 이 글에서 잘 보여주고 있지만 이러한 방역 방침은 행동주의적 인간 이해에 바탕을 두고 일종의 넛지nudge라는 개입을 통해 국민의 행위, 태도, 모빌리티에 변화를 주고자 한다. 이에 비해 한국의 방역정책은 감염이 일어나는 특정 공간을 방역 결절점으로 간주하여 질병을 통제하려는 전형적인 "공간방역"이라고 할 수 있다. 이러한 공간방역은 "모빌리티 방역"으로도 이해할 수 있다. 검사-추적-치료test-trace-treat로 대표되는 방역정책의 핵심은 끊임없이 이동하는 개인의 모빌리티를 추적하고 필요한 경우 억제하거나 심지어 봉쇄하는 데 있기 때문이다. 풍부한 실증적 사례를 들어 이 글에서 논증하고 있는 또 다른 흥미로운 논점은, 이러한 공간방역이 "예방 살처분과 이동 차단선으로 대표되는 동물(가축) 감염병 방역전략이 추구하는 원칙, 즉 공간에 대한 물리적 통제와 차단을 통한 감염병 확산 방지"를 인간의 팬데믹에 적용한 것이라는 사실이다. 많은 학자가 지적하듯이, 환경 파괴로 인하여 인수공통감염병zoonosis의 위험성이 커진 결과 작금의 코로나19 사태가 발발하였다면, 이러한 공통의 병인이 공간과 모빌리티를 통제하는 인수공통 방역전략과 긴밀한 관련을 맺는 것은 의외가 아닐 수도 있다. 이러한 생각은 필자가 사회구성주의의 한계, 즉 "실제 질병의 물질성과 비인간행위자로서 질병을 둘러싸고 있는 다양한 비인간 요인들의 네트워크의 중요성을 간과"한다는 한계를 극복하기 위해 행위자-연결망이론ANT을 거론하는 것으로 이어진다. 질병은 결국 인간과 (바이러스를 비롯) 비인간을 포함한 다양한 행위자의 수행성을 통해 이해되어야 하기 때문이다. 이처럼 "사회구성주의가 제안한 질병의 해석적 유연성과 확장 가능성 그리고 ANT의 인간-비인간 수행성을 함께 고려할 때" 질병의 사회성과 물질성이 포괄적으로 이론화될 수 있다. 마지막으로 이 글의 또 다른 중요한 제안은 후기 근대의 액체성을 고려할 때, 공간방역 역시 유연하고 탄력적으로 제도화되어야 한다는 것이다. 고도 모빌리티 사회의 이러한 액체적 공간성이 질병과 방역에 어떠한 함의를 지니는지는 향후 흥미로운 연구 과제로 보인다.

이처럼 김기홍의 글이 단순히 물리적 공간을 넘어서는 의미에서 팬데믹의 모빌리티 공간을 탐구하는 배경이 된다면, 1부의 다음 두 글 역시 공간의 다양한 개념장 안에서 전개된다. 박혜영의 글에서 "접촉공간"이 구체적인 개인 차원scale에서의 만남과 관계의 공간을 염두에 둔다면, 박명준의 글에서 "사회적 공간"은 사회 차원에서 공공성의 공간을 염두에 두고 있다. 그러나 두 글 모두 팬데믹으로 인한 공간의 변질에 대한 우려와 새로운 공간 창출에 대한 기대를 담고 있다. 우선 박혜영의 〈팬데믹 시대의 타자와 공간〉은 팬데믹으로 인한 타자성의 변화와 장소성의 변화에 주목한다. 물론 이러한 변화는 팬데믹 이전에 이미 후기근대의 액체적 고도 모빌리티 사회에서 나타나고 있었지만, 팬데믹으로 인하여 한편으로는 눈앞에 뚜렷이 노정되고 다른 한편으로는 더욱 가속된다. 필자는 특히 팬데믹에 대한 기술적 대응이 이러한 변화를 어떻게 노정하고 가속하는지에 착목한다. "코로나 재난으로 더욱 가속화된 변화, 즉 비대면·온택트의 증가가 생태적 관점에서 어떤 의미를 지니는지"를 이처럼 타자성과 장소성의 변화라는 견지에서 고찰하면, "과학기술시대에 새롭게 구성되는 다양한 타자들과의 관계 맺기"와 "타자와의 사귐이 제3의 장소에서 비대면·온택트 공간으로 바뀌는" 현상을 감지할 수 있다. 타자성의 변화에 대한 고찰에서 필자는 도나 해러웨이Dona Haraway의 친족 만들기라는 주장을 면밀히 검토한다. 이때 해러웨이에게 친족kin 후보로 등재되는 것에는 인간과 과학기술의 공진화co-evolution 산물인 사이보그부터, 자연문화적 존재인 개와 같은 동물, 심지어 "곤충, 바이러스, 인공지능, 조류독감, 벌레에 이르는 온갖 생명체와 그 생명체들을 보듬는 퇴비까지 모두" 포함된다. 필자가 지적하듯이, 이러한 다소 급진적 관점의 취지는 "환원 불가능한 차이를 뛰어넘어 이루어지는 소통"을 통하여, 모든 윤리적 행위의 토대인 "관계-속의-타자성"을 확립하고자 함이다. 해러웨이의 관점에서는 코로나바이러스도 "비우호적인 친족"이자 "일종의 공산sympoiesis을 요구하는 타자"이다. 그럼에도 불구하고 필자는 작금의 팬데믹이라는 구체적 현실 속에서 이 문제를 고찰할 것을 제안한다. "비대면·온택트의 증가로 더욱 빠르게 가족-이웃이 소멸하고 그 자리를 반려견이나 반려종이 대신하게 될 이종으로의 타자 확대"에 대해 필자가 던지는 의문은 팬데믹 상황에서 "인간종 간의 관계는 단절되고 반면에 이종 간의 접합은 확대되는 이런 방식의 '세계 만들기' 작업"을 통하여 "손실은 사회화하고 이윤은 사유화하려는 초국적 자본주의에 저항할 수 있을까"라는 것이다. 이것은 결국 사이버 네트워크 시대 자본주의의 새로운 시장에 포섭되는 길이 아닐까? 해러웨이의 이론을 기반으로 타자성의 변화를 고찰한 필자의 모색은 이러한 물음으로 귀착된다. 아울러 필자는 이러한 타자성의 변화와 긴밀히 연관되어 있는 장소성의 변화를 고찰하고자 한다. 구체적으로 보아 팬데믹 시대에 사회적 거리두기 같은 조치는 사회적 접촉 영역의 제한이나 소멸을 뜻한다. 특히 완전히 공적인 영역(일터)이나 완전히 사적인 영역(가정)이 아닌 제3의 장소가 위축되는 것은 어떠한 결과를 낳을 것인가? 네트워크 기술의 발전으로 이러한 과정은 이미 꾸준히 진행되고 있었지만, 팬데믹으로 인한 비대면 사회의 도래로 한층 가속화되고 있다. 따라서 코로나 이후를 내다보는 필자는 "코로나 재난을 계기로 소멸하는 사회적 사교 공간의 대안으로 새로이 구성되는 사이버공간이 실제로 타자와의 생태적 공생 공간이자 타자를 환대할 상호부조의 책임을 짊어질 공간이 될 수 있는지"에 대한 (회의적) 전망에 우려를 표한다. 이러한 우려는 특히 얼굴과 얼굴의 근접적 대면을 통한 윤리적 만남을 강조한 에마뉘엘 레비나스Emmanuel Levinas를 참조함으로써 증폭될 수밖에 없다. 게오르크 지멜Georg Simmel의 말을 빌리자면, 상대방의 눈길을 받으려면 동시에 눈길을 주어야 하는 대면이야말로 가장 직접적이고 순수하며 온전한 상호작용이기 때문이다.

앞서 언급한 것처럼, 박명준의 〈코로나 위기와 '공공성의 사회적 공간'의 확장〉은 팬데믹으로 인하여 사회적 공간으로서의 공간이 어떠한 변화를 겪고 있는지에 주목한다. 이 글은 특히 일자리라는 구체적인 현안을 중심으로 논의를 전개함으로써, 팬데믹 시대 모빌리티 공간을 논의하는 새로운 관점을 덧붙인다. 특정 지역에서 발생한 전염병이 전 지구적 팬데믹으로 번져가는 데에는 당연히 사람과 물건의 전 지구적 고도 모빌리티가 결정적 요인이었다. 필자의 말처럼 지난 수십 년간 진행되어 온 세계화와 신자유주의는 팬데믹을 일으킨 요인이지만, 팬데믹 위기에 대한 처방은 이러한 구질서의 약화를 의미할 수도 있다. 따라서 이런 위기에 대한 대응은 미봉책인 단기 처방을 넘어 체제 이행 성격을 가져야 한다. 이러한 대전제 하에서 이 글은 우선 사회적 공간 개념을 확정하고자 한다. 사회과학에서 사용하는 "사회적 행위공간"이라는 개념, 즉 "어떤 특정 이해와 자원을 지니고 있는 사회적 행위주체들이 특정 상황에서 취할 수 있는 행위의 선택지와 범위"를 기초로, 필자는 "사회적 (가치의 실현) 공간"이라는 개념을 상정한다. 나아가 필자는 "공적 가치가 실현되는 사회적 공간"을 "공공성의 사회적 공간"으로 지칭한다. 이러한 공간은 추상적 공간이지만 실제 물리적 공간과 긴밀하게 연동된다. 가령 필자는 강변의 아파트 건설을 사례로 들어, 물리적 공간의 사유화와 자본화로 인하여 공공성의 사회적 공간이 축소되는 현상을 보여 준다. 이처럼 이 글에서 규정하는 공간 개념을 토대로 우리는 팬데믹이 이러한 공간에 어떠한 영향을 미치고 있는지 살펴볼 수 있다. 필자가 주목하는 지점은 예컨대 사회적 거리두기를 통해 자본의 물리적 공간이 축소되고 공공성의 사회적 공간이 확대될 가능성이다. '시장의 시간'에서 '국가의 시간'으로의 이행이라는 이러한 기대는 어떻게 실현될 수 있는가? 이 글에서는 이 물음을 일자리를 중심으로 검토한다. 팬데믹 시대의 일자리를 계속 유지되는 일자리, 소멸의 위기 앞에 처해 있는 일자리, 막 상실된 일자리, 그리고 새로이 창출되는 일자리 등 네 가지로 구분하고 각각의 경우에 대해 세밀한 분석을 바탕으로 맞춤형 대책을 제언한다. 그러나 필자는 국가주도적인 공공성의 사회적 공간 확장에 기본적으로 긍정적이면서도 어떤 면에서는 유보적이다. 팬데믹으로 인하여 가령 재난지원금 지급이나 전국민고용보험 및 기본소득 논의 등을 통하여 "비시장 기제들의 활성화를 통한 공공성의 사회적 공간 확장"을 경험하고 있지만, 이러한 공공성을 국가가 독점해서는 안 되기 때문이다. 따라서 "사회 자체의 역량 강화를 통한 사회 전반의 공공성 강화 도모"가 필요하며, 이를 통해 "노동 진영과 시민사회가 국가를 더욱 더 추동하고 부추겨야" 한다는 것이다. 이것을 필자는 "사회적 가치의 중심에 공공성이 있다면 그 노른자는 민주주의이다"라는 문장으로 요약한다. 팬데믹의 경험이 국가 역할의 중요성에 대한 인식을 심화하고 확산하리라는 전망 속에서 이러한 제언은 매우 시의적절하다.

$\bullet \quad \bullet \quad \bullet$

2부 '팬데믹 시대, 모빌리티 테크놀로지와 모빌리티 통치성'에서는 팬데믹 시대 테크놀로지를 이용하는 새로운 모빌리티 통치성에 관한 논의들을 담고 있다. 이 중에서 첫 번째 글이 다소 추상적인 차원의 논의, 즉 팬데믹 시대의 통치성에 관한 철학적 논의를 전개하고 있다면, 두 번째와 세 번째 글은 지극히 이동적인 바이러스를 통제하기 위해 동원되는 첨단 과학기술이 새로운 통치성과 어떤 연관을 맺는지에 관한 구체적 차원의 논의를 전개하고 있다.

한광택의 〈유령과 환영: 팬데믹과 뉴노멀 시대의 철학〉은 팬데믹에 대한 국가적 방역정책을 둘러싸고 서구 학자들, 특히 좌파 철학자들이 벌이는 논쟁을 상세히 서술하고 있다. 팬데믹 초기의 봉쇄조치나 최근의 백신 접종 등을 둘러싸고 세계적으로 개인의 자유에 관한 사회적 논쟁이 벌어지고 있는 시점에서, 이러한 현실에 대한 철학자들의 대응은 관심을 끈다. 이 논쟁을 격발한 것은 2020년 2월 26일 이탈리아의 철학자 조르조 아감벤Giorgio Agamben의 신문 기고이다. 아감벤은 코로나19를 기화로 국가의 강력한 봉쇄와 방역조치가 '예외상태'를 노골적으로 상설화하고 있다고 우려한다. 아감벤은 국가적인 긴급 상황이나 무법 상태에서 제한적으로 적용되는 초법적 예외상태가 현대 국가에서 법제화되고 일상화되고 있다는 자신의 이론을 팬데믹 상황에 대입하였다. 이에 대해 장-뤽 낭시Jean-Luc Nancy는 이러한 위기 상황에서는 국가가 아감벤의 주장처럼 억압하는 주체가 아니라 규제를 실행하는 집행자일 뿐이라고 반박한다. 그러나 아감벤에 대한 본격적인 비판은 같은 이탈리아 철학자인 로베르토 에스포지토Roberto Esposito와 세르조 벤베누토Sergio Benvenuto에게서 나온다. 에스포지토는 자유의 침해에 대한 아감벤의 우려가 그 자체로는 정당하지만, 현 상황에서는 전체주의에 대한 우려보다는 공권력 붕괴에 대한 우려가 더욱 크다고 말한다. 팬데믹 상황에서는 오히려 건강, 나이, 젠더, 심지어 인종에 따른 차별이 더 큰 문제라는 것이다. 나아가 벤베누토는 아감벤이 마치 9·11테러를 CIA의 음모로 생각하는 것과 같은 망상적 역사관을 가지고 있다고 더욱 신랄하게 비판하면서, 팬데믹 시대의 정치는 시민들이 사회적 격리를 기꺼이 받아들이는 데에서 시작한다고 강조한다. 에스포지토와 벤베누토의 비판에 대해 아감벤은 다시 기고문을 통해, 자신은 현재가 아니라 미래, 즉 팬데믹의 윤리적이고 정치적인 결과를 걱정하는 것이라고 반박한다. 그는 팬데믹이라는 이 예외상태가 종결된 이후에도 정부는 그때그때 필요에 따라 쉽게 휴교를 강제하고, 온라인 수업만 허락하며, 대면 만남과 정치적 발언을 금지하고, 디지털 메시지만 주고받게 할 수도 있을 것이라고 우려한다. 이외에도 코로나19를 둘러싸고 다양한 방식으로 철학자들의 논쟁이 벌어지고 있지만, 아감벤이 촉발한 이 논쟁은 특히 개인의 자유와 국가 개입의 문제에 관해 가장 근본적인 관점에서 벌어진 첨예한 논쟁이다. 이러한 논쟁은 코로나19라는 대격변을 이해하는 서구 지성계의 혼란을 보여 준다. 그러나 더 중요한 것은 이것이 서구 사회의 문제만이 아니라 우리 사회를 포함하여 전 세계적인 문제라는 것이다. 좌파 철학자 아감벤이 팬데믹 발발 초기에 제시한 의견은 좌파나 진보 철학자들에게도 현실적 문제를 직시하지 못한다는 비판을 받았다. 더구나 아감벤의 이러한 우려는 최근에는 백신 등에 대한 가짜뉴스와 결합하여 극우파 준동의 온상이 되고 있다. 그러나 코로나19로 인하여 국가가 개인의 자유에 개입하는 일이 용이해졌다는 그의 말에는 귀 기울일 점이 있다. 이 글의 필자는 2008년 세계 금융위기 당시 생겨난 뉴노멀이라는 표현이 "저성장, 저금리, 저물가, 저소비, 고실업율, 규제 강화 등을 새로운 기준으로 받아들이도록 만든 일련의 상황을 의미"하는 동시에, "성장이 아닌 지속가능성, 결과 중심이 아닌 과정 중심, 전문화가 아닌 융합, 권위가 아닌 창발emergence, 소유가 아닌 공유를 강조하는 등 긍정적인 미래 전망을 포괄적으로 뜻하게 되었다"고 지적한다. 그렇다면 뉴노멀이라는 표현은 팬데믹 시대로 전용되었을 때에도 기술적記述的 의미와 규범적 의미를 동시에 가질 수 있을 것이다. 특히 이러한 규범적 의미는 "세계화가 아닌 탈세계화의 가속화, 효율성보다는 회복탄력성 추구, 디지털 전환의 촉진, 소득수준과 건강 관심도에 따른 소비 행태의 변화, 신뢰의 중요성 제고가 강조되거나 창의적인 변화의 자발적인 수용이 중시"되는 것이다. 그러나 필자는 이러한 용어가 지니는 허위성과 은폐성에 주목한다. 필자는 주디스 버틀러Judith Butler와 슬라보예 지젝Slavoj Žižek까지 포함하여 철학자들의 "무능함과 무기력"에 대해 비판적 관점을 드러내는 한편, 김재인의 새로운 거버넌스 개념이 새로운 구체적 현실에 부합하는 철학적 개념이라고 평가하며, 아울러 행위자-연결망이론이나 신유물론 등에 기초하여 비인간적 요소를 철학적 논의에 끌어들일 가능성을 내다본다.

이러한 철학적 논의의 기반 위에서 우리는 팬데믹 시대 통치성의 구체적 모습에 천착할 수 있다. 백욱인의 〈바이러스와 인공지능이 만날 때: 팬데믹 시대의 기계적 노예화와 사회적 복종을 중심으로〉는 이러한 통치성이 어떻게 인공지능과 같은 테크놀로지와 결합하는지 잘 보여 준다. 여기에서도 공간 개념은 중요한 역할을 한다. 필자는 특히 푸코Michel Foucault의 "질병의 공간화" 개념을 확장하여 현대적 통치성의 4

차 공간화를 제안한다. 이 설명에 따르면 푸코는 질병의 공간화를 18세기 분류의학의 1차 공간화, 19세기 병리해부학의 2차 공간화, 19세기 후반부터 진행된 사회의학의 3차 공간화로 구분하였다. 필자는 여기에 덧붙여 몸의 수치화를 통한 양화된 자아quantified self와 가분체화dividualization가 질병의 제4의 공간을 창출한다고 본다. 물론 필자의 말대로 질병 공간의 이러한 구분은 의학적 시선의 역사적 발전단계이기도 하지만, 아울러 질병을 다루는 의료가 이루어지는 공간들의 유형화이기도 하다. 특히 이러한 제4의 공간에서는 규율과 통제의 방식이 물질적인 것에서 디지털의 수치적인 것으로 넘어간다. "생명체의 인지적 활동을 수취하고 신체 내부의 생리적 활동과 생화학적 성분의 변화를 측량"하여 수량화하고 관리하는 것이다. 이것은 구체적으로는 의료 영역에서 각종 기계장치와 전자장비가 도입되고, 나아가 "빅데이터와 인공지능, 그리고 환자가 갖고 있는 스마트폰과 건강기구"가 결합하여 이루어진다. 물론 이러한 추세는 코로나19 이전부터 차근차근 진행되어 온 과정이지만, 팬데믹으로 인해 성큼 가속화되기 시작했다. 특히 정부의 디지털 뉴딜정책 등은 이러한 "물질과 생명의 정보화를 인공지능과 빅데이터로 포착하여 이를 새로운 산업으로 연결하기 위한 것"이다. 필자의 설명대로, 바이러스에 대한 방역은 단지 바이러스 자체를 관리하는 데 그치지 않고, "인간 개체를 예속화하고 인구와 사회를 통제"하는 차원에서도 이루어진다. 따라서 코로나19라는 팬데믹으로 인하여 "개인의 신체에 대한 규율의 강화와 인구에 대한 안전 확보라는 서로 모순되는 목적이 하나로 통합"되는 현상이 나타나는 것이다. 이 현상을 적절하게 개념화하기 위해 필자는 개인에 대한 규율과 인구에 관한 통제가 통합되는 권력을 (규율권력과 생명권력이 통합된) "규율생명권력"이라는 새로운 개념으로 제시한다. 규율생명권력은 질병에 대한 공포와 혐오라는 정동을 활용하여 이른바 기계적 노예화를 촉진한다. 그러나 필자는 이러한 통치성과 예속성의 변화와 더불어 여기에 저항하는 새로운 주체의 가능성에 대해 언급하기를 잊지 않는다. 새로운 통치성은 새로운 저항성의 환경이기 때문이다. 물론 현재 새로운 "예속적 주체화"는 필자의 표현대로 "엉뚱한 방식으로 엉뚱한 주체들에 의해 표출"되고 있는 실정이다. 가령 이러한 감시에서 벗어나고자 스마트폰을 끄고 잠적하거나 마스크를 벗고 거리두기를 위반하고 각종 방역수칙을 위반하는 사람들이 그렇다. 백신 접종을 거부하는 사람들도 여기 포함될 수 있을 것이다. 필자는 이러한 저항의 한계를 벗어나 이들이 진정한 의미에서 "정치하는 사람으로 변용"되려면 기술을 활용하여 "사회적인 것과 개인적인 것을 만나게 하고 이것을 정치적인 것으로 이동할 수 있는 통로를 모색"해야 한다고 제언한다. 가령 "정치적인 것을 문화적인 것으로 만드는 대중문화와 디지털 문화의 프레임 안에서 저항과 반란의 지점들을 포착"하는 것이 중요한 사례이다.

한편 노대원과 황임경의 〈팬데믹 포스트휴먼 시대의 취약성〉은 팬데믹과 테크놀로지의 문제를 포스트휴먼이라는 문명사적이고 사상사적인 전환과 결부시키고자 한다.[8] 필자들은 미래의 역사가가 이 팬데믹이 포스트휴먼 시대의 "진정한 서막"을 알린 것이라고 기록할 것으로 전망한다. 무엇보다도 팬데믹의 발생에는 "세계화와 디지털 네트워크 기술

---

8 신유물론이나 포스트휴머니즘과 같은 "존재론적 전환"과 인류세 담론의 관계에 대해서는 다음을 참조하라. 차태서, 〈포스트휴먼 시대 행성 정치학의 모색: 코로나19/기후변화 비상사태와 인류세의 정치〉, 《국제정치연구》 24(4), 2021, 40쪽.

로 인해 각 국가 및 지역 간의 상호 연결성이 급격히 확장되어 있는 전 지구적 포스트휴먼 조건이 결정적인 역할"을 하였기 때문이다. 포스트휴먼 조건은 다른 말로 고도 모빌리티 시대의 조건이라고 할 수도 있겠다. "모든 인간뿐 아니라 인간과 (도시, 사회, 정치를 포함한) 인간-아닌 환경 사이의 복잡한 상호 의존 관계망을 창조하는 지구적 상호 연계"(브라이도티Rosi Braidotti), 혹은 "(잠재적으로) 병원체가 될 수 있는 바이러스 메커니즘, 산업화된 농업, 전 지구적 경제의 급속한 발전, 문화적 관습들, 국제적 소통의 폭발적 증가 등의 집합체"(지젝)야말로 새로운 모빌리티 패러다임에서 "모빌리티"라는 개념으로 포착하는 현상이기 때문이다. 이제 필자들은 이러한 논의를 전개하기 위해 먼저 포스트휴머니즘의 개념에 천착한다. 그것은 포스트휴머니즘을 포스트-휴머니즘과 포스트휴먼-이즘이라는 두 측면에서 고찰하는 데서 출발한다. 포스트-휴머니즘은 휴머니즘 이후의 사상, 즉 탈-인간주의를 뜻한다. 물론 이 새로운 사상적 흐름은 산업화 이후 인간의 영향력이 기후와 생태계, 나아가 지구의 지질시대에까지 강력하게 미치고 있음에 주목하는 인류세 담론에 바탕을 두고 있다. 한편, 포스트휴먼-이즘, 즉 탈인간-주의는 인공지능과 의료기술에 대한 낙관적 기대를 바탕으로 인간의 신체적·정신적 한계를 뛰어넘을 수 있다는 트랜스휴머니즘과 궤를 같이한다. 특히 인공지능이나 각종 디지털 기술을 활용한 방역과 사회적 거리두기로 인한 온라인 비대면 기술의 발달 등으로, 팬데믹은 이미 진행 중이던 디지털 전환과 포스트휴먼의 흐름을 더욱 가속화한다. 필자들은 이것을 "인간과 바이러스의 기묘한 (기술) 공진화"라고 표현한다. 이처럼 팬데믹으로 인하여 포스트휴먼으로 나아가는 추세가 더욱 빨라지는, 얼핏 비가역적이고 통제 불가능해 보이는 흐름 속에서 우리는 무엇에 주목해야 하는가? 필자들은 취약성이라는 개념에 주목할 것을 제안한다. 취약성이 극대화되는 팬데믹 상황에서 취약성에 대한 연구는 팬데믹에 대처하는 어떤 "실천적 단초"가 될 수도 있기 때문이다. 필자들에 따르면, 취약성은 세 가지 의미, 즉 손상을 받기 쉬움, 공격이나 부상에 쉽게 노출됨, 육체적 혹은 정서적으로 상처 입을 가능성으로 사용되는데, 특히 세 번째 의미를 통해 이 개념은 "육체적 차원을 넘어 심리적 위해나 도덕적 손상 혹은 영적 위협까지 포괄하여 인간의 상처 입을 가능성으로 확장"되고 규범적 차원을 내포하게 된다. 필자들은 인문학과 사회과학에서 논의되는 취약성은 흔히 세 가지로 분류된다고 설명한다. 첫째는 "생물학적 존재인 인간이라는 조건 자체에 내재해 있는 취약성"으로서 존재론적 취약성 혹은 태생적 취약성이라고 할 수 있다. 이처럼 보편적인 존재론적 취약성과 달리, 특정 개인이나 특정 집단이 처한 특수한 맥락에서 발생하는 취약성이 두 번째 취약성인 상황적 취약성이다. 마지막으로 병리적 취약성은 넓은 의미에서 상황적 취약성의 한 유형이며 특히 도덕적으로 문제가 되는 취약성으로서, 정치적 억압, 사회적 부정의, 착취, 부도덕한 관계 등에 의해 나타나는 것이다. 필자들에 따르면 "코로나19 팬데믹은 인간의 취약성을 극적으로 드러내는 사건"이다. 특히 이 사건에서 선명하게 드러나는 것은, 우리가 타인들과 연결되어 있고 사회와 연결되어 있다는 바로 그 사실이야말로 팬데믹 상황에서 우리를 위협하는 사실인 동시에 우리를 보호하는 장치라는 것이다. 따라서 우리는 팬데믹을 하나의 범례로 삼아 취약성을 어떻게 극복할 수 있는가에 대해 궁리하게 된다. 먼저 포스트휴먼-이즘에서 주장하는 일종의 트랜스휴머니즘은 인간의 존재론적 취약성을 포함하여 모든 취약성을 완전히 제거하고자 하지만, 필자들이 논증하듯이 이것은 이루어질 수 없는 백일몽에 불과하다. 따라서 우리는 과학이나 의학 같은 테크놀로지의 발전을 통해 존재론적 취약성을 일부 완화하는 동시에, 다양한 상황적 취약성과 병리적 취약성의 조건을 최대한 개선하려는 것을 목표로 삼아야 한다. 이를 위해서는 "취약성이 연대와 사회적 상호 의존의 윤리로 나아가는 계기로 작용할 수 있도록 해야" 한다. 이러한 연대와 상호 의존의 윤리를 사유하는 데에는 포스트-휴머니즘이 중요하다. 인간이 생태계의 구성원으로서 다른 비인간들과 공생해야 한다는 포스트휴머니즘 생태학이 필요하기 때문이다. 그렇지만 앞서 박혜영이 해러웨이의 주장에 대해 유보적 입장을 제출하는 것과 마찬가지로, 이 글의 필자들도 이런 논의를 현재의 구체적인 상황에 곧바로 포괄적으로 대입하기는 어렵다는 것을 잊지 않는다. 가령 우리가 현 상황에서 코로나19 바이러스와 공존하기 어렵기 때문에, 적절한 면역 상태의 획득이 먼저 전제되어야 하는 것이다. 그런데 이러한 바이러스에 대한 대처는 좁은 의미의 생태학적 문제일 뿐 아니라 사회정치적 문제이기도 하다. 따라서 우리는 자본주의라는 거시적인 사회정치적 조건 아래에서 바이러스에 대처하기 위해 이른바 공동면역주의co-immunism(페터 슬로터다이크Peter Sloterdijk) 같은 연대와 동맹을 추구해야 한다.

◆ ◆ ◆

3부 '팬데믹과 재현의 모빌리티'에서는 앞선 논의를 바탕으로 팬데믹으로 선명하게 드러나는 시대적 전환을 탐구하고, 특히 인류세의 문제나 테크놀로지 발전에 따른 포스트휴먼 논의 등에 있어서 문학과 영화 등의 재현이 어떻게 이동하고 있는지를 탐구하는 글들을 실었다.

먼저 복도훈의 〈인류세의 (한국)문학 서설〉은 이 책의 앞선 논의에서 배경을 이루고 있는 인류세를 정면으로 다루면서 이에 대처하는 문학의 가능성을 모색한다. 팬데믹, 나아가 팬데믹이라는 예행연습 이후에 올 기후변화(라투르Bruno Latour)를 실감하기 위해 필자는 두 가지 낯설게 하기를 제안한다. "후손의 관점에서 조상이 되는 우리의 상황을 진단하기"와 "비인간 존재의 관점에서 인간과 비인간의 얽힘을 사유하기"가 그것이다. 첫 번째 낯설게 하기의 사례는 킴 스탠리 로빈슨Kim Stanley Robinson의 SF《2312》에서 2005년에서 2060년 사이의 우리 시대를 기후변화라는 재앙에 대처하지 못하고 우유부단하게 동요하던 시대(디더링 dithering의 시대)라고 회고할 것이라는 미래완료형 전망이다. 두 번째 낯설게 하기의 사례는 바이러스의 편에 선 의인화된 표현으로 나타난다. "끔찍한 독성을 가진 병원체가 이 행성의 모든 거주자들의 생존 조건을 변화시켰으니, 그 병원체의 이름은 인간"(라투르)이라는 것이다. 낯설게 하기는 익숙한 상태를 바라보되, 다른 관점에서 바라보게 만든다. 기후변화의 심각성에 대해서는 이제 많은 사람이 지적으로나 정서적으로 동의하고 공감한다. 인류세 개념이 많은 관심을 불러일으키는 것은 이런 이유이다. 물론 이런 명칭이 일종의 환경결정론과 기술결정론에 빠져서 실제로는 어떤 은폐의 역할을 담당한다는 비판적 시각도 존재한다. 인류세가 자본주의에서 비롯한다는 점에 착안하여 자본세capitalocene를 주장하는 목소리도 존재한다.[9] 필자의 말처럼, 팬데믹이나 기후변화

---

9 인류세에 관한 다양한 관점과 비판은 다음을 참조하라. 커밀라 로일, 〈마르크스주의와 인류세〉, 장호종 옮김,《마르크스21》37, 2020, 68~103쪽.

와 같은 '아포칼립스Apokalypse'가 어원적으로 숨겨진 것을 드러낸다는 의미를 담고 있다면, 이로부터 어떤 성찰적 서사가 가능할 것이고 문학의 재현은 바로 여기에서 중요한 의미를 지닐 것이다. 나아가 필자는 문학에서 인류세의 파국, 특히 기후변화를 재현하는 새로운 서사를 개발하는 어려움을 설명하고 있다. 기후변화에 대한 "우리의 감각은 일시적인 전율과 공포로 각성될 뿐이며, 또 그러한 각성이 감각과 상상력의 지속적인 확장으로 이어지기를 기대하기란 쉽지 않"기 때문이다. 필자는 이러한 서사를 개발하는 하나의 길로서 "오래전에 서사 형식에서 추방되었던 현상들"을 다시 호명하는 길을 제시하고 있다. 그것은 신, 동물을 비롯한 무수한 비인간 행위소들이 개입하는 인류의 오랜 서사 전통에서 새로운 서사의 힘을 길어 오는 것이다. 이러한 길을 걷기 위해서는 근대문학에서 핵심을 이루는 분할, 즉 "자연과 문화, 상상력과 과학의 분할"을 극복해야 한다. 라투르의 말처럼, 근대성이 인간/비인간의 혼종을 창출하는 번역translation과 인간/비인간의 분할을 만드는 정화purification를 궁극적으로 분할해 왔다면, 자연/문화, 상상력/과학의 분할은 서사에 있어 근대소설과 SF의 분할로 이어진다. 따라서 인류세의 문학은 이러한 분할에 도전하는 데에서, 그리하여 인간/비인간의 분할에 도전하고 나아가 이러한 분할/혼종의 분할에 도전하는 데에서 출발해야 한다. 여기에서 가령 인간에 대한 세계가 아니라, 사변적 실재론에서 말하듯이 인간 '없는' 세계, 즉 인간 이전의 세계나 인간 이후의 세계를 서사의 주제로 삼는 것이 하나의 효과적이고 유망한 서사 전략일 수도 있다. 이러한 무시무시한 비인간의 세계를 상상하고 재현하려는 노력 속에서 우리는 오히려 인간-비인간의 분할을 극복하고 "더는 우리가 간여하기 어려워진 세계, 우리가 살아갈 수 없는 이후의 세계에 대한 더욱 깊은 탐구와 무거운 책임을 지도록 유도하며, 우리 아닌 비인간 존재의 관점에서 우리와 세계를 근본적으로 재고하도록 이끌 수 있다"는 것이다.

김양선의 〈팬데믹 이후 사회에 대한 (여성)문학의 응답: 젠더, 노동, 네트워크〉는 팬데믹을 다루는 (여성)문학을 통해, 이러한 "깊은 탐구와 무거운 책임"이 구체적으로 어떻게 나타날 수 있는지를 보여 준다. 팬데믹이 계급, 젠더, 인종, 민족, 연령, (비)장애 등 모든 조건을 교차하면서 서로 다르게 영향을 미치고 있음은 다수의 분석에서 제기한 바 있다. 특히 젠더와 계급이 교차하는 지점에서 작금의 팬데믹은 여성의 삶을 더욱 어렵게 하고 있다. 이 글은 이러한 상황을 감정노동과 돌봄노동, 그리고 이에 대한 여성문학의 재현을 중심으로 살펴보면서, (그런 것이 가능하다면) 팬데믹 이후의 삶을 내다보고자 한다. 코로나19로 인해 여성의 사적 영역의 돌봄노동 부담이 급속하게 무거워졌을 뿐 아니라, 공적 영역의 돌봄노동 역시 감염 위험, 일자리 소멸 등으로 위기에 처해 있다. 그뿐 아니라 공적 영역의 감정노동 역시 심각한 위기를 겪고 있는데, 이 점을 극명하게 보여 주는 것이 콜센터의 집단감염이다. 따라서 이 글에서는 돌봄노동이나 감정노동을 다루는 최근의 실명제 서사와 여성사事/史 형식의 여성문학을 구체적으로 분석하면서, 연결과 연대를 통해 생존을 위한 대안과 공동체를 지속하는 길을 찾고자 한다. 이러한 구체적 분석에서 잘 드러나듯이, "전통적으로 여성의 일이라 여겼던 돌봄노동, 감정노동"은 "시장의 상품경제 회로 속에 들어간 후에도 성별화되고 평가절하"되고 있다. 특히 공적 영역의 감정노동을 수행하는 딸과 그를 대신하여 사적 영역의 돌봄노동을 전담하는 엄마의 이야기인 황정은의 〈하고 싶은 말〉은 자본주의 시장의 안과 밖에서 여성노동이 어떻게 소비되고 있는지를 소상하게 그려 낸다. 이러한 상황에서 김의경의 《콜센터》와 정세랑의 《피프티 피플》은 각 장의 인물-이름이 서로 연결되는 네트워크 서사 형식을 통해, 그리고 등장인물들이 상호의존성과 유대를 통해 성장하는 내용을 통해, "평범한 사람들의 일상에 스며든 재난 상황을 극복할 대안이 관계와 협력, 상호의존성에 있다"는 것을 잘 보여 준다. 특히 《피프티 피플》의 여러 등장인물이 드러내는 한국 사회의 재난의 일상화는 이러한 "재난의 뿌리가 무분별한 개발과 탐욕, 약탈자본주의에 있음을 환기"하는데, 이는 재난의 결정판으로서 현재의 팬데믹 상황과 직결될 수밖에 없다. 이 글이 분석하는 또다른 소설인 윤이형의 〈대니〉는 인공지능 로봇이 돌봄노동을 담당하는 미래를 상상함으로써 앞선 여러 글에서 제시하는 포스트휴먼적 미래를 그려 내고 있다는 점에서 주목할 만하다. 이 이야기에서 비인간인 로봇과 인간은 때로는 엄격한 경계를 횡단하는데, 이로부터 때로는 "관계의 파국, 불안과 파괴"가 나타난다. 기존 사회가 설정한 엄격한 경계를 무너뜨리는 일을 단순히 "당위이자 의무"라고 주장하는 추상적 담론에서 벗어나면, 실제로 이런 일이 앞으로 어떠한 귀결을 낳을 것인지에 관한 깊은 사색과 논의가 필요할 것이다. 필자가 지적하듯이 팬데믹 시대에 한국 정부가 발표한 디지털 뉴딜에는 돌봄노동을 디지털 돌봄이나 돌봄 로봇 등으로 대체하겠다는 계획이 들어 있는데, 이 계획이 실현될 경우 어떤 결과가 나타날지를 (여성)문학은 마치 예언처럼 보여 준다.

다른 한편 이윤종의 〈바이러스의 살육성: 〈괴물〉과 〈감기〉의 기생체〉는 영화를 통해 팬데믹의 문제에 접근하고 있다. 필자는 팬데믹이라는 재앙에 직면하여, 바이러스 감염을 다룬 두 편의 한국 재난영화, 즉 봉준호 감독의 2006년작 〈괴물〉과 김성수 감독의 2013년작 〈감기〉를 통하여 바이러스의 살육성이 어떻게 재현되고 있는지를 추적한다. 우선 주목할 대조는 〈감기〉가 바이러스를 감염자의 비말과 피를 통해 직접적으로 시각화한다면, 〈괴물〉은 인간을 잡아먹는 괴물이 (아마) 바이러스에 감염되었다는 설정을 통해 간접적으로 재현한다. 이것은 인류세가 단지 기후변화뿐 아니라 바이러스 감염을 비롯한 여러 환경적 재난으로 규정된다는 점에서 흥미롭다. 팬데믹을 이처럼 인류세라는 좀 더 큰 배경 안에서 고찰한다면, 인류세의 재난은 본격적(?) 기후변화 이전에 이미 우리 눈앞에서 펼쳐지고 있는 어떤 것이다. 바이러스는 동물은 커녕 생물인지조차 애매하지만 인간에게는 "거의 유일하게 의미가 있는 포식자"이다. 이러한 바이러스로 인한 팬데믹은 도시화로 인해 더 빈번히 발생하고, 모빌리티 증대로 인해 더 신속히 확산된다. 특히 지금와 같이 바이러스가 신속하게 지구적 규모로 확산되는 것은 "중국의 급속한 경제성장이 가시화된 2010년대 이후" "전 세계 사람들이 관광, 출장, 취업, 이민 등의 이유로 국경을 넘어 이동하는 흐름이 전 지구적으로 실제화"되었기 때문이다. 따라서 이 글에서 말하는 것처럼 인구의 폭발적 증가, 도시와 문명의 탄생으로 인하여 "대규모 공동체에 밀집된 인간들은 잠재적인 병원체들의 풍부한 먹이"가 된다. 나아가 바이러스는 "인류가 자연상태의 동식물 분포 형태를 왜곡시켜 새로운 생태적 적소를 만들어 내면 그 기회를 놓치지 않고 점거"한다. 따라서 자크 아탈리Jacques Attali가 20세기 말에 이미 "사람과 상품, 생물종 유목의 부작용으로 대규모 전염병이 다시 창궐"할 수 있다고 경고한 현상이 실제로 벌어지고 있는 것이다. 나아가 이 글에서 고찰하는 두 편의 재난영화의 공통분모는 바이러스로 인한 모빌리티의 통제이다. 이 영화들 속에서 재난지역은 봉쇄되고 사람들은 잠재적 바이러스 보균자로서 격리된다. 또한, 아탈리가 경고하였듯이 "세계적인 격리조치"가 취해지고 "잠시 유목과 민주주의에 대해 회의"하는 일이 나타나는 것이다. 필자의 진단처럼 "실제로 전 지구적으로 '이동'과 '민주주의'에 대한 양가적 정동이 바이러스만큼이나 빠르게 확산되고 있다." 여기에서 팬데믹이 "생태계를 교란시키며 지구의 주인으로 군림하는 인류에게 가하는 지구의 자기조절 시스템에 의한 통제라 볼 수도 있겠다"는 필자의 진단은 앞서 논의한 인간 없는 세계의 서늘한 관점을 배경으로 한다. 이 글에서 두드러지는 또 다른 관점은 바이러스나 박테리아 등의 미시기생체microparasite와 타인의 노동에 기생하는 생명체나 사회체체인 거시기생체macroparasite의 공조이다. 가령 〈괴물〉에서는 미시기생체인 바이러스와 거시기생체인 한강의 괴생명체가 또 다른 거시기생체인 국가 및 정치체제와 복잡한 관계를 맺는다. 〈감기〉에서도 시민들은 "미시기생체와 거시기생체로부터 이중적으로 고통받고 살육"된다. 필자는 이 장면을 푸코의 생명정치 개념과 이를 심화한 아쉴 음벰베Achille Mbembe의 죽음정치 개념이 교차하는 것으로서 세밀하게 분석한다. 이러한 분석에서 눈에 띄는 것은 백욱인의 글에서처럼 "엉뚱한 주체들"이 "엉뚱한 방식"으로 저항하는 것이다. 필자는 이들을 비이성적이라고만 할 수 있는가라는 물음을 던지되 최종적 답변은 유보한다. 앞서 언급한 모빌리티와 민주주의에 대한 혐오와 회의라는 정동과 연관된 이 물음은, 우리가 통치성에 대한 저항의 관점에서 향후 피할 수 없는 질문일 것이다.

◆ ◆ ◆

팬데믹 시대는 거대한 불평등뿐만 아니라 가장 근본적이고 넘어설 수 없는 인간의 "존재론적 취약성"도 드러냈다. 팬데믹에 이어 닥쳐 올 기후위기는 이를 더욱 극명하게 드러낼 것이다. 그러나 또한 "피할 수 없는 수용성, 개방성, 그리고 서로 정동하고affect 정동되는affected 능력"[10]을 통하여 이런 위기를 극복하기 위해 윤리적으로 새롭게 정향해야 해야 한다는 위급한 당위도 드러낼 것이다. 현재 모빌리티의 문제를 극복하기 위한 기술적 시도와 정책적 시도가 다각도에서 이루어지고 있지만, 이러한 시도는 결국 인간의 취약성에 대한 자각에서 비롯해야 한다. "취약성이 윤리적 만남에서 작동하려면 이 취약성을 지각하고 인식해야 하지만, 이런 일이 일어난다는 보장은 없다."[11] 그러나 분명한 것은, "공동의 인간적 취약성에 대한 예감"에 기초하는 윤리적 상호책임이 작금의 팬데믹을 포함하여 "우리에게 고통을 주는 온갖 폭력으로부터 타자를 보호하기를 약속"하는 원칙이라는 것이다.[12] 이러한 원칙을 몰각할 때 팬데믹과 같은 재난은 오히려 이러한 위기를 이용하여 자본과 국가가 이윤을 극대화하는 '재난자본주의disaster capitalism'의 길을 열어 줄 수도 있다.[13]

비릴리오Paul Virilio는 '대가속'을 통과해 온 후기근대사회에서 어떤 기

10   Erinn Gilson, *The Ethics of Vulnerability: a Feminist Analysis of Social Life and Practice*, New York: Routledge, 2014, p. 37.

11   Judith Butler, *Precarious Life: The Powers of Mourning and Violence*, London and New York: Verso, 2004, p. 46.

12   Butler, *Precarious Life: The Powers of Mourning and Violence*, p. 30. 취약성에 관한 이러한 사유를 통해 "바이러스-동물-인간의 연결망에 대한 지속적인 관심과 세심한 관찰, 다르게 될 가능성에 대한 꾸준한 탐색과 개입"을 주장하는 다음 논의를 참조하라. 하대청, 〈다종적 얽힘과 돌봄: 코로나 감염병 시대 공번성을 위한 윤리〉, 《안과 밖》 49, 2020, 244쪽.

13   나오미 클라인, 《쇼크 독트린 – 자본주의 재앙의 도래》, 김소희 옮김, 살림, 2008.

이한 과정을 예언한 바 있다. 그것은 과잉 가속으로 인한 정지 혹은 '극의 관성Polar Inertia'이라는 형태로 역사의 종언이 다가오고 있다는 암시이다.[14] 비릴리오의 이러한 예언은 속도 자체가 극한으로 달하는 데서 나오는 귀결이었으나, 어쩌면 인류세의 팬데믹이나 기후변화라는 거대한 외부충격이 이런 현상을 낳을지도 모른다는 것을 잊지 않아야 할 것이다.

---

14 Paul Virilio, "Polar Inertia," in: James Der Derian (Ed.), *The Virlio-Reader*, Oxford: Blackwell, 1998, pp. 117-133.

참고문헌

클라인, 나오미,《쇼크 독트린 – 자본주의 재앙의 도래》, 김소희 옮김, 살림, 2008.

김홍중, 〈인류세의 사회이론 1: 파국과 페이션시(patiency)〉,《과학기술학연구》 19(3), 2019, 1~49쪽.

로일, 커밀라, 〈마르크스주의와 인류세〉, 장호종 옮김,《마르크스21》 37, 2020, 68~103쪽.

차태서, 〈포스트휴먼 시대 행성 정치학의 모색: 코로나 19/기후변화 비상사태와 인류세의 정치〉,《국제정치연구》 24(4), 2021, 31~65쪽.

하대청, 〈다종적 얽힘과 돌봄: 코로나 감염병 시대 공변성을 위한 윤리〉,《안과 밖》 49, 2020, 224~249쪽.

유창욱, 〈[CES 2022] 전동화부터 전자화까지…'모빌리티 대변혁' 한 자리에〉,《이투 데이》 2022년 1월 7일자. https://www.etoday.co.kr/news/view/2094524 (검색 일: 2022.01.23.)

Butler, Judith, *Precarious Life: The Powers of Mourning and Violence*, London and New York: Verso, 2004.

Gilson, Erinn, *The Ethics of Vulnerability: a Feminist Analysis of Social Life and Practice*, New York: Routledge, 2014.

Urry, John, *What is the Future?*, Cambridge: Polity, 2016.

Virilio, Paul, "Polar Inertia," in: James Der Derian (Ed.), *The Virlio-Reader*, Oxford: Blackwell, 1998.

Bærenholdt, Jørgen, "Governmobility: The Powers of Mobility," *Mobilities* 8(1), 2013, pp. 20-34.

Sheller, Mimi, "From Spatial Turn to Mobilities Turn," *Current Sociology* 65(4), 2017, pp. 623-639.

Sheller, Mimi, "Exclusive Interview with Dr. Mimi Sheller," *Mobility Humanities* 1(1), 2022, pp. 110-118.

Sheller, Mimi & Urry, John, "The New Mobilities Paradigm," *Environment and Planning A* 38(2), 2006, pp. 207-226.

Will, Steffen, Broadgate, Wendy, Deutsch, Lisa, Gaffney, Owen, Ludwig, Cornelia, "The Trajectory of the Anthropocene: the Great Acceleration," *The Anthropocene Review* 2(1), 2015, pp. 81-98.

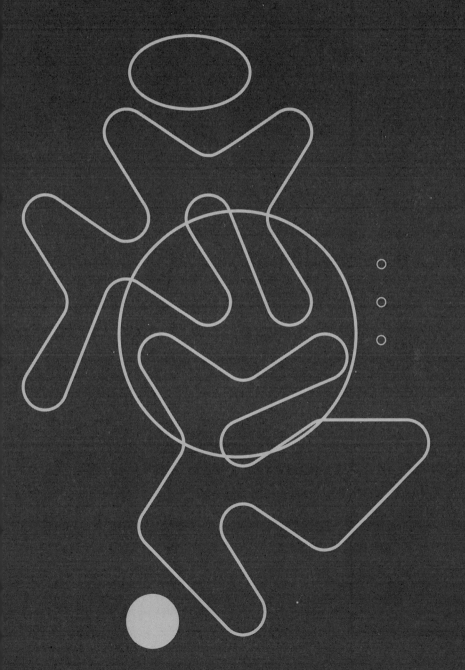

코로나19 방역의 공간화

:인간-동물 감염병 경험과 공간중심 방역

김기홍

이 글은 《환경사회학연구 ECO》 제25권 제1호(2021. 6.)에 게재된 원고를 수정 및 보완하여 재수록한 것이다.

2019년 12월 중국 우한에서 발생한 신종 코로나바이러스가 전 세계로 빠르게 확산하면서 사회경제적으로 엄청난 충격을 주었다. 세계보건기구WHO에 따르면 2021년 2월 10일 기준, 전 세계 코로나19 확진자 수는 1억 7백만 명을 돌파했으며 하루 확진자 수가 40만 명에 이를 정도로 들불처럼 확산하였다. 바이러스의 활동성이 높아지는 겨울이라는 요인도 있겠지만, 이른바 전 세계적 제2차 감염 확산의 파도가 몰아치면서 확진자 증가 속도가 매우 빨라졌다. 한국도 신종 코로나바이러스인 코로나19의 확산을 피할 수 없었다. 각 국가는 코로나바이러스 확산을 막기 위해 매우 상이한 정책을 실행하였다. 상이한 정책이 공유하는 목표는 한 국가의 보건의료 기반시설과 경제활동에 미칠 피해를 최소화하는 것이었다. 팬데믹 초기 방역정책 실패로 엄청난 희생을 치른 미국이나 영국 같은 국가는 방역정책의 중심을 감염 확산 방지에서 백신 접종을 통한 면역력 확보로 전환했지만, 초기 방역에서 상대적인 성공을 거둔 동아시아 국가들은 비록 백신 접종 속도는 느리지만 감염 확산 방지 정책을 강화하면서 상황을 견뎌 나갔다. 이처럼 각기 다른 형태의 방역정책의 공통점은 "알 수 없는 것unknowns"에 대해 마치 알고 있는 것처럼 대응한다는 사실이다.[1] 이 '모르는 것'에 대해, 우리가 마치 아는 것처럼 대응하는 이유는 무엇일까? 그 이유는 신종 감염병에 대한 질병 거버넌스 disease governance가 과거의 상이한 '질병경험'에 근거하기 때문이다.

2020년 3월에 이르러 코로나바이러스 확산을 지역적인 수준에서 막을 수 없는 상황에 이르렀다. 세계보건기구는 3월 초반 14일 동안 중국

---

[1] Smith, R. D., "What type of governmentality is this? Or, how do we govern unknowns," *Somatosphere: Science, Medicine and Anthropology*, 2020. 5. 26.

을 제외한 다른 국가에서 확진자 수가 13배로 급증하면서 3월 12일에 전 세계적 확산을 의미하는 팬데믹Pandemic을 선언했다.[2] 이미 중국에서는 지역적 봉쇄정책을 시행하면서 우한 지역에 대해 '극단적'이고 '가혹한' 봉쇄전략을 결정했다. 이러한 극단적인 봉쇄전략은 권위주의적 정부에서나 가능한 정책이라고 비판받았는데,[3] 그럼에도 불구하고 유럽의 대부분 국가들은 팬데믹 초기 방역 실패로 인해 극단적 봉쇄전략을 따르게 된다. 이러한 상황에서 한국을 포함한 몇몇 동아시아 국가만 봉쇄전략을 선택하지 않고 강력한 억제전략을 선택한다. 한국은 중앙집중적 억제전략을 사용하면서 다른 국가들과 비교해서 효과적으로 코로나19의 확산을 억제한 국가로 평가받았다.[4] 특히, 테스트–추적–격리치료test-trace-treat 전략은 전국적인 봉쇄나 이동제한 없이 성공적으로 질병 확산을 억제했다. 한국의 방역 성공 요인을 공격적인 진단검사와 추적기술 그리고 메르스 실패에서 얻은 제도적인 교훈에서 찾는다. 테스트–추적–격리치료 전략이 다른 국가들의 방역정책과 비교해서 상대적인 성공을 거둔 것은 사실이지만 이것이 모든 것을 설명할 수는 없다. 본 글의 목적은 한국 방역정책이 보여 준 방역전략의 이면에 존재하는 질병경험적 요소를 고려함으로써 그 특성과 문제점을 찾는 것이다. 한국 방역전략의 상대적 효율성을 설명하기 위해 2000년대 반복적으로

2   WHO 2020a, "Timeline: WHO's Covid-19 Response", https://www.who.int/emergencies/diseases/novel-coronavirus-2019/interactive-timeline#!.

3   Qin, A., Myers, A. L. and Yu, E., "China tightens Wuhan lockdown in 'wartime' battle with coronavirus," *The New York Times*, 2020. 2. 7.; Levenson, M., "Scale of China's Wuhan shutdown is to be without precedent," *The New York Times*, 2020. 2. 22.

4   Scott, D. and J. M. Park, "South Korea's Covid-19 success story started with failure," *Vox*, 2021. 4. 19.

발생한 인간-동물(가축) 감염병[5]의 '질병경험'이라는 요인을 고려할 필요가 있다. 특히, 2002년 발생한 중증급성호흡기증후군(이하 사스SARS)과 2003년 이래 지속적으로 발생해 온 조류독감Avian Influenza, 2010년 전국의 축산농가를 초토화시킨 구제역Foot-and-Mouth Disease, 2015년 사회 전체를 마비시켰던 중동호흡기증후군(이하 메르스MERS), 그리고 2019년 경기도 북부의 접경지역에 확산된 아프리카 돼지열병ASF 대응 경험은 고스란히 현재 한국의 방역전략에 반영되어 있다. 특히, 이 질병경험의 근간에 존재하는 인간-동물 감염병의 질병경험은 대부분 '공간'에 대한 방역에 집중하고 있는데, 어떻게 이러한 공간이 구성되는가를 고찰할 필요가 있다. 본 글은 한국 방역전략의 독특한 특성이 단순히 기술적 요소나 특정 사회적 요인으로 환원될 수 없음을 보이고, 동물-인간 감염병 대응을 통해 형성된 질병경험의 제도화Institutionalisation of disease experience 과정을 분석할 것이다. 특히 코로나19 확산 과정에서 보여 준 방역당국의 대응전략에서 발견되는 몇 가지 특징을 논의하고, 한국 질병통제관리의 특징이 최근 지속해서 발생해 온 인간-동물(가축) 감염병에 대한 대응의 질병경험을 통해 형성되었음을 보여 줄 것이다. 특히 다른 서구 국가의 방역정책 사례와 비교함으로써 한국의 코로나19 방역전략의 '공간 중심' 방역에 대해 논의할 것이다. 이러한 질병, 특히 신종 감염병에 대한 이해는 단순히 몇 가지 요인으로 환원하여 설명할 수 없으며 좀 더 총체적인 관점이 필요하다.

---

5   이 글에서는 '인수공통감염병' 대신 '인간-동물(가축) 감염병'이라는 용어를 사용할 것이다. 2000년대 이후 한국에서 발생한 다양한 감염병이 단순히 메르스와 같은 인수공통 감염병을 넘어서 구제역이나 아프리카돼지열병과 같은 동물(가축) 감염병을 포함하기 때문이다.

질병경관disease-scape

한국이 선택한 방역전략의 특성 중 두드러진 점은, 행위자의 개별 행동 방식의 변화를 기대하는 방역전략과 상당히 다른 모습을 보인다는 것이다. 서구 유럽 대부분의 국가가 선택한 전략은 개별 행위자의 행위와 태도, 움직임의 방식에 변화를 유도하는 것이다. 이러한 전략을 '행동방역'이라고 정의할 수 있다. 반면에 한국의 경우 집합적 행위자들의 감염이 일어나는 특정 공간을 일종의 방역 결절점으로 삼아 질병 통제를 시도하는 전략을 보여 주었다. 상술하겠지만 이러한 특징은 앞에서 정의한 '행동방역'과는 다른 '공간방역'으로 정의할 수 있다. 공간성이라는 요소를 질병통제 전략에 있어서 하나의 요인으로 부가할 경우, 질병을 바라보는 근본적인 방식에 변화가 나타날 수 있다. 질병은 단순한 물리적 실체라기보다는 물리적 요인(생물학적 요인)과 함께 사회 · 문화 · 정치적 요인이 결합하는 복잡한 실체이다. 질병은 단순히 그 본질을 스스로 드러내지 않는다. 질병은 증상으로 나타나며 병원체와 환자의 면역체계의 상호작용, 신체를 둘러싼 생태 · 환경은 물론 정치 · 문화적 환경과의 상호작용을 통해서 그 실체가 가시화된다. 때로는 정부나 방역당국의 정책과 역학적 통계 모델에 의해 질병의 실체는 전혀 다른 모습으로 나타나기도 한다. 질병에 대한 전통적인 관점은 이러한 질병의 미묘하고 복잡한 특징을 간과해 왔다. 고전적 관점은 질병을 다소간 고정된 실체로 인식하면서 예측 가능한 질병의 일반적이고 근본적 속성을 발견할 수 있다고 생각해 왔다. 그러나 최근 발생한 신종 감염병, 예를 들어 에이즈 · 사스 · 메르스 · 에볼라 · 광우병 · 코로나19와 같은 질병을 경험하면서 질병이 단순히 외부에 존재하고 고정된 실체가 발현되는 것이라기보다는 근대적인 형태의 삶의 방식, 가령 집약적 농업이나 산림 훼손, 도시화와 전 세계적인 교역시스템과 긴밀하게 연관된다는 주장이 새롭게 힘을 얻고 있다.[6] 신종 감염병의 질병경험은 항상 병원체와 관련된 문제를 강조한 "병원성pathogenicity"의 문제로부터 감염병 발생으로 인한 사회질서 붕괴를 통제하고 관리하는 "질병에 대한 통치성" 문제로까지 확장되고 있다.[7] 결국 질병의 원인은 '병원체'지만 병원체를 둘러싼 관계망과 시스템에서 병원체의 실체는 사라진다. 질병을 퍼뜨리는 것은 병원체가 아니라 사회시스템이다. 질병과 관련된 병원체와 환자의 경험에 대한 관심은 가변적이고 비결정적인 질병의 발생과 수행성으로 전환되어야 한다.

질병과 공중보건 문제를 다루는 사회학자들은 주로 질병의 사회적 경험에 집중해 왔다. 이들의 관심이 질병에 관한 개인적인 경험이나 문화, 사회구조에 집중되면서 질병 자체에 내재되어 있는 수행성과 질병에 대한 지식의 네트워크를 간과해 왔다.[8] 하지만 최근 과학기술학STS의 사회구성주의에 의하면, 질병은 고정되고 닫힌 실체closed entity라기보다 특정 시공간의 맥락적 우연성과 긴밀히 연관되어 유연한 해석이 가

6   데이비스, 마이크, 《조류독감: 전염병의 사회적 생산》, 정병선 옮김, 돌베개, 2008. (Davis, M., *he Monster at Our Door: The Global Threat of Avian Flu*, New York: New Press, 2005); Kim, K., "Styles of scientific practice and the prion controversy," *Infectious Processes: Knowledge, Discourse and the Politics of Prions*, edited by E. Seguin, London: Palgrave MacMillan, 2005, pp. 38-72; Kim, K., *Social Construction of Disease*, London: Routledge, 2007; Nguyen, V-K., *The Republic of Therapy: Triage and Sovereignty in West Africa's Time of AIDS*, Durham: Duke University Press, 2010.

7   Hinchliffe, S., Bingham, N., Allen, J. and Carter, S., *Pathological Lives: Disease, Space and Biopolitics*, Oxford: Wiley Blackwell, 2017, xiv.

8   Timmermans, S., and S. Haas, "Towards a sociology of disease," *Sociology of Health &*

능한 실제로 전환될 수 있다. 즉, 질병은 연관 그룹relevant groups이나 경제 조건, 사회문화적 맥락과 연관된 다양한 방식으로 인식되며 구성된다.[9] 사회구성주의적 접근법은 의료·과학적 지식이 다양한 사회적 요인들과 결합되어 구성된다는 점을 강조했지만, 사회적 요인에 대한 결정론으로 오해받을 수 있는 강조와 인식의 다양성에 의존한 나머지 실제 질병의 물질성과 비인간행위자로서 질병을 둘러싸고 있는 다양한 비인간 요인들의 네트워크의 중요성을 간과했다는 비판에 직면한다. 특히 브뤼노 라투르Bruno Latour와 미셸 칼롱Michel Callon을 비롯한 이른바 행위자-연결망이론가ANT: Actor-Network Theory들은 인간과 비인간을 포함한 다양한 행위자들이 질병에 대한 지식과 경험을 만드는 데 있어서 동일하게 중요한 역할을 한다고 강조했다.[10] ANT 연구자들이 질병 연구에 기여한 주요한 측면은 질병의 수행적 역할에 대한 강조이다.[11] 과

Illness 30(5), 2008, pp. 659-676.

9   Cooter, R., Harrison, M., and Sturdy, S., (eds) *War, Medicine, and Modernity*, Phoenix Mill: *Sutton Publishing*, 1999; Cooter, R., and Stein, C., *Writing History in the Age of Biomedicine*, New Haven: Yale University Press, 2013; Kim, K., *Social Construction of Disease*, 2007; Rosenberg, C. and Golden, J., *Framing Disease: Studies in Cultural History*, New Brunswick: Rutgers University, 1992; Sturdy, S., *Medicine, Health and the Public Sphere in Britain, 1600-2000*, London: Routledge, 2013; Van den Belt, H., *Spirochaetes, Serology and Salvarsan-Ludwik Fleck and the Construction of Medical Knowledge about Syphilis*, Nijmegen: Catholic University of Nijmegen, 1997; Woods, A., *A Manufactured Plague: The History of Foot-and-Mouth Disease in Britain*, London: Routledge, 2013.

10   Callon, M. "The sociology of an Actor-Network:The case of electric vehicle," in *Mapping the Dynamics of Science and Technology*, edited by M. Callon, J. Law, and A. Rip, London: MacMillan Press, 1986, pp. 19-34; Latour, B., *Reassembling the Social: An Introduction to Actor-Network Theory*, Oxford: Oxford University Press, 2005; Law, J., *After Method: Mess in Social Science Research*, London: Routledge, 2004.

11   Law, J. and Mol, A., "Veterinary realities: what is foot and mouth disease?," *Sociologia Ruralis* 51(1), 2011, pp. 1-16; Law, J. and Moser, I., "Contexts and Culling," *Science,*

학기술학자인 앤마리 몰Annemarie Mol은 질병을 병원체와 환자(또는 숙주)라는 엄격한 카테고리에 근거하여 설명할 때, 다양한 행위자들(여기에는 비인간행위자인 병원체도 포함된다)이 결합하여 만들어 내는 복잡하고 다양한 연결망의 결과로서 질병을 제대로 이해할 수 없다고 비판한다(Mol, 2003). 질병은 단순히 단일한 실체로서 이해될 수 없으며, 행위자들이 결합하는 방식과 그 시공간적 특수성에 따라 다중적으로 이해되고 수행된다.[12]

사회구성주의가 제안한 질병의 해석적 유연성과 확장 가능성 그리고 ANT의 인간-비인간 수행성을 함께 고려할 때, 질병의 확산과 방역은 사회·생태적으로 그리고 맥락에 근거한 실천 과정으로 이해할 수 있다. 우선, 질병은 사회·생태적이다. 질병의 발생과 재발생은 질병을 일으키는 다양한 요인들이 이미 존재하거나 고정되어 있어서 발생하게 되는 인과 과정의 결과가 아니다. 차라리 그 요인들은 항상 비결정적이고 다른 맥락에서 다르게 결합되어 나타난다. 즉, 다양한 요인들은 결

Technology & Human Values 37(4), 2012, pp. 332-354; Michael, M., Actor Network Theory: Trials, Trails and Translations, London: Sage, 2016.

12 앤마리 몰은 네덜란드 병원에서 죽상동맥경화증artheosclerosis 진단 및 치료 과정에 대한 인류학적 연구를 진행했으며, 이 과정에서 각기 다른 전문 분야 의사들의 검진 방식과 사용하는 기술에 따라 이 동맥경화증이 다른 성격의 실체가 된다는 점을 보여 주었다(Mol, 2003). 몰에 의하면 병리학자들에게 이 동맥경화증은 절단된 다리 부분의 동맥을 잘라 얻은 샘플을 염색하고 현미경을 통해 검사하여 규정할 수 있는 질병이다. 이 과정에서 비정상적으로 혈관 내피에 콜레스테롤 침착이 일어나고 혈관이 좁아지는 것을 발견하면 그것이 동맥경화증이 된다. 반면에 임상의들에게 동맥경화증은 환자들이 묘사하는 통증과 고통 그리고 보행의 어려움, 약한 맥박과 같은 진단 과정을 통해 동맥경화증이 된다. 이처럼 동맥경화증이라는 질병의 실체는 단일하고 고정된 것이라기보다는 수행과정을 통해 "질병이 되는becoming the disease" 과정이며 다중적이다(Jensen, T. E. and B. R. Winthereik, "Book review: The Body Multiple: Ontology in Medical Practice," Acta Sociologica 48(3), 2005, pp. 266-268).

합 방식에 따라 다른 형태의 질병이 되기도 한다. 또한 질병을 통제하고 관리하는 공중보건적 통치행위도 질병의 일부분으로 포함되어야 한다. 이 글의 코로나19 방역전략 특성 논의에서도 질병 관리와 통제행위를 질병을 구성하는 하나의 요인으로 포함한다. 질병에 대한 탐구는 단순히 병원체와 환자(또는 숙주)의 관계만으로 설명될 수 없다. 대신, '협치의 레짐regime of governance'을 포함한 수행과정이 포함될 필요가 있다.[13]

하지만 전통적인 병원체 중심의 설명 방식과 관계론적·수행적 설명 방식 사이에는 긴장이 존재한다. 전자의 설명 방식에서는 병원체와 환자(숙주)라는 이분법적 카테고리의 구분이 엄격하게 유지되며, 그 관계는 인과론적이다. 반면에 후자는 좀 더 유동적인 형태의 병원체-환자(숙주)의 관계를 설명하고 있다. 이 관계는 항상 맥락에 의해 열려 있으며 해석적 유연성이 존재한다. 전자와 후자 사이의 긴장 관계를 해소하기 위해서 질병을 좀 더 총체적으로 이해하려는 시도가 제안되었다. 예를 들어, 사회학자 스티브 힌치리프Steve Hinchliffe와 그의 동료들은 질병을 둘러싼 상황을 개념화하여 이러한 긴장을 해소할 수 있다고 주장한다. 그는 "다양한 시공간적 결합을 통해 질병에 대한 새로운 이슈와 문

---

13 Hinchliffe, S., Bingham, N., Allen, J. and Carter, S., *Pathological Lives: Disease, Space and Biopolitics*, p.6. 1990년대 영국을 극단적인 혼란 상태로 몰아넣었던 인간광우병vCJD에 대한 정부의 조사 과정이 대표적인 사례이다. 1995~2000년에 진행된 "광우병조사위원회 BSE Inquiry"의 조사보고서는 단순히 질병에 관한 고립되고 명문화된 지식 이상의 의미가 있다. 실제로 의회 및 정부 보고서는 수행되는 질병의 지속적인 과정으로 이해되어야 한다. 이 조사위원회의 조사 과정에서 질병에 대한 각기 다른 자원과 기술이 동원되었으며, 이를 통해서 인간광우병은 비로소 인간광우병으로 전환되었다(Law, J. and Singleton, V., "ANT, multiplicity and policy," *Critical Policy Studies* 8(4), 2014, pp. 379-396; Packer, R., *The Politics of BSE*, London: Palgrave MacMillan, 2006; Van Zwanenbert, P. and E. Millstone, *BSE: Risk, Science and Governance*, Oxford: Oxford University Press, 2005)

제가 만들어"진다며 "질병상황disease situations"이라는 개념을 제시했다. 이 개념을 통해서 "각기 다른 공간과 제도, 실천 그리고 인간이나 동물, 재료 및 과정이 결합되는 과정을 볼 수 있다"는 것이다.[14]

하지만 다양한 요인들의 관계 맺음과 역사적인 맥락에 기반하여 질병을 이해하려면 좀 더 동적이고 관계를 조망할 수 있는 개념이 요구된다. 그리고 이러한 동적이고 관계의 맥락성에 근거한 이해 또한 특정 시공간이라는 위치에서 이해될 수밖에 없다. 이 시공간적 위치는 하나의 국민국가 단위에서 파악될 수 있지만, 때로는 그것이 특정 지역의 시공간적 맥락에서 전혀 다른 형태로 이해되고 다른 모습으로 발현되며, 심지어 두 맥락이 서로 충돌을 일으켜 갈등을 형성하면서 각기 다른 형태의 질병 및 방역 체계를 구성하기도 한다.[15] 공간성의 문제를 질병을 이해하기 위한 개념 체계에 포함시키려면 맥락화된 질병경험을 설명할 수 있는 공간성의 개념이 부가될 필요가 있다. 질병경험을 사회문화적 · 물리적 맥락에 위치시키기 위해 '공간성' 개념과 결합하려 한다면, 위험에 대한 공간적 재개념화에서 실마리를 찾을 수 있다. 특히, 울리히 벡Urlich Beck이 제안했던 '위험사회' 개념을 발전시켜 일부 인문지리학자와 사회과학자는 '개인이나 사회집단이 위험에 대해 각자 고

---

14 Hinchliffe, S., Bingham, N., Allen, J. and Carter, S., *Pathological Lives: Disease, Space and Biopolitics*, p. 61.

15 다양한 시공간이 동시에 중첩적으로 상호작용을 일으키고 갈등 관계를 형성하는 대표적인 사례를 2010년 겨울부터 그 이듬해까지 확산했던 구제역의 사례에서 찾아볼 수 있다. 당시 중앙정부와 몇몇 지방정부(경기도 · 경상북도)가 항원진단키트 사용 권한과 구제역 병원체 유입 경로를 둘러싸고 벌인 논쟁을 통해 두 가지 시공간의 중첩과 충돌을 볼 수 있다(김기홍, 〈병원체의 다중적 구성: 백서를 통해 재구성된 구제역과 과학기술정치〉,《환경사회학연구 ECO》19(1), 2015, 133~171쪽).

유한 시각을 만들어 내고 그 시각을 공간적으로 해석하려는' 시도로서 "위험경관riskscape" 개념을 제안한다.[16] 밀러-만Detlef Müller-Mahn과 조너선 에버츠Jonathan Everts의 제안은 다양한 사례에 적용되어 위험인식을 좀 더 공간적 맥락에서 이해할 수 있는 기회를 제공한다. 공간의 사회문화적 특성과 물질적 특성을 결합하여 위험을 이해하려는 시도는 질병과 관련된 위험에도 충분히 확장할 수 있다.[17] 위험경관 개념은 '위험'이라는 일반적 개념을 시공간적 맥락, 특히 공간적 특성이라는 요소가 중요하게 이해되어야 할 경우에 매우 유용하다. 만일 질병이라는 경험으로 확장하여 사용한다면 단순한 위험경관은 구체적인 물리적 공간의 특성이 강조됨에도 불구하고 개념적 추상성과 일반성으로 인해 구체성을 담아내기 힘들다. 현재 일어나고 있는 코로나19에 관한 다양한 전략적 접근법을 이해하려면, 질병에 관한 구체적 특성과 해석적으로 유연

16　Müller-Mahn, D. (ed.), *The Spatial Dimension of Risk: How Geography Shapes the Emergence of Riskscapes*, London: Routledge, 2012; 김은혜, 〈후쿠시마 원전사고 이후, 위험경관의 공간정치〉, 《지역사회학》 16(3), 2015, 191~217쪽; 이상헌·김은혜·황진태·박배균, 《위험도시를 살다: 동아시아 발전주의 도시화와 핵 위험경관》, 알트, 2017; 황진태, 〈동아시아 맥락에서 바라본 한국에서의 위험경관의 생산〉, 《대한지리학회》 51(2), 2016, 416~428쪽.

17　Müller-Mahn, D & J. Everts, "Riskscapes: the spatial dimensions of risk," pp. 22-35 in *The Spatial Dimension of Risk* edited by Detlef Müller-Mahn, London: Routledge, 2012; Everts, J. "Anxiety and risk: pandemics in the twenty-first century," in *The Spatial Dimension of Risk*, edited by Detlef Müller-Mahn, London: Routledge, 2012, pp. 82-97; Krüger, F., "Spaces of risk and cultrues of resilience: HIV/AIDS and adherence in Botswana," in *The Spatial Dimension of Risk*, edited by Detlef Müller-Mahn, London: Routledge, 2012, pp. 109-123; 황진태·김민영·배예진·윤찬희·장아련, 〈리슈만편모충은 어떻게 하나의 유럽에 균열을 가했는가?: 인간너머의 위험경관의 시각에서 바라본 코스모폴리타니즘의 한계〉, 《대한지리학회》 54(3), 2019, 321~341쪽; 장주은·황진태, 〈좋은 놈, 나쁜 놈, 이상한 놈: 이탈리아 마피아가 생산한 코로나 위험경관〉, 《대한지리학회 학술대회논문집》, 2020, 1~2쪽.

하게 나타날 수 있는 요소들이 더욱 강조될 필요가 있기 때문에, 위험 요소의 의미를 내재하고 있는 개념으로 좀 더 구체화시킬 필요가 있다. 여기에서 아르준 아파두라이Arjun Appadurai가 제안한 접미사 '경관scapes'을 질병경험과 결합함으로써 질병 상황이나 질병 자체에 관한 비공간성과 환원론적 한계를 넘어설 뿐 아니라, 위험경관이 보여 주는 위험의 물리적 · 사회문화적 공간성의 측면을 결합하여 이해할 수 있는 틀을 제공할 수 있다.[18] 아파두라이는 급격한 사회적 전환 과정을 설명하기 위해 '경관'이라는 용어를 제안했으며, 이 용어가 행위자 집단의 역사적 상황에 의해 구성되는 다양한 측면을 담아낼 수 있다고 보았다. 그는 전 세계 지구화가 확산하면서 각 지역의 영역이 탈영역화되는 상황을 분석하기 위한 개념으로 다섯 가지 경관 개념을 제시했으며, 이를 통해 각기 다른 입장과 상황의 행위자들이 갖고 있는 특정 시각의 자율성 및 중첩성의 가능성을 보여 주고 있다.[19]

위험이라는 다소 추상적이고 사회구성적으로 이해될 수 있는 수준의 문제를 사회물리적 공간 개념과 결합시켜 그 안의 동학적 측면까지 파악하려는 '위험경관'을 제안한 연구자들의 시도처럼, 질병에 대해서도 공간성의 문제와 물질성 그리고 행위자의 수행적 측면까지 모두 포괄할 수 있는 개념으로서 질병경관disease-scapes을 제안할 수 있다. 질병은

---

18 Appadurai, A., *Modernity at Large: Cultural Dimensions of Globalization*, Minneapolis: University of Minnesota Press, 1996.

19 아파두라이는 지구화의 심화와 탈영역화의 전환을 설명하기 위해 다섯 가지 경관, 즉 민족경관ethnoscapes, 미디어경관mediascapes, 기술경관technoscapes, 금융경관financescapes 그리고 이념경관ideoscapes을 예시로 들어 설명하고 있다(Appadurai, A., *Modernity at Large: Cultural Dimensions of Globalization*, 1996).

간단히 위험의 영역에 포함시키기에는 좀 더 복잡하고 집합적이고 사회적 실천 문제와 연관된다. 질병에 대한 역사적·사회문화적 맥락에 기반한 이해를 조망하는 데 있어 '질병경관'은 질병에 대한 위상공간적 topological 접근 이상의 의미가 있다. 질병경관은 단순히 질병과 관련된 물리적 공간만을 의미하는 것은 아니다. 앞으로 살펴보겠지만 코로나19 바이러스 확산을 방지하기 위해 물리적 공간을 기반으로 전략을 수립했지만, 그 공간성이 갖는 사회문화적 특성에 따라 각기 다른 의미를 갖게 된다. 즉, 질병경관은 특정한 맥락에서 수행되는 질병이 마주하는 다양한 요소를 가시화할 수 있으며, 이들 요소의 발생과 전환 과정을 보일 수 있다.

전례 없는 사태에 대한 상상력: 한국의 방역전략

코로나19의 확산은 전례 없는 사태이다. 코로나바이러스 확산에 관한 경험과 이해가 부재한 상황에서 신종 병원체의 갑작스런 확산은 방역당국과 대중들을 공포로 몰아넣기에 충분했다. 실제 경험 데이터가 부재한 조건에서 "미지의 질병unknown diseases"에 대한 대응에는 항상 "분명한 상상력distinct imaginary"이 동원된다. 공중보건학자 앤 켈리Ann H. Kelly는 전례 없는 대응이 요구되는 상황에서 "전례 없는 사태에 대한 상상the imaginary of an unprecedented event"의 역할의 중요성을 강조했다. 신종 감염병 확산과 같은 전례 없는 상황에서 감염의 결과가 치명적인 결과로 현실화하기 전에 감염을 통제하기 위해 리더십은 위험을 상상해야 한다. 켈리는 2013년에서 2016년 사이 서아프리카 지역에서 일어난 에볼라바이러스 확산과 방역에 관한 분석에서, 세계보건기구의 대처 방식이 이러한 상상력의 부재로 인해 적절하게 이루어지지 못했다고 지적했다.[20] 코로나19의 확산도 전 세계적으로 전례 없는 사태였으며 켈리의 주장처럼 새로운 상상력이 필요했다. 상상력은 과거의 경험에 기반한다. 각 나라의 방역정책은 모두 이러한 상상력에 근거한다. 한국의 경우 코로나19라는 전례 없는 사태에 관한 상상력이 매우 구체적인 다양한 질병경험을 바탕으로 형성되었다. 반면 영국을 포함한 유럽 국가들은 팬데믹 초기에 독감 모델에 기반한 코로나19 확산 모델을 구성하면서 질병의 확산과 사망자 예측을 시도했다.[21] 즉, 한국 방역전략에서 사용된 일종의 '경험 기반 질병모델'과는 다른 '추상적 질병모델'을 구축했다.[22]

한국은 다른 국가들과 비교해서 성공적으로 코로나19의 확산을 막아 왔다. 2021년 4월 중순까지 확진자는 12만여 명으로 서구 국가의 감염확진자 수와는 비교할 수 없게 적다(질병관리청, 2021). 이 질병으로 인한 치명률도 OECD 회원국들과 비교해서 매우 낮다. 2020년 11월 10

20 Lakoff, A., *Unprepared: Global Health in a Time of Emergency*, Berkeley, CA: University of California Press, 2017; Kelly, A. H., "Ebola vaccines, evidentiary charisma and the rise of global health emergency research," *Economy and Society* 47(1), 2020, pp. 135-161.

21 김기흥, 〈코로나바이러스 모델링의 사회학: 영국의 수학적 모델은 왜 초기방역에 실패했는가?〉, 《사회와 이론》 37(2), 2020b, 263~302쪽.

22 방역전략의 이면에 존재하는 철학적 배경에 주목할 필요가 있다. 특히 한국 방역전략이 유럽 여러 국가들의 방역전략과 다른 뚜렷한 차이점 중 하나는 '수학적 모델을 이용한 장기예측'의 부재이다. 흥미롭게도 팬데믹 초기 서구 유럽 국가에서 집중적으로 사용한 수학적 모델을 이용한 예측과 숫자를 사용한 현재 및 미래에 대한 추상적 예측이 한국에서는 대중 영역에 노출되지 않았다. 반면에 서구 유럽 국가에서는 초기부터 끊임없이 수학적 모델을 이용한 예측치를 발표하면서 장기적인 예측을 제시했다. 물론 이들의 추상적 모델링이 실제 '코로나19 데이터'에 근거한 것이 아니라 과거의 '독감'에 근거하면

일 기준, 10만 명당 한국의 사망률은 0.94에 불과하지만, 영국은 74.19 였으며 미국은 72.82에 이른다(Johns Hopkins University Corona Virus Resource Center, 2020). 많은 전문가들이 한국의 성공적 방역정책의 핵심을 중앙집중적 공격적인 진단 시스템에서 찾고 있다. **지금까지** 누적 검사자 수는 600만 명 이상으로 가장 공격적으로 감염자와 접촉자를 대상으로 한 테스트-추적 시스템을 시행했다. 한국의 방역전략은 세계보건기구가 제시한 가장 표준적인 억제정책을 시행한 사례로 평가되고 있다. '테스트-추적-치료test-trace-treat'로 표현되는 전략은 이동에 대한 제약이나 봉쇄 없이 코로나바이러스의 확산을 '억제'한 사례이다.[23]

'테스트-추적-치료'로 대표되는 공격적 방역전략에서 진단검사의 역할은 매우 중요하다. 초기 확산 과정에서부터 RT-PCR 진단법[24]은 확진자를 선별할 수 있는 장치였다. 2020년 1월 20일, 1번 환자가 중국 우한에서 한국에 입국하면서 정부는 감염병 위기 경보 수준을 가장 낮

서 큰 오류로 이어졌고 방역 실패의 한 가지 요인이 되었지만, 한국과 서구의 방역전략의 근본적인 차이를 볼 수 있는 좋은 사례가 되고 있다(김기흥, 〈코로나바이러스 모델링의 사회학: 영국의 수학적 모델은 왜 초기방역에 실패했는가?〉, 263~302쪽).

23 Ryan, M., "In defence of digital contact-tracing: Human rights, South Korea and Covid-19," *International Journal of Pervasive Computing and Communications* 16(4), 2020, pp. 383-407; Sonn, J. W. and J. K. Lee, "The smart city as time-space cartographer in Covid-19 contrl: The South Korean strategy and democratic control of surveillance technology," *Eurasian Geography and Economics* 61(4&5), 2020, pp. 482-492; You, J., "Lessons from South Korea's Covid-19 policy response," *The American Review of Public Administration* 50(6&7), 2020, pp. 801-808; Yoon, K., "Digital dilemmas in the (post-) pandemic state: Surveillance and information rights in South Korea," *Journal of Digital Media & Policy* 12(1), 2021, pp. 67-80.

24 RT-PCR(reverse transcriptase polymerase chain reaction 또는 Real Time PCR) 진단법은 우리 몸에 침투한 바이러스 RNA의 존재를 찾아내는 진단법이다. 이 진단법은 바이러스의 유전물질이 몸속에 남아 있을 경우, 중합효소증폭기PCR를 이용하여 이 유전

은 '관심' 단계에서 '주의' 단계로 격상시켰고 24시간 비상대응 체계를 가동하기 시작했다.[25] 또한 2월 18일에 대구에서 31번 확진자가 발견되면서 급속하게 코로나19가 확산할 당시 광범위한 진단 테스트가 사용되었다. 당시 RT-PCR 진단키트의 확대 사용을 긴급 허용했으며 2월 24일 이후 긴급 승인을 통해 다섯 종류 진단키트의 사용을 허가하게된다. RT-PCR 진단키트의 긴급 사용이 가능했던 것은 크게 두 가지요인으로 설명할 수 있다. 많은 학자가 지적한 것처럼 2015년 한국에확산했던 메르스의 경험에서 조기 검사의 중요성을 인지했기 때문이다. 메르스 방역의 실패 경험을 통해 진단검사키트의 생산과 조기 승인이 가능하도록 제도를 마련했다.[26] 특히, 이 과정에서 주목할 것은 한국이 보유하고 있던 기술력과 생산 능력이다. 아울러 국민건강보험이 도입되면서 의사의 직접노동과 관련된 의료수가는 강하게 규제한 대신에

물질의 조각을 30회 이상 증폭시켜(미국의 경우 37~40회, 프랑스의 경우 40~45회 증폭 과정을 거친다) 바이러스의 존재를 확인하여 진단하는 방식이다. 이 진단방법은 전세계적으로 표준화된 진단법으로 사용되고 있지만 그 민감도의 수준을 놓고 전문가들사이에 논쟁이 벌어지고 있다(Lowy, I., "Ludwik Fleck where are you now that we need you? Covid-19 and the genesis of epidemiological facts," *Somatosphere: Science, Medicine and Anthropology*, 2020; Mina, M. et al., "Rethinking Covid-19 test sensitivity. A strategy for containment," *New England Journal of Medicine*, 2020. 9. 30.; Hanage, W., "Britain's failure to learn the hard lessons of its first Covid surge is a disaster," The Guardian, 2020. 9. 27.). 현재 한국에서 사용되고 있는 RT-PCR 진단법은 추적기술과 중앙집중적 억제전략과 결합하여 매우 성공적인 진단 방식으로 평가되고 있다(김기홍, 〈Covid-19의 내러티브: 진단기술에 담긴 의미〉, 《신종 감염병 시대의 생명윤리와 법 - 2020 한국생명윤리학회 & 한국의료법학회 공동학술대회 자료집》, 2020a, 88~103쪽).

25 허윤정, 《코로나 리포트 - 대한민국 초기방역 88일의 기록》, 동아시아, 2020, 25쪽.

26 황승식 · 김종헌 · 김진용 · 이형민 · 홍기호, 〈코로나19 과학이 아는 것과 모르는 것〉, 《에피》 12, 이음, 2020, 20~53쪽; 이재갑 · 강양구, 《우리는 바이러스와 살아간다》, 생각의 힘, 2020; 유현미, 〈'K-방역'과 두려움의 역설〉, 추지현 엮음, 《마스크가 말해주는 것들 - 코로나19와 일상의 사회학》, 돌베개, 2020, 41~68쪽.

비의사 투입 요소인 '진단, 검사, 의약품 등의 가격에 대해서는 덜 강력하게 규제'하여 진단검사가 원활하게 진행될 수 있는 경제적 틀이 이미 마련되어 있었다는 요인을 고려해야 한다.[27] RT-PCR 진단검사가 공격적으로 이루어질 수 있었던 또 다른 요인은 과거 질병경험을 통해 형성된 '준비성preparedness'과 제도적 '유연성flexibility'이다. 이미 지적한 것처럼 2000년대 이후 한국 사회에서 주기적으로 발생했던 구제역·메르스·조류독감·사스 같은 감염병의 확산을 통해서 질병 검사법의 중요성을 제도적으로 현실화했던 요인에서 찾을 수 있다.

이러한 두 가지 요인을 통해서 한국의 방역전략은 '질병경험의 제도화' 확립으로 이어질 수 있었다. 한국에서는 2000년대 들어 주기적으로 다양한 인간-동물(가축) 감염병이 폭발적으로 발생·확산하였다. 시민들의 개인정보와 자유를 침해할 가능성이 충분히 존재함에도 시민사회가 큰 저항이 없이 개인의 사적 영역을 침해할 수 있는 추적기술의 사용과 진단검사법의 긴급 사용을 허용할 수 있었던 이유는 사스-메르스로 이어진 인간 감염병의 경험에서 찾을 수 있다.[28] 의료사회학자 카를로 카더프Carlo Caduff가 지적한 것처럼 한국 사회는 이전에 발생했던 사스와 같은 감염병에서 많은 교훈을 얻었다. 그는 사스의 질병경험이 중

---

27 권순만, 〈COVID-19와 보건정책 – 성과와 한계〉, 송호근 외, 《코로나 ing – 우리는 어떤 뉴딜이 필요한가?》, 나남, 2020, 65~98쪽.

28 많은 학자들이 한국 사회의 추적기술 사용에 대한 시민사회의 무비판적 수용에 대해 다양한 주장을 제기하고 있다. 일부 서구 학자들은 한국을 포함한 동아시아 국가의 신유교주의적 전통에서 그 기원을 찾고 있다(〈Covid-19의 내러티브: 진단기술에 담긴 의미〉, 《신종 감염병 시대의 생명윤리와 법 – 2020 한국생명윤리학회 & 한국의료법학회 공동학술대회 자료집》, 2020a, 88~103쪽; Han, B.-C., "The viral emergenc(e/y) and the world of tomorrow," 2020; Kasdan, D. O. and Campbel, J. W., "Dataveillant collectivism and the coronavirus in Korea: values, biases, and socio-cultural foundations

앙집중적 방역과 디지털 기술 사용 그리고 강력한 자가격리 시스템의 빠르고 효과적인 전개에 큰 영향을 주었다고 주장했다.[29] 한국의 방역 정책과 관련하여 항상 빠지지 않고 제시되는 사례가 2015년 메르스 확산과 방역경험이다.[30]

2015년 발생한 메르스가 한국 사회에 미친 영향은 다른 감염병보다 훨씬 강력했기 때문에 방역정책 및 제도를 재정비하는 기회가 된 것은 사실이다. 메르스 확산과 사망자의 증가로 인한 사회적 불안은 시민들의 사회활동을 급격히 감소시켜 경제적 손실로 이어졌다. 또한 2003년 사스와 2010년 구제역 사태에 이은 국가적 재난으로서 메르스의 확산은 엄청난 경제ㆍ사회적 충격을 주는 사건이기도 했다. 메르스는 2018년 5월 첫 번째 환자가 보고된 후 186명의 환자가 발생했으며 그중 37명이 사망한 전례가 없는 감염병으로 기록된다.[31] 메르스 사태로 인해

of containment efforts," *Administrative Theory & Praxis* 42(4), 2020, pp. 604-613; Sarka, S., "Pandemic and the statge," *Journal of Social and Economic Development*, 2020). 또한 카더프와 같은 학자는 메르스ㆍ사스 등의 감염병 경험을 통한 법률과 제도의 재구축에서 이유를 찾는다(Caduff, C., "What went wrong: Corona and the world after the full stop," *Medical Anthropology Quarterly*, 2020). 하지만 시민사회가 추적기술과 사생활 침해를 단순히 무감각하게 받아들였는가에 대해서는 논란의 여지가 있다. 특히, 한국 사회가 경험한 민주화 과정과 질병경험이 결합되면서 오히려 자발적으로 추적기술 사용을 받아들였다고 할 수 있다 (Kim, K. and Kim, J., "Surrender? (Bio)information in the era of the pandemic in South Korea," in *Bioinformation: Worlds and Futures* edited by E.J. Gonzalez-Polledo & S. Posocco, London: Routledge, 2021).

29 Caduff, C., "What went wrong: Corona and the world after the full stop," 2020.

30 김연희, 〈6시간 검사완료 진단키트 이렇게 만들었다〉, 《시사IN》(648호) 2020년 2월 14일자.

31 Normile, D., "Coronavirus cases have dropped sharply in South Korea. What's the secret to its success?," *Science*, 2020. 3. 17.; 김준혁, 〈메르스에서 배운 것, 코로나19에서 배울 것〉, 《한겨레신문》 2020년 4월 6일자.

한국의 경제성장률이 0.15~1퍼센트 하락한 것으로 추정되는데, 이를 국내총생산 규모로 환산하면 3조~4조 5천억 원가량의 손실이 발생했다고 할 수 있다. 이와 같은 경제적 손실뿐 아니라 사회활동의 위축, 심리적 트라우마까지 메르스의 경험은 단순한 감염병 확산 이상의 사건으로 각인되었다. 메르스 질병경험은 재난 상황으로 인지되었다. 메르스 사태가 질병 통제 측면에서 새로운 제도를 도입할 수 있는 결정적 계기가 된 것은 분명하다. 메르스가 '질병경험을 제도화'하는 데 결정적으로 기여한 측면은 크게 세 가지 부분에서 찾을 수 있다. 우선, 2015년 한국의 메르스 확산은 주로 병원 내 감염을 통해 이루어졌다. 2003년에 발생했던 또 다른 코로나바이러스 질병인 사스의 높은 감염력과 달리 중동국가의 병원에서 확산된 메르스는 병원에서의 감염병 관리에 경종을 울렸으며 한국 의료체계의 맹점을 드러내는 계기가 되었다. '병원 내 감염intra-hospital infection'과 '병원 간 감염Inter-hospital infection'의 문제는 병원 내 그리고 병원 사이의 방역조치가 얼마나 중요한지를 알려주었다.[32] 분명 메르스 이후 응급실 구조에서 격리진료실(음압병실 확보) 문제가 개선되면서 코로나19의 대규모 확산 과정에서 의사나 간호사 등 병원 관계자의 감염 위험이 감소했다. 두 번째, 메르스가 질병 관리에 기여한 점은 질병경험 제도화의 실질적 측면이라고 할 수 있는 「감염병의 예방 및 관리에 관한 법률」(감염예방법)의 개정이다. 이 법률의 개정으로 그때까지 「개인정보보호법」 제58조에 대한 해석을 통해 환자

---

32 김기흥, 〈국제표준화의 불확실성과 메르스 사태 – 불확실성의 다중성〉, 《환경사회학연구 ECO》 20(1), 2016, 317~351쪽; Ki, M., "2015 MERS outbrea in Korea: hospital-to-hostpial transmission," *Epidemiology and Health* 37, 2015, pp. 1-4.

나 감염의심자에 대한 정보 수집을 제한적으로 수행했던 문제를 해결할 수 있게 되었다.[33] 이를 통해 한국의 코로나19 방역 성공의 비밀무기로 알려진 효과적인 추적기술을 전개할 수 있게 되었다. 환자의 신용카드 사용내역 확인과 스마트폰을 이용한 위치 추적 그리고 역학조사관의 CCTV 조사를 통한 이동경로 및 접촉자 추적까지 개인정보 침해 문제에도 불구하고 사회의 공적 이익을 위한 긴급한 개인의 자유 제한이 법적으로 보장되었다.[34] 마지막으로 메르스 확산과 이로 인한 혼란의 배경에서 '진단방법'의 문제가 중요한 요소가 되었다. 메르스 검사 결과를 둘러싼 논란이 끊임없이 제기되었고, 질병관리본부(이하 질본)가 개발해 놓은 메르스 진단법은 폭발적인 메르스 확산 속도를 따라잡지 못했다.[35] 결국 질본은 2017년 '긴급사용승인제도'를 도입하면서 민간업체에서 새로운 시약을 만들어 개발하는 데 걸리는 시간을 단축하고 감염병 대유행이 우려되는 상황에서 식품의약품안전처가 한시적으로 제조·판매·사용을 승인하도록 했다. 이러한 제도 개선과 메르스에서 얻은 교훈을 바탕으로 중국 우한에서 신종 감염병이 발생했다는 소식이 전해진 후 2020년 1월 13일 신종 코로나바이러스 진단법을 개발하

---

33 유익준, 〈인수공통감염병 예방 및 관리의 법적문제 – 메르스 사례로 본 인수공통감염병 관리의 한계와 대안〉, 《법과 정책연구》 18(3), 2018, 99~122쪽; 최은경, 〈팬데믹 시기는 새로운 의료를 예비하는가〉, 《창작과 비평》 188, 2020a, 416~428쪽.

34 The Government of the Republic of Korea, *Tackling Covid-19: Health, Quarantine and Economic Measures–Korean experience*, Seoul: MOEF & KCDC, 2020; Yoon, K., "Digital dilemmas in the (post-)pandemic state: Surveillance and information rights in South Korea," pp. 67-80.

35 2015년 6월 10~17일 사이에 성남초등학생의 사례는 대표적이다. 6차례 검사 과정에서 음성 → 양성 → 양성 → 음성 → 판정불가 → 음성으로 혼동이 발생하면서 방역당국은 '아이를 데리고 실험'한다는 오명을 뒤집어썼다.

기 시작했고 2월 7일부터 진단키트를 검사시설(주로 PCR장비)을 갖춘 50여 개 병원에 배포함으로써 테스트-추적-격리치료 시스템의 기반시설을 갖추게 된다.

한국의 질병통제 방식의 특징은 위에서 논의한 것처럼 중앙정부가 진단기술과 추적기술 그리고 집중적 치료에 기반해 공격적인 억제전략을 사용한 것이다. 특히 공격적 RT-PCR 진단·추적기술에 기반한 억제전략이 보여 준 상대적으로 높은 효율성과 성공은 이른바 'K-방역'이라는 브랜드로 전환된다. 질본 중심의 중앙집중적 방역 체계의 핵심은 방역을 위해 동원되는 다양한 진단기술, 확진, 역학적 추적과 확진자 관리를 위한 생활방역센터까지 일괄적인 방역제도의 관리 권한을 중앙정부가 유지할 수 있어야 한다는 것이다. 이러한 중앙집중적 방역 체계의 형성은 처음부터 그렇게 계획된 것이 아니라 다양한 방역경험과 논란을 거치면서 형성된 제도화의 결과물이었다. 많은 전문가는 공격적 억제전략의 기원을 2015년 메르스 확산에 대한 대응 실패로부터 얻은 교훈에서 찾고 있다. 하지만 단순히 몇 가지 기술적 요인이나 단일 질병경험으로 현재 상황을 환원하여 설명할 수 없다. 위에서 언급한 것처럼 코로나19와 같은 신종 감염병은 모두에게 새로운 경험이며, 인류학자인 앨리스 스트리트Alice Street와 앤 켈리가 지적한 것처럼 우리가 모르는 것이 무엇인지조차 모르는 상황이기 때문이다.[36] 그럼에도 불구하고, 우리가 '모르는 것'에 대한 지식은 과거 경험에 근거한 추론을 통해 얻을 수 있다.

---

36 Street, A. and Kelly, A. H., "Counting coronavirus: delivering diagnostic certainty in a global emergency," *Somatosphere: Science, Medicine and Anthropology*, 2020. 3. 6.

특정 경험에 의존하여 새로운 질병에 대한 방역제도를 형성하는 방식은 제도의 변경이나 개정 그리고 상황의 심각성이나 조건 변화에 적합한 대응책을 마련할 수 있다는 점에서 방역정책의 유연성을 보여 준다. 반면에 제도가 강화되거나 경화rigidity할 경우 유연성이나 조건 변화에 대한 즉흥성spontaneity은 감소한다. 한국 질병관리전략의 특징은 이러한 측면에서 '임기응변적 대응 방식', 즉 패치워크 모델patchwork mode에 가깝다.[37] 이 모델은 질병을 억제하기 위해 구체적이고 장기적인 체계적 로드맵이나 전략을 마련하거나 평가받지 않은 채 상황에 따라 유연하게 대응하는 방식을 의미한다. 한국의 질병 거버넌스는 축적된 질병경험을 근거로 구축되었기 때문에 실제 상황에 더 신속하고 유연하게 적용할 수 있다는 강점을 갖는다. 이와 비교할 수 있는 사례가 영국의 질병통제모델이다. 영국의 질병관리 및 통제는 오랜 질병방역의 전통에 따라 마련된 교과서적 접근법이다. 19세기 콜레라에 대한 방역으로부터 시작된 근대적 위생방역은 매우 견고한 형태의 정책으로 제도화되었다.[38] 긴 역사와 경험을 통해 축적된 방역전략과 관련된 제도는 매우 강고하지만 동시에 변화하기 힘든 융통성 없는 제도화로 이어졌다. 코로나19 팬데믹 초기에 영국 방역당국이 제시한 '4단계 방어전략'은 이러한 제도화의 결과물이었다.[39] 또한 이러한 방어전략은 '수학적 모델링'과 '독감 모델'에

---

37 황승식 · 김종헌 · 김진용 · 이형민 · 홍기호, 〈코로나19 과학이 아는 것과 모르는 것〉, 20~53쪽; 이재갑 · 강양구, 《우리는 바이러스와 살아간다》, 2020.

38 Hardy, A., *Health and Medicine in Britain since 1860*, London: Palgrave MacMillan, 2001; Lawrence, C., *Medicine in the Making of Modern Britain, 1700-1920*, London: Routledge, 1994.

39 Horton, R., *The Covid-19 Catastrophe: What's Gone Wrong and How to Stop it Happening Again*, Cambridge: Polity, 2020; Calvert, J., *Failures of State: The Inside Story of Britain's*

근거하고 있다. 영국과 서구의 대응 모델이 경험적 데이터가 부재한 상태에서 구축된 '추상적 모델'이라면, 한국의 사례는 매우 다른 질병경험의 맥락에서 형성된 '경험적 모델'이라고 할 수 있다.[40] 특히, 한국의 질병 대응은 일반화된 원칙이나 수학적 모델과 같은 예측 모델에 근거한 전략이 아니다.[41] 반복적으로 발생한 각기 상이한 인간-동물(가축) 감염병에 대처하는 과정에서 축적된 일종의 암묵적으로 제도화된 질병경험만이 있을 뿐이다. 따라서 한국 방역 모델의 특징을 몇 가지 원인(예를 들어, 진단기술이나 추적기술 그리고 메르스 사태의 경험)으로 환원하기 힘들다. 대신 총체적이고 관계망적인 질병관리 및 통제를 이해하기 위해 앞에서 제시한 질병경관에 근거한 접근이 필요하다.

인간-동물(가축) 감염병 거버넌스와 중앙집중적 억제전략

인간-동물(가축) 감염병의 방역경험

한국의 질병 방역전략을 이해하기 위한 요인들의 기저에 존재하는 경험적 요인 중 결정적인 사건은 2015년 메르스 확산에서 얻은 질병경

Battle with Coronavirus, London: Muldark, 2021.

[40] 김기흥, 〈코로나바이러스 모델링의 사회학: 영국의 수학적 모델은 왜 초기방역에 실패했는가?〉, 263~302쪽; 김기흥, 〈한국 질병관리체계와 인간-동물질병의 공동구성〉, 이동신 편,《관계와 경계 - 포스트코로나 시대의 인간과 동물》, 포도밭, 2021, 159~184쪽.

[41] 의학박사이면서 역학조사관으로 활동한 김종헌에 의하면 독일과 같은 국가는 다양한 시나리오를 국민에게 어느 정도 알려 주면서 수학적 예측 모델에 근거한 자료를 제공했지만, 한국의 경우는 그러한 수학적 예측 모델을 내부적으로만 공유할 뿐 국민에게 알리지 않는 방식을 취했다(황승식 · 김종헌 · 김진용 · 이형민 · 홍기호, 〈코로나19 과학이 아는 것과 모르는 것〉, 47쪽).

험의 제도화이다. 하지만 유럽과 미국을 포함한 서구 국가와 유독 구분되는 질병관리 및 통제의 특징을 논하려면, 단순히 메르스와 같은 인간 감염병의 경험으로만 제한할 수 없으며 훨씬 다양한 잠재적인 요소들을 고려해야 한다. 그 핵심에는 바로 인간–동물(가축) 감염병의 경험과 관련된 방역 문제가 있다. 2000년대 접어들면서 한국에서는 주기적으로 다양한 인간–동물(가축) 질병이 확산하여 사회적인 충격을 주었다. 과학기술과 의료기술의 발달, 주거와 위생의 개선, 그리고 소득의 증가와 세계화로 인해 사람과 사물들의 교류와 이동이 증가하면서 2000년대 들어 신종 감염병의 발병과 오래된 질병의 재출현이 급속도로 늘어났다. 이는 단순히 한국이라는 국민국가의 경계 안에서만 일어나는 현상이라기보다는 국제적이고 전 지구적인 문제이다.[42] 2002년 중국 광둥성에서 발생한 사스가 급속도록 확산하여 29개국에서 783명의 사상자를 냈다. 세계를 혼란에 빠뜨린 이 호흡기질환 환자가 2003년 한국에서 발생하자 정부는 총리를 중심으로 방역대책본부를 설치하고 국내 유입을 차단하기 위한 통제정책을 실시했다. 총리실 중심의 방역시스템의 효율적 질병통제 방식은 WHO로부터 모범적 방역 사례로 인정받으면서 감염병 확산을 국가 위기 요소 중 하나로 편입시키는 계기가 되었다. 특히 범정부적 감염병 관리를 위한 전문적 조직의 필요성이 제기되면서 2004년 노무현정부는 기존 국립보건원을 질병관리본부로 확대 개편하여 국가 감염병 연구 및 관리의 핵심 기관으로 자리 잡도록 했다.[43]

---

[42] McInnes, C. and Lee, K., "Health, security and foreign policy," *Review of International Studies* 32, 2006, pp. 5-23.

[43] 정윤진 · 최선, 〈정부의 안보인식과 위기관리시스템: 사스와 메르스 사태를 중심으로〉, 《국제정치연구》 20(2), 2017, 133~157쪽.

하지만 감염병에 대한 신속하고 집중적인 억제와 격리정책에 영향을 준 것은, 2010년 11월 경북 지역에서 시작되어 급속하게 전국의 축산농가로 확산한 구제역의 경험이었다. 당시 2011년 4월까지 전국적으로 소 약 15만 마리, 돼지 330만 마리가 살처분되는 국가 차원의 재난 상황이 전개되었다. 구제역 확산과 방역 과정에서 나타난 공격적이고 무차별적인 살처분의 문제는, 가축의 건강과 질병이 단순히 경제적 경쟁력이나 생산력의 문제를 넘어 인간의 사회적 삶의 경관lifescapes에 영향을 줄 수 있다는 인식을 강화시켰다.[44] 비록 동물(가축) 감염병이라는 측면에서 인간에게 직접적인 피해를 일으키는 질병은 아니지만, 구제역에 대한 방역전략은 이후 감염병 전체의 관리 및 통제에 관한 기본적 방역 프레임을 형성하는 데 확실하게 기여했다.[45] 동물(가축) 감염병 확산 초기 공격적이고 집중적인 대응의 중요성은 감염병 관리 및 통제에 있어 오랫동안 논쟁의 대상이 되어 왔다. 예를 들어, 구제역 백신 접종과 예방적 살처분 중에서 어떤 접근법이 좀 더 효율적인가를 둘러싼 논쟁은 이미 1960년대 영국과 프랑스 사이에서 중요한 문제였다. 또한

---

44 김선경 · 김지은 · 백도명, 〈2010-2011 구제역 살처분 사태의 문제점〉,《한국환경보건학회지》37(2), 2011, 165~169쪽; 최은정 · 천명선, 〈구제역에 대한 위험대응에 관한 연구〉,《농촌사회》25(1), 2015, 271~315쪽; 김기흥, 〈병원체의 다중적 구성: 백서를 통해 재구성된 구제역과 과학기술정치〉, 2015, 133~171쪽; 김기흥, 〈경계물과 경계만들기로 구제역 간이진단키트: 국가기술중심주의와 분권주의의 충돌〉,《과학기술학연구》18(2), 2018, 307~342쪽.

45 물론 동물(가축) 감염병과 인간 감염병의 방역정책을 수행하는 행정 주체는 확실히 구분된다. 전자는 농림축산식품부와 농림축산검역본부가 방역의 주체로 정책을 수행하는 반면, 후자는 보건복지부와 질병관리청이 관리를 맡고 있다. 질병관리에 있어서 인간 감염병과 동물(가축) 감염병을 담당하는 정부 부처 사이의 관리영역boundary이 중첩되는 경우는 드물지만, 반복적인 전국 규모의 감염병 확산에서 이 두 가지 형태의 질병방역의 기본적 프레임이나 관리 방식은 자연스럽게 교환될 수 있다.

세계동물보건기구OIE: World Organisation for Animal Health의 표준적 대응 원칙으로 예방적 살처분 정책을 공식적으로 채택하는 데 결정적 역할을 했다.[46] 이러한 국제표준으로서 집중적 예방 살처분은 한국의 동물(가축) 감염병 방역정책의 원리로 수용되었다. 또한 동물(가축) 감염병에 대한 공격적 · 집중적 억제전략은 이후 인간 감염병 대응전략에도 암묵적으로 반영되었다고 할 수 있다.

동물(가축) 감염병에 대한 중앙집중적이고 공격적인 살처분 전략은 항상 논란의 대상이었으며 동물에 대한 무자비한 방역정책이라는 비판을 받았다.[47] 이러한 비판에도 불구하고 특정 공간에 속하는 동물에 대한 살처분 방식은 감염병을 차단하는 최선의 방식으로 고착됐다. 중앙정부 중심의 공격적 살처분 전략은 세 가지 중요한 전제가 필요하다. 첫째, 지방 자치정부나 시민 조직이 다른 의견을 제기할 가능성을 최소화하거나 무시한 채 일사불란하게 방역 조치를 수행할 수 있는 중앙집중 방식으로 전개된다. 2010년 구제역 확산 과정에서 지방정부의 검사 권한을 둘러싼 논쟁이 있었음에도 중앙정부 중심의 정책 수행 원칙은 전혀 변화하지 않았다.[48] 중앙정부 중심의 집중적 방역 방식은 코로나19 방역에도 예외 없이 적용된다. 두 번째 특징은 전시동원체제를 방불케 하는 정부기관과 군 조직 동원을 통한 방역이다. 이와 같은 전시동

46   Woods, A., *A Manufactured Plague: The History of Foot-and-Mouth Disease in Britain*, 2013; Woods, A., Bresalier, M., Cassidy, A. and Dentinger, R. M. (eds), *Animals and the Shaping of Modern Medicine: One Health and its Histories*, London: Palgrave MacMillan, 2018.

47   김영수 · 윤종웅, 《이기적인 방역 살처분 · 백신 딜레마 – 왜 동물에겐 백신을 쓰지 않는가?》, 무불출판사, 2021.

48   김기흥, 〈병원체의 다중적 구성: 백서를 통해 재구성된 구제역과 과학기술정치〉, 133~171쪽.

원체제와 유사한 방식은 군·경찰·공무원을 중심으로 하는 동원체제로 코로나19의 상황에서는 공중보건의와 공중보건 관련 공무원이 그 역할을 대체하게 된다. 마지막으로 살처분 전략의 가장 중요한 핵심은, 특정 공간을 중심으로 전개되는 방역정책이다. 공간중심 방역 체계는 감염병 발생 지역을 중심으로 집중적인 방역을 수행하는 것으로, 구제역과 조류독감 그리고 아프리카돼지열병까지 동물 감염병의 가장 기본적인 핵심이다. 뒤에서 좀 더 구체적으로 논의하겠지만, 공간중심 방역 체제는 코로나19 방역의 핵심 근간이기도 한다.

예를 들어, 구제역이 급속하게 확산하던 2010~2011년 방역과 예방적 살처분을 위해 공무원과 군인 등 197만 명이 동원되는 엄청난 규모의 전시동원체제와 유사한 방역이 시도되었다. 하지만 공격적이고 신속한 예방적 살처분 정책은 빠른 속도의 구제역 감염력으로 인해 2010년 12월을 지나면서 거의 포기할 수밖에 없는 상황에 처하게 되고, 결국 정부가 그토록 저항하던 구제역 백신 접종 정책으로 전환하면서 2011년 4월에 이르러 구제역 확산을 통제할 수 있게 된다. 구제역 확산 당시 제기되었던 '살처분 대 백신' 논쟁과 함께 제기된 문제가 바로 '항원-항체진단키트' 사용권한을 둘러싼 논쟁이었다. 앞에서도 짧게 언급했듯, 2010년 경상북도 안동 지역에서 구제역 의심 사례가 처음 발견되었을 때 간이 항체진단키트의 부정확성으로 인해 초기 확산을 막지 못했다는 것이 정부의 결론이었다.[49] 이러한 문제로 인해 현장에서 검

---

49 한국농촌경제연구원, 《2010-2011 구제역 백서》, 한국농촌경제연구원, 2011; 김기홍, 〈경계물과 경계만들기로 구제역 간이진단키트: 국가기술중심주의와 분권주의의 충돌〉, 307~342쪽.

체를 채취할 때 빠르게 감염 여부를 확인하려면 '항원진단키트 사용–RT-PCR 검사 또는 ELSA(바이러스 항원검사)–바이러스 중화실험'으로 이어지는 복잡하지만 반복적인 확인 작업이 필요하다는 의견이 제기되었다. 그러나 이러한 진단 권한이 모두 중앙정부에 있었기 때문에 지방의 현장에서 제대로 진단이 이루어질 수 없다는 어려움을 토로하기도 했다. 즉, 방역의 모든 관리와 판단이 국립검역원–농수산부로 이어지는 중앙정부의 판단과 권한으로 집중되어 있었다. 이에 대해 지방정부는 중앙집중적 관리 방식은 초동 방역 지연으로 이어질 수 있다는 문제를 제기하면서 '병성검사 권한'을 지방정부로 이양할 것을 요구한다.[50] 또한 살처분 대 백신 접종 정책의 결정 권한도 지방정부가 현장 상황에 따라 대응해야 한다고 강력한 권한의 분권을 요구한다. 경기도를 비롯한 몇몇 지방정부의 강력한 요구에도 불구하고, 당시 중앙정부는 중앙정부 중심적인 질병통제 체계 유지를 선언했고, 지방정부의 도전은 성공하지 못한다.[51] 그리고 2003년부터 지속적으로 발생한 고병원성조류독감HPAI의 확산도 중앙정부 중심의 "신속하고 집중적인" 살처분을 통한 질병억제전략을 사용한 대표적인 사례이다. 2010~2011년 사이에 5개월 동안 전국에서 발생한 고병원성조류독감으로 인해 650만 마리의 가금류를 살처분했으며 가축 피해 보상금으로 612억 원의 예산이 소요되었다.[52] 이처럼 공격적이고 집중적인 예방적 살처분 전략의 기저에는

50 경기도 축산위생연구소, 《2011 구제역 백서》, 경기도 축산위생연구소, 2011.

51 김기홍, 〈경계물과 경계만들기로 구제역 간이진단키트: 국가기술중심주의와 분권주의의 충돌〉, 307~342쪽.

52 농림수산부, 《고병원성조류인플루엔자 백서》, 농림수산부, 2012.

감염병에 대해 중앙정부 주도의 신속한 억제가 최선의 대응전략이라는 암묵적 합의가 있다고 볼 수 있다. 일사분란한 방역 인력 동원에서 중앙정부에 의해 관리되는 진단 과정과 유연한 제도적 대처까지, 한국의 질병 관리 및 통제의 구체적인 대응전략은 동물(가축) 감염병과 인간 감염병에 공통적으로 적용되는 특징이다. 진단검사법의 민감도 문제와 부정확성 문제는 구제역 확산뿐 아니라 코로나19의 확산에도 지속적으로 적용되고 재생산되고 있다.[53] 국가 주도의 신속하고 공격적인 억제-격리전략이 이후 다양한 인간-동물(가축) 감염병에 적용된 것은 의심의 여지가 없다. 코로나19 방역정책의 중앙정부 중심 관리는 시민 사회의 압도적인 지지를 얻으며 유지되었다. 특히 질병관리본부는 질병관리청으로 승격되어 산하에 국립보건연구원과 국립감염병연구소, 질병대응센터, 국립결핵병원, 국립검역소까지 포괄하는 거대 조직으로 확대되었다.[54] 그렇다면 이러한 질병경험이 어떻게 코로나19의 질병 관리 및 통제로 전환되었는가? 이 문제를 이해하려면 '억제와 격리'의 기본 단위인 '공간'의 문제를 고려할 필요가 있다.

국가 주도의 '공간방역' 원칙에 근거한 억제-격리전략

앞서 코로나19에 대한 중앙집중적 '억제-격리전략'이 추상적인 질병 예측모델에 기반했다기보다 2000년대 이후 반복적으로 발생한 인간-

53 송수연, 〈부정확한 진단이 불러온 '구제역 파동', 코로나19에도 재현〉, 《청년의사》 2020년 12월 21일자.

54 송경화, 〈질병관리본부, 12일 '질병관리청' 승격…정원 42퍼센트 늘어〉, 《한겨레신문》 2020년 9월 8일자; 질병관리청, 〈코로나바이러스 감염증-19 (Covid-19)〉, 《질병관리청》. http://ncov.mohw.go.kr.

동물(가축) 감염병의 질병경험으로부터 형성되었다는 것을 논의했다. 이 중앙집중적 억제-격리전략은 '3T 전략', 즉 진단검사-추적-치료 전략으로 표현되기도 한다. 하지만 좀 더 구체적으로 '억제와 격리'의 질병방역이 이루어지기 위해서는 그 기본 단위인 '공간'에 대한 고려가 필요하다. 여기서 '공간'은 단순히 물리적 공간만을 의미하지 않는다. 그보다 사회·문화·경제적인 제도적 연결망의 틀에서 바라볼 필요가 있다. 위험경관을 주장하는 지리학자들이 제안한 것처럼 '경관'의 개념은 물리적이고 사회문화적인 함의를 모두 포괄하고 있다. 한국이 수행한 이른바 '공간중심'의 집단방역정책의 특성은 그와 대비되는 다른 형태의 방역전략과 비교할 때 더욱 뚜렷하게 드러날 것이다. 공간중심 방역을 수행한 한국과 달리 대부분의 서구 국가는 '행동'중심 방역전략을 선택했다. 시민들의 자발적인 행동 변화를 '유도'함으로써 방역의 효율성을 증가시키는 방식이다. 가장 대표적인 사례가 영국이 코로나19 확산 초기부터 사용했던 '행동방역' 원칙이다. 영국 정부는 코로나19 방역정책을 결정하기 위해 구성된 '비상상황을 위한 과학자 자문회의SAGE: Scientific Advisory Group for Emergencies'에 행동심리학자와 행동과학자를 포함하여 시민들의 자발적 행동 변화를 유도하는 전략을 수립했다.[55] 이들 행동과학자 그룹은 단순히 공간방역(예를 들어 학교 폐쇄, 대중집회 금지)에 집중하기보다는 행위자들의 행동을 조절하고 행동 방식을 바꾸도록 유도하는 조치를 실행했다. 행동과학자 그룹이 제안한 행동 방역은 행동경제학에서 널리 다루어지고 있는 '넛지nudge'의 원칙을

---

[55] House of Lords *Covid-19 Rapid Summary: Behavioural Science* (Select Committee on Science and Technology) 2020. 6. 17.; Yates, T., "Why is the government relying on nudge theory to fight

적용하여 행위자들이 행동을 조절하도록 하는 방법이다. 영국 정부가 추진한 코로나19 관련 캠페인의 핵심 슬로건인 "손씻기-마스크쓰기-거리두기Hand-Face-Space"는 행동방역에 기반한 정책을 잘 보여 주고 있다.[56] 이와 같은 서구의 행동방역 중심의 정책적 경향과 달리 한국 방역 전략의 핵심은 '공간중심'의 집중적이고 공격적인 억제-격리정책이다. 서구, 특히 영국의 행동방역 원칙과 달리 한국 방역당국이 기본적 원칙으로 사용한 '공간'방역은 감염의 패턴이 보여 주는 특성에서도 발견된다. 코로나19 팬데믹이 시작된 2020년 3월부터 오미크론 변이로 인해 방역전략이 전면적으로 수정된 2022년 1월까지 한국에서 일어나는 대부분의 감염은 특정 공간에서 집합적으로 일어나는 '집단감염'이었다. 집단감염의 감염 형태는 특정 공간이나 집단을 특정할 경우 빠르고 손쉽게 역학적 추적이 가능하고 테스트-추적-격리 전략을 적용할 수 있다. 하지만 팬데믹 초기 방역에 실패했던 서구 국가의 대부분은 이처럼 공간이나 집단을 특정할 수 없을 만큼 개별 감염이 대부분이었으며, 이

coronavirus?," *The Guardian*, 2020. 3. 13.; Sodha, S., "Nudge theory is a poor substitute for hard science in matters of life or death," *The Guardian*, 2020. 4. 26.

56 Department of Health and Social Care 2020, *New Campaign to Prevent Spread of Coronavirus Indoors This Winter*, Department of Health and Social Care, UK. https://www.gov.uk/government/news/new-campaign-to-prevent-spread-of-coronavirus-indoors-this-winter, 2020. 9. 9. 영국 정부는 2010년 보수당-자유당 연합정부가 들어서면서 정부에 행동과학자 자문 그룹인 '넛지 유닛Nudge Unit'을 설치하여 정부 정책을 시민들에게 효과적으로 전달하는 방안을 마련했다. 코로나19 확산 과정에서도 행동과학자들의 역할은 정책 결정에 강력한 영향력을 행사하고 있다(Behavioural Insight Team 2020, *Behavioural Insight Team is Now Independent of the UK Governmen*t. https://www.gov.uk/government/organisations/behavioural-insights-team; Sengupta, K., "Coronavirus: Inside the UK government's influential behavioural 'nudge unit'," *The Independent*, 2020. 4. 2.; Ketchell, M., "Coronavirus: how the UK government is using behavioural science," *The Conversation*, 2020. 3. 25.)

러한 이유로 인해 행동방역 전략을 선택할 수밖에 없었을 것이다.[57]

공간중심 방역정책을 실행하기 위해서는 여타 방역정책이 함께 이루어져야 하는데, 가장 대표적인 것이 중앙정부 주도의 '공격적 억제-격리정책'이다. 구제역과 고병원성조류독감의 확산과 방역 과정에서 얻은 질병경험이 이후 감염병 방역전략에 많은 영향을 미쳤고, 특히 "집중적이고 공격적인" 억제-격리정책, 예를 들어 광범위한 예방적 살처분 전략이 바이러스에 의한 감염병 억제정책의 기초적인 밑그림을 제공했다. 집중적이고 공격적인 억제-격리전략을 효율적으로 운영하기 위해서는 충족되어야 할 몇 가지 조건이 있다. 우선, 신속하고 집중적인 방역에 항상 동원할 수 있는 인력 확보가 필요하다. 가축 전염병인 구제역이나 고병원성조류독감의 확산을 막기 위해 강력한 예방적 살처분이 주로 사용되었는데, 이는 신속하게 동원할 수 있는 공무원이나 군인과 같은 조직이 있어야 가능하다.

동물(가축) 감염병에 대한 방역전략이 성공하기 위해 필수적으로 요

---

57 Kucharski, A. J. et al., "Early dynamics of transmission and control of Covid-19: a mathematical modelling study," *The Lancet Infectious Diseases* 20(5), 2020, pp. 553-558; Moghadas, S. M. et al., "The implications of silent transmission for the control of Covid-19 outbreaks," *PNAS* 117(30), 2020, pp. 17513-17515. 2021년 상반기 한국에서 발생한 이른바 제4차 대유행 단계에서는 '집단감염' 패턴의 변화 징후가 발견되었다. 2021년 1월부터 방역당국은 대규모 집단감염이 감소하는 대신 개별 환자들 사이의 감염, 즉 가족 내 감염이나 지인들 사이의 접촉으로 인한 감염이 증가하고 있다고 경고하기 시작했다(중앙방역대책본부, 2021b). 1월 중순 중앙방역대책본부는 개별감염 사례 비율이 전체 확진자의 40퍼센트를 차지하고 있다고 밝혔다(중앙방역대책본부, 2021a). 2021년 4월 14일부터 2주간 집계된 확진자 9,215명 중 29.5퍼센트인 2,720명의 감염 경로가 추적 불가능한 상황이며 가족이나 지인과 같은 개별 접촉으로 인한 감염 비율이 44.7퍼센트까지 증가하고 있다고 발표했다(김성태, 〈코로나 '깜깜이 환자' 30%나… 개별접촉감염도 45% 육박〉,《서울경제신문》2021년 4월 27일자).

구되는 중앙집중적 동원체제는, 인간 감염병인 코로나19 방역에서도 확실하게 그 효과를 보여 주었다. 한국의 코로나19 방역에서 가장 중요한 역할을 한 것은 3천여 명의 공중보건의와 간호사였다. 군복무 대신 국가의 통제 하에 움직여야 하는 공중보건의들은 현장에서 이동검진이나 유증상자의 검체 채취를 맡았다. 특히 대구에서 코로나19 환자가 폭발적으로 증가한 제1차 대유행 상황에서 공중보건의들이 결정적 역할을 했다. 당시 정부는 신규 공중보건의 742명을 조기 임용(군사훈련을 면제하고 바로 현장에 배치하는 방식)하여 현장에 배치했다.[58] 이들은 '치료의 의무'에 기반하여 자발적으로 행동하는 것이 아니라 중앙정부의 통제와 이동 명령으로 동원될 수밖에 없다. 공중보건의 사례에서 볼 수 있듯이, 중앙정부에 의한 동원 체계는 신속하고 집중적으로 확진자를 테스트-추적-격리할 수 있는 근간이 된다. 코로나19 방역에서 활용된 동원 체계는 이미 구제역이나 조류독감 방역전략에서 사용된 동원 체계와 그 전략적 원칙이 유사하다. 코로나19 확산 상황에서 유럽이 택한 의료진 동원 전략은 한국과 매우 다른 특성을 보인다. 미국을 포함한 대부분의 서구 국가는 의무적으로 의사 생활을 해야 하는 공중보건의 제도가 부재하기 때문에 부족한 의료진을 은퇴한 의사와 간호사를 현장으로 복귀시키는 방식으로 채웠다. 영국의학협회BMA: British Medical Association는 코로나바이러스 확산을 더 이상 억제할 수 없는 상황이 되

---

58 Choi, S. "Combat of junior doctors in Korea against Covid-19 pandemic," *WMA/JDN Covid-19 Teleconference*, 2020. 4. 15.; 하경대, 〈공보의들 쉴 틈 없이 검체채취·선별진료…힘들어도 서로 위로하며 코로나19 해결 희망을 봅니다〉,《Medi:Gate News》2020년 3월 7일자; 오경묵, 〈세계가 놀란 '코로나 대량진단'…원동력은 공중보건의 이동검진〉,《한국경제신문》2020년 3월 23일자; 고신정, 〈공보의 742명, 코로나19 현장 '긴급투입'〉,《의협신문》2020년 3월 5일자.

자 은퇴한 의사와 간호사들에게 의료자격증을 회복시켜 주면서 현장 복귀를 독려했다.[59] 그 결과 약 4,500명의 은퇴한 의료진이 코로나19 방역을 위해 현장으로 복귀했다. 하지만 현장에 복귀한 나이 많은 은퇴 의사와 간호사들은 현역 의료진보다 훨씬 높은 위험에 노출된다.[60]

진단기술 선택과 사용에서도 위에서 논의한 방역전략의 원칙이 고스란히 반영된다. RT-PCR 진단기술은 단순히 진단기술의 효율성만으로 평가할 수 없다. 이 진단기법이 성공하려면 정확하게 검체를 채취할 수 있는 능력을 보유한 인력의 확보와 동원이 중요하다. 물론 실험실에서 PCR 기법을 이용한 유전자 증폭 과정의 정확성도 담보되어야 하지만 더욱 중요한 것은 검체 채취의 정확성이다.[61] 구제역·조류독감·메르스까지 다양한 감염병 확산 과정에서 대량의 인력 동원과 공중보건의와 간호사들의 노동력 동원의 중요성이 경험적인 형태로 축적되고, 이러한 질병방역 경험이 제도화를 통해 공식화되었다. 그 최종적인 결과물이 RT-PCR 진단법이라고 할 수 있다. 또한 제도화 과정에 유연성이 결합되면서 갑작스러운 감염병 확산에 긴급하게 대처할 수 있는 법적 개선이 빠르

59 BMA, "Covid-19: retired doctors returning to work," *British Medical Association*, 2020. 6. 6.; Barer, D., "How can retired doctors really help in the Covid-19 crisis?," *British Medical Journal* 368, 2020. 3. 17.; Hope, C., "Retired doctors urged to remain on Covid duty to help solve NHS backlog," *The Telegraph*, 2020a. 8. 16.; Paterlini, M., "On the front lines of coronavirus: the Italian response to covid-19," *British Medical Journal* 368, 2020. 3. 16.

60 Binding, L., "Coronavirus: 4,500 retired doctors and nurses sign up to battle Covid-19 pandemic," *Sky News*, 2020. 3. 22.; BBC News, "Coronavirus: tens of thousands of retired medics asked to return to NHS," *BBC News*, 2020. 3. 20.; Weaver, M., "Retired hospital medical director latest to die form Covid-19 in UK," *the Guardian*, 2020. 4. 1.

61 The Independent SAGE, *The Independent SAGE Report 5: Final Integrated Find, Test, Trace, Isolate, Support (FTTIS) Response to the Pandemic* (The Independent Scientific Advisory Group for Emergencies, SAGE), 2020. 6. 17.

게 이루어질 수 있었다. 이는 짧은 시간 안에 '임기응변' 또는 '패치워크'에 기반한 대처 방식을 빠르게 제도화하는 과정에서 이루어진 결과이다.

반면에 한국의 질병경험과 달리 코로나19 확산 초기 영국은 전문적 노동력의 대단위 동원이 어려운 상황이었음은 공중보건의와 관련된 앞의 논의에서 정확하게 드러난다. 결국, 영국 정부와 보건당국은 가장 간단하게 감염력을 진단할 수 있는 항체검사법을 적합한 진단기술로 판단할 수밖에 없었다. 특히 전시동원체제와 같은 중앙정부의 일사분란한 정책 실행이 불가능한 정치제도에서 영국이 유일하게 의존할 수 있는 것은 시민들의 자발적인 참여를 요구하는 '행동방역'뿐이었다. 드라이브스루를 통한 검체 채취 방식에서 한국과 다른 것은 검체 채취를 누가 하는가의 문제였다. 이미 지적한 것처럼 검체 채취 방식의 정확성은 RT-PCR 진단검사법에서 핵심적인 요인이다. 한국의 경우 전문적인 검체 채취 인력이 동원된 '선별진료소'가 마련되면서 대구에서 확산하던 초기 대규모 확산에 집중적이고 공격적으로 대응할 수 있었다.[62] 하지만 영국의 경우, 드라이브스루 선별진료소가 마련되었지만 정작 검체 채취는 자가채취 방식을 사용했다. 또한 하루에 수행할 수 있는 검사량을 늘리기 위해 검체채취키트를 집으로 배달하여 감염의심자가 직접 자신의 검체를 채취하는 '면봉자가채취 테스트 방식swab test'을 사용했다.[63] 자가채취 방식은 전문가가 검체를 채취하는 것보다 정확도가 떨어질 수밖에 없다. 더욱이 한국 중앙정부의 집중적이고 강력한 관리

62   이재갑 · 강양구,《우리는 바이러스와 살아간다》, 44~45쪽.

63   Petruzzi, G. et al., "Covid-19: Nasal and oropharyngeal swab," *Head & Neck* 42, 2020, pp. 1303-1304; Schraer, R., "Coronavirus: how to get a Covid test," *BBC News*, 2020. 9. 17.; Tang, Y-W. et al., "Laboratory diagnosis of Covid-19: Current issues and challenges,"

방식과 다르게 영국은 채취된 검체를 PCR로 증폭 검사하는 실험실을 국가가 완전히 관리하는 방식이 아니라 민간기업과 나누어 맡았고, 이는 국립보건보험NHS · 잉글랜드공중보건청PHE: Public Health England과 컨설팅 기업으로 알려진 들로이트Deloitte로 대표되는 민간관리기업으로 관리 체계가 이원화되는 결과를 가져왔다. 공공 부문과 민간 부문의 이중적 관리시스템은 진단검사와 추적시스템의 원활한 관리를 어렵게 했으며, 관리 당사자 사이의 의사소통과 정보 교류 과정에서 문제가 일어나면서 관리 체계의 실패로 이어졌다.[64]

한국에서 국가 주도의 공격적인 공간중심 억제–격리전략의 추상적 개념이 현실화되고 진행된 제도적 경험은 이미 구제역과 조류독감, 그리고 2019년부터 접경지역에 확산한 아프리카돼지열병에 대한 예방적 살처분을 통해 실행되었다. 특정 지역에 속한 동물에 대한 신속하고 공격적인 살처분은 현재 방역 관리 전략과 유사하다. 한국의 코로나19 방역전략의 기초는 행위자의 행동 변화를 유도하는 관리 방식과는 거리

Journal of Clinical Microbiology 58(6), 2020, pp.1-9; Zitek, T., "The appropriate use of testing for Covid-19," *Western Journal of Emergency Medicine* 21(3), 2020, pp. 470-472.

64 Jones, B., "The medical establishement is failing the UK public on Covid-19," *BMJ: British Medical Journal* 372(775), 2021; McTague, T., "How the pandemic rvealed Britain's national illness," *The Atlantic*, 2020. 8. 12.; Wise, J., "Covid-19: What's going wrong with testing in the UK?," *BMJ: British Medical Journal* 370, 2020. 이러한 우려는 9월에 이르러 현실화되었다. 민간 분야 실험실의 검사 결과가 정부의 보건당국에 제대로 전달되지 못하면서 통계상 엄청난 차이를 보였으며 누락된 확진자는 잠재적으로 폭발적인 슈퍼전파자의 역할을 하게 되었다(Davis, N., "UK failing to use its high Covid test capacity efficiently, study shows," *The Guardian*, 2020. 9. 24.; Moon, J. et al., "Optimising test and trace systems: Early lessons from a comparative analysis of six countries," *SSRN*, 2020, pp. 1-22; Quinn, B. and Halliday, J., "Almost 90% of Covid tests in England taking longer than 24 hours to precess," *The Guardian*, 2020. 9. 17.)

가 멀다. 대부분의 방역정책은 '공간에 대한 방역 관리'이다. 사람들이 집중적으로 모이는 공간(종교단체, 클럽, 콜센터, 요양병원, 물류센터, 식당, 학원, 학교 등)을 중심으로 선택적인 방역을 실행해 왔다. 사람들이 밀집한 공간에 대한 선택적인 방역전략은 이 공간에 속한 사람들을 격리함으로써 감염을 쉽게 차단할 수 있다. 공간과 영역에 대한 공격적인 관리는 결국 제도에 대한 관리이며 질서 유지를 위한 관리 방식이다. 코로나19에 대한 공간방역전략의 기본 원칙은 가축 감염병에 대한 방역망 구축, 동물의 이동을 막기 위한 차단선 구축 등과 같은 영역화 territorialization 전략의 원칙과 동일하다. 2019년 북한과의 접경지역에서 확산하여 경기도 북부 지역 축산농가를 붕괴시킨 아프리카돼지열병에 대한 강력하고 공격적인 질병 통제정책은 이러한 공간방역전략의 원칙을 잘 보여 준다. 2019년 9월 감염력이 매우 높고 치명률이 거의 100퍼센트로 알려진 아프리카돼지열병이 경기도 북부 지역에서 발생하자 중앙정부, 농림식품부, 환경부와 국방부는 매우 공격적인 살처분 정책과 방역망 설치를 통해 아프리카돼지열병의 남하를 저지한다. 이를 위해 방역당국은 영역화 전략을 사용하면서 방역망을 구축하고 이동 차단선을 설치하여 물리적으로 질병의 매개체로 지목된 맷돼지의 남하를 막았다. 예방적 살처분과 이동 차단선 설치는 표면적으로 효과적인 것처럼 보였다.[65] 영역분리전략을 통한 감염 확산 차단은 특정 공간에 밀집되어 있는 '파악 가능한' 개체를 '파악되지 않는' 감염이 의심되는 야생동물로부터 분리하는 방식으로부터 시작한다. 개체수가 파악되는 공간

---

65 김준수, 〈돼지전쟁: 아프리카돼지열병을 통해 바라본 인간너머의 영토성〉, 《문화역사지리》 31(3), 2019, 41~60쪽.

에 대한 관리는 그 효율성이나 편이성 측면에서 감염병을 관리하는 데 있어 중요한 요인이 된다. 특히, 동물(가축) 감염병 방역에서 집단감염을 막고 예방하는 이러한 방식(주로 예방적 살처분이라는 극단적 방식)을 통한 관리가 이루어졌다.

예방적 살처분과 이동 차단선으로 대표되는 동물(가축) 감염병 방역 전략이 추구하는 원칙, 즉 공간에 대한 물리적 통제와 차단을 통한 감염병 확산 방지는 인간 감염병의 방역전략에도 명시적 또는 암묵적으로 영향을 미쳤다. 메르스 방역에서 슈퍼전파자의 이동과 접촉을 막지 못함으로써 짧은 시간에 병원 간 감염이 일어난 경험을 통해, 코로나19 방역은 행위자의 행동 흐름을 차단하고 조절하는 방식보다는 특정 공간에서 일어날 수 있는 감염 위험을 예방적으로 차단하는 방식을 선택했다. 2021년 2월 20일 권덕철 보건복지부 장관의 코로나19 상황에 관한 브리핑은 이러한 방역당국의 전략적 원칙을 다시 한 번 확인할 수 있게 한다. 이 브리핑에서 방역당국의 주요 관심 대상은 여전히 집단감염의 패턴을 찾아서 감염 고리를 끊는 데 집중되어 있었다. 당시 집단감염 관련 내용은 대부분 특정 공간 중심으로 언급되었다. 예를 들어, 서울 순천향대병원(누적 201명), 성남시 무도장(누적 29명), 아산시 난방기공장(누적 165명), 부천시 보습학원(누적 161명), 남양주시 플라스틱공장(누적 148명) 등 집단감염이 일어나고 있는 공간을 언급하면서 "집단감염은 주로 병원, 교회, 사우나 외 공장이나 직장, 학원, 어린이집, 체육시설 등으로 확산하고 있습니다"라며 새로운 유행을 경고하였다.[66]

---

66 김예나, 〈권덕철, 주중반까지 확진자 추이주시…필요시 단계상향도 검토〉,《연합뉴스》 2021년 2월 21일자; 연선옥, 〈권덕철 장관 "코로나19, 다시 확산세…설연휴 이동 · 사업

특정 공간에 밀집한 사람들에 대한 전수조사와 진단검사 실행은 영역화 전략의 전형적인 특징을 보여 준다. 이처럼 한국 감염병 관리 및 통제의 기본 원칙 구성 과정은 단순히 몇 가지 원인으로 환원하여 설명할 수 없는 지역적 맥락에 근거한 특성을 보여 준다. 이를 총체적으로 이해하기 위해서는 최근 한국 사회가 경험했던 '질병경험의 제도화'라는 측면, 특히 인간-동물(가축) 감염병 경험의 암묵적 제도화가 중요한 설명 요인이 될 수 있다.

질병경관과 유연적 질병경험의 제도화

지금까지 코로나19에 대응하여 한국의 방역당국이 실행한 방역전략의 특징을 인간-동물(가축) 감염병의 질병경험에 기반한 '경험적 방역 모델'과 공간중심 방역전략에서 찾았다. 위에서 살펴본 것처럼 한국의 경험적 방역 모델이 갖는 특징은 2000년대 이후 주기적으로 발생한 인간-동물(가축) 감염병의 경험을 제도화하면서 형성된 질병 관리 및 통제의 한 형태이다. 이러한 질병 관리 및 전략은 행위자의 행동 변화를 조절·유도하면서 진행된 서구의 방식을 따르지 않는다. 대신 '공간'에 대한 억제-격리의 방식으로 이루어졌다. 서구의 질병 관리 및 통제 제도화의 대표적인 사례인 영국의 경우, 질병에 대한 '추상적 수학적 모델'을 근거로 한다. 이렇게 매우 상반된 형태의 질병 관리 및 통제는 '제

장 집단감염 영향), 《조선일보》 2021년 2월 20일자.

도화'의 유연성 정도에 따라 다르게 수행될 수 있다. 영국의 경우 과거 질병 확산에 대한 수학적 모델 구축과 질병방역의 오랜 전통이 굳건하고 변화되기 힘든 융통성 없고 견고한rigid and sturdy 형태로 구축되었다. 다시 말해 영국의 질병 제도화는 19세기 말 콜레라 방역과 위생법 시행으로부터 100년 이상의 시간을 통해 확립되었다[67] 결국 신종 감염병 확산에 대처하기 위한 방역전략이나 제도의 유연한 대처 가능성은 상대적으로 낮아지고, 대신 이미 확립된 제도나 방역 원칙을 유지하면서 질병 관리 및 통제를 추진해야 하는 일종의 역설적인 상황과 마주하게 된다. 이러한 상황은 초기 질병 확산을 막기 위한 영국 정부의 슬로건에서도 잘 나타난다. 코로나19 확산 초기부터 영국 정부는 시민들의 자발적 방역 참여를 유도하기 위해 "집에 머물기, NHS 보호하기 그리고 생명을 구하기Stay Home, Protect the NHS, Save Lives"라는 슬로건을 집중적으로 사용했다.[68] 즉, 행위자의 행동 변화를 촉구하고(집 안에 머무르기), 이미 구축된 보건 체계의 효과적 유지와 보호(국립보건서비스의 보호), 그리고 시민의 생명을 살리는 것(생명을 구하기) 순으로 배치되었다. 이처럼 영국의 방역정책이 보여 주는 원칙은 기존 사회질서의 유지를 통한 질병 관리 및 통제로 설명된다.

---

67 바이넘, 윌리엄, 《서양의학사》, 박승만 옮김, 교유서가, 2017.

68 Hattenstone, S., "The Tories' call to 'protech the NHS' is a disgraceful hypocrisy," *The Guardian*, 2020. 4. 4.; Hope, C., "The story behind 'Stay Home, Protect the NHS, Save Lives'-the slogan that was 'too successful'," *The Telegraph*, 2020b. 5. 1.; Miles, D.K., Stedman, M. and Heald, A. H., "'Stay at home, protect the National Health Service, save lives': a cost benefit analysis of the lockdown in the United Kingdom," *International Journal of Clinical Practice* e13674, 2020, pp. 1-14; Salmon, R., "Rapid response: Moving on from 'Stay home. Protect the NHS. Save lives'," *British Medical Journal* 369, 2020. 5. 12.

반면에 유연한 제도화는 제도 자체의 변화에 대해서도 항상 가능성이 열려 있다. 한국의 사례가 그러한 융통성을 잘 보여 준다. 비록 방역제도가 제대로 형성되지 않았기 때문에 감염병의 확산과 대응 과정에서 법과 제도를 개정하는 패치워크 방식의 대응이 나타났지만, 일련의 질병경험을 통해 불과 20년 사이에 제도화가 이루어지면서 그 유연성이 강화되었다. 질병경험의 제도화가 보여 주는 유연성의 정도는 '공간' 개념에서 발견할 수 있다. 앞에서 논의한 것처럼 한국 질병방역의 기본 원칙은 '공간방역'이었다. 공간은 시간 개념과 따로 분리하여 생각할 수 없다. 영국의 사회학자 지그문트 바우만Zygmunt Bauman이 지적한 것처럼, 근대성의 맥락에서 시간과 공간의 개념이 갖는 관계는 매우 중요하다. 그리고 근대성의 개념은 이른바 후기자본주의 또는 신자유주의 시기로 전환하면서 훨씬 유연한 형태로 바뀌었다.[69] 특히, 시공간의 관계는 후기근대성의 맥락에서 기존 근대성의 형태와는 매우 다르게 나타난다. 즉, 한국의 방역정책이 집중하는 '공간'은 바우만이 묘사하는 유체성의 특성을 잘 보여 준다. 유체는 공간을 붙들거나 시간을 묶어 두지 않는다. 이처럼 한국의 방역공간은 훨씬 유연하고 액체적인 제도적 특성이 결합하는 공간이며, 이러한 방역 공간을 가능케 한 것은 제도의 유연성과 탄력성이다. 앞에서 논의한 것처럼 한국의 공간방역 원칙은 2000년대 이후 발생한 인간-동물(가축) 감염병의 질병경험으로 인한 유연한 제도적 전환이 있었기에 가능했다. 반면에 서구의 방역정책, 특히 본 글에서 주로 비교한 영국의 방역정책은 이러한 유연한 시공간을 기반

---

69 바우만, 지그문트, 《액체근대》, 이일수 옮김, 강, 2005. (Bauman, Z., *Liquid Modernity*, Cambridge: Polity, 2000)

으로 한 방역을 실현하기 힘든 제도적 틀을 가지고 있었다. 긴 기간에 걸쳐 형성되고 '고체화'된 (국립보건서비스로 대표되는) 공중보건제도의 틀은 시공간의 흐름과 "변화의 충격을 중화시킴으로써 시간의 의미를 약화시키는"[70] 효과를 가져온다.[71] 즉, 과도하게 강화된 제도는 신종 감염병과 같은 '전례 없는 사태'에 대한 대응에서 유연성을 보여 주기 힘들다. 역설적인 상황이지만 한국의 방역제도가 갖는 불안정성은 코로나19 대응에서 유연한 형태의 제도적 대응의 결과를 가져오는 데 기여했다고 볼 수 있다.[72]

한국의 감염병 관리 및 통제의 특성 분석은, 질병에 대한 이해에서 병원체가 외부에 고정되거나 주어진 형태가 아님을 분명하게 보여 준다. 질병, 특히 신종 감염병에 대해 논의함에 있어 특정 요인으로 환원하여 설명하는 것은 한계를 갖는다. 이러한 문제를 극복하기 위해 본 글은 질병경관 개념을 제안하면서, 코로나19에 대한 질병 관리 및 통제가 보여 주는 몇 가지 특징에 대해 논의했다. 한국의 감염병 통제전략의 기본 원칙은 단순히 의료기술의 발달이나 진단·추적기술의 사용 또는 인간 감염병(특히 메르스)의 경험과 같은 몇 가지 요인에 의해 구성된 결과가 아니다. 그보다 2000년대 이후 지속적으로 발생해 온 인간-

---

70 바우만, 지그문트, 《액체근대》, 8쪽.

71 최은경, 〈한국생명윤리학회 2020 추계학술대회 토론문〉, 《신종 감염병 시대의 생명윤리와 법－2020 한국생명윤리학회 & 한국의료법학회 공동학술대회 자료집》, 2020b, 130~133쪽.

72 이른바 바우만의 후기근대성의 '액체성liquidity'의 특성과 질병경험의 제도화 과정에서 볼 수 있는 제도의 견고함rigidity과 유연성flexibility 그리고 즉흥성spontaneity의 관계에 관한 구체적인 해명이 필요하다. 특히, 감염병 방역제도가 견고하게 구축되고 100여 년 이상 지속하여 온 교과서적 사례인 영국의 방역모델(특히 국립보건보험 시스템을

동물(가축) 감염병의 출현과 확산 그리고 이에 대한 대응 과정에서 형성된 질병경험의 제도화를 통해 구성된 결과물로 보는 것이 현재 상황을 이해하는 데 좀 더 도움이 될 것이다.

중심으로 하는 보건제도)이 코로나19 팬데믹 상황에서는 어떤 반응을 보였는가의 문제와 상대적으로 방역제도 구축의 역사가 짧고 지속해서 변화해 온 한국의 상황에 관한 비교 연구는 지그문트 바우만의 개념이 가진 함의를 보여 주는 데 이론적·개념적 유용성이 있을 것이다.

참고문헌

경기도 축산위생연구소, 《2011 구제역 백서》, 경기도 축산위생연구소, 2011.

김영수 · 윤종웅, 《이기적인 방역 살처분 · 백신 딜레마 ─ 왜 동물에겐 백신을 쓰지 않는가?》, 무불출판사, 2021.

농림수산부, 《고병원성조류인플루엔자 백서》, 농림수산부, 2012.

데이비스, 마이크, 《조류독감: 전염병의 사회적 생산》, 정병선 옮김, 돌베개, 2008. (Davis, M., *he Monster at Our Door: The Global Threat of Avian Flu*, New York: New Press, 2005)

바우만, 지그문트, 《액체근대》, 이일수 옮김, 강, 2005. (Bauman, Z., *Liquid Modernity*, Cambridge: Polity, 2000)

바이넘, 윌리엄, 《서양의학사》, 박승만 옮김, 교유서가, 2017. (Bynum, W., *The History of Medicine: A Very Short Introduction*, Oxford: Oxford University Press, 2008)

이상헌 · 김은혜 · 황진태 · 박배균, 《위험도시를 살다: 동아시아 발전주의 도시화와 핵 위험경관》, 알트, 2017.

이재갑 · 강양구, 《우리는 바이러스와 살아간다》, 생각의 힘, 2020.

한국농촌경제연구원, 《2010-2011 구제역 백서》, 한국농촌경제연구원, 2011.

허윤정, 《코로나 리포트 ─ 대한민국 초기방역 88일의 기록》, 동아시아, 2020.

권순만, 〈COVID-19와 보건정책 ─ 성과와 한계〉, 송호근 외 지음, 《코로나 ing ─ 우리는 어떤 뉴딜이 필요한가?》, 나남, 2020, 65~98쪽.

김기흥, 〈병원체의 다중적 구성: 백서를 통해 재구성된 구제역과 과학기술정치〉, 《환경사회학연구 ECO》 19(1), 2015, 133~171쪽.

_____, 〈국제표준화의 불확실성과 메르스 사태 ─ 불확실성의 다중성〉, 《환경사회학연구 ECO》 20(1), 2016, 317~351쪽.

_____, 〈경계물과 경계만들기로 구제역 간이진단키트: 국가기술중심주의와 분권주의의 충돌〉, 《과학기술학연구》 18(2), 2018, 307~342쪽.

_____, 〈Covid-19의 내러티브: 진단기술에 담긴 의미〉, 《신종 감염병 시대의 생명윤리와 법 ─ 2020 한국생명윤리학회 & 한국의료법학회 공동학술대회 자료집》,

2020a, 88~103쪽.

　　　　, 〈코로나바이러스 모델링의 사회학: 영국의 수학적 모델은 왜 초기방역에 실패했는가?〉,《사회와 이론》37(2), 2020b, 263~302쪽.

　　　　, 〈한국 질병관리체계와 인간 – 동물질병의 공동구성〉, 이동신 편,《관계와 경계 – 포스트코로나 시대의 인간과 동물》, 포도밭, 2021, 159~184쪽.

김동광, 〈우리에게 구제역은 무엇인가? 국가주도의 살처분 정책과 함의〉,《민주사회와 정책연구》20, 2011, 13~40쪽.

김선경·김지은·백도명, 〈2010-2011 구제역 살처분 사태의 문제점〉,《한국환경보건학회지》37(2), 2011, 165~169쪽.

김은혜, 〈후쿠시마 원전사고 이후, 위험경관의 공간정치〉,《지역사회학》16(3), 2015, 191~217쪽.

김준수, 〈돼지전쟁: 아프리카돼지열병을 통해 바라본 인간너머의 영토성〉,《문화역사지리》31(3), 2019, 41~60쪽.

유익준, 〈인수공통감염병 예방 및 관리의 법적문제 – 메르스 사례로 본 인수공통감염병 관리의 한계와 대안〉,《법과 정책연구》18(3), 2018, 99~122쪽.

유현미, 〈'K-방역'과 두려움의 역설〉, 추지현 엮음,《마스크가 말해주는 것들 – 코로나19와 일상의 사회학》, 돌베개, 2020, 41~68쪽.

장주은·황진태, 〈좋은 놈, 나쁜 놈, 이상한 놈: 이탈리아 마피아가 생산한 코로나 위험경관〉,《대한지리학회 학술대회논문집》, 2020, 1~2쪽.

정윤진·최선, 〈정부의 안보인식과 위기관리시스템: 사스와 메르스 사태를 중심으로〉,《국제정치연구》20(2), 2017, 133~157쪽.

최은경, 〈팬데믹 시기는 새로운 의료를 예비하는가〉,《창작과 비평》188, 2020a, 416~428쪽.

최은경, 〈한국생명윤리학회 2020 추계학술대회 토론문〉,《신종 감염병 시대의 생명윤리와 법 – 2020 한국생명윤리학회 & 한국의료법학회 공동학술대회 자료집》, 2020b, 130~133쪽.

최은정·천명선, 〈구제역에 대한 위험대응에 관한 연구〉,《농촌사회》25(1), 2015, 271~315쪽.

황승식·김종헌·김진용·이형민·홍기호, 〈코로나19 과학이 아는 것과 모르는 것〉,《에피》12, 이음, 2020, 20~53쪽.

황진태, 〈동아시아 맥락에서 바라본 한국에서의 위험경관의 생산〉,《대한지리학회》

51(2), 2016, 416~428쪽.

황진태 · 김민영 · 배예진 · 윤찬희 · 장아련, 〈리슈만편모충은 어떻게 하나의 유럽에 균열을 가했는가?: 인간너머의 위험경관의 시각에서 바라본 코스모폴리타니즘의 한계〉, 《대한지리학회》 54(3), 2019, 321~341쪽.

고신정, 〈공보의 742명, 코로나19 현장 '긴급투입'〉, 《의협신문》 2020년 3월 5일자.

김성태, 〈코로나 '깜깜이 환자' 30%나…개별접촉감염도 45% 육박〉, 《서울경제신문》 2021년 4월 27일자.

김연희, 〈6시간 검사완료 진단키트 이렇게 만들었다〉, 《시사IN》(648호) 2020년 2월 14일자.

김예나, 〈권덕철, 주중반까지 확진자 추이주시…필요시 단계상향도 검토〉, 《연합뉴스》 2021년 2월 21일자.

김준혁, 〈메르스에서 배운 것, 코로나19에서 배울 것〉, 《한겨레신문》 2020년 4월 6일자.

박태우, 〈'자가진단키트' 전도사, 오세훈의 언행을 '진단'해봤습니다〉, 《한겨레신문》 2021년 4월 15일자.

송경화, 〈질병관리본부, 12일 '질병관리청' 승격…정원 42%늘어〉, 《한겨레신문》 2020년 9월 8일자.

송수연, 〈부정확한 진단이 불러온 '구제역 파동', 코로나19에도 재현〉, 《청년의사》 2020년 12월 21일자.

연선옥, 〈권덕철 장관 "코로나19, 다시 확산세…설연휴 이동 · 사업장 집단감염 영향〉, 《조선일보》 2021년 2월 20일자.

오경묵, 〈세계가 놀란 '코로나 대량진단'…원동력은 공중보건의 이동검진〉, 《한국경제신문》 2020년 3월 23일자.

우태경, 〈'서울형 방역에 필수 오세훈', 연이틀 간이 진단키트 밀어붙이기〉, 《한국일보》 2021년 4월 13일자.

중앙재난안전대책본부, 〈중대본 "시설집단감염 줄고 개별감염사례 40% 수준증가〉, 《대한민국 정책브리핑》 2021년 1월 13일자.

중앙재난안전대책본부, 〈방역당국 "대규모 집단감염 감소…개별적 환자발생은 증가〉, 《대한민국 정책브리핑》 2021년 1월 19일자.

질병관리청, 〈코로나바이러스 감염증-19 (Covid-19)〉, 《질병관리청》. http://ncov.mohw.go.kr.

하경대, 〈공보의들 쉴 틈없이 검체채취 · 선별진료…힘들어도 서로 위로하며 코로나 19 해결 희망을 봅니다〉, 《Medi:Gate News》 2020년 3월 7일자.

Appadurai, A., *Modernity at Large: Cultural Dimensions of Globalization*, Minneapolis: University of Minnesota Press, 1996.

Calvert, J., *Failures of State: The Inside Story of Britain's Battle with Coronavirus*, London: Muldark, 2021.

Cooter, R., Harrison, M., and Sturdy, S., (eds) *War, Medicine, and Modernity*, Phoenix Mill: Sutton Publishing, 1999.

Cooter, R., and Stein, C., *Writing History in the Age of Biomedicine*, New Haven: Yale University Press, 2013.

Hardy, A., *Health and Medicine in Britain since 1860*, London: Palgrave MacMillan, 2001.

Hinchliffe, S., Bingham, N., Allen, J. and Carter, S., *Pathological Lives: Disease, Space and Biopolitics*, Oxford: Wiley Blackwell, 2017.

Horton, R., *The Covid-19 Catastrophe: What's Gone Wrong and How to Stop it Happening Again*, Cambridge: Polity, 2020.

Kim, K., *Social Construction of Disease*, London: Routledge, 2007.

Lakoff, A., *Unprepared: Global Health in a Time of Emergency*, Berkeley, CA: University of California Press, 2017.

Latour, B., *Reassembling the Social: An Introduction to Actor-Network Theory*, Oxford: Oxford University Press, 2005.

Law, J., *After Method: Mess in Social Science Research*, London: Routledge, 2004.

Lawrence, C., *Medicine in the Making of Modern Britain, 1700-1920*, London: Routledge, 1994.

Michael, M., *Actor Network Theory: Trials, Trails and Translations*, London: Sage, 2016.

Mol, A., *The Body Multiple: Ontology in Medical Practice*, Durham: Duke University Press, 2002.

Müller-Mahn, D. (ed.), *The Spatial Dimension of Risk: How Geography Shapes the Emergence of Riskscapes*, London: Routledge, 2012.

Nguyen, V-K., *The Republic of Therapy: Triage and Sovereignty in West Africa's Time of*

AIDS, Durham: Duke University Press, 2010.

Packer, R., *The Politics of BSE*, London: Palgrave MacMillan, 2006.

Rosenberg, C. and Golden, J., *Framing Disease: Studies in Cultural History*, New Brunswick: Rutgers University, 1992.

Sturdy, S., *Medicine, Health and the Public Sphere in Britain, 1600-2000*, London: Routledge, 2013.

The Government of the Republic of Korea, *Tackling Covid-19: Health, Quarantine and Economic Measures — Korean experience*, Seoul: MOEF & KCDC, 2020.

Van den Belt, H., *Spirochaetes, Serology and Salvarsan-Ludwik Fleck and the Construction of Medical Knowledge about Syphilis*, Nijmegen: Catholic University of Nijmegen, 1997.

Van Zwanenbert, P. and E. Millstone, *BSE: Risk, Science and Governance*, Oxford: Oxford University Press, 2005.

Woods, A., *A Manufactured Plague: The History of Foot-and-Mouth Disease in Britain*, London: Routledge, 2013.

Woods, A., Bresalier, M., Cassidy, A. and Dentinger, R.M. (eds), *Animals and the Shaping of Modern Medicine: One Health and its Histories*, London: Palgrave MacMillan, 2018.

Andryukov, B. G., "Six decades of lateral flow immunoassay: from determining metabolic markers to diagnosing Covid-19," *AIMS Microbiology* 6(3), 2020, pp. 280-304.

Callon, M., "The sociology of an Actor-Network: The case of electric vehicle," in *Mapping the Dynamics of Science and Technology*, edited by M. Callon, J. Law, and A. Rip, London: MacMillan Press, 1986, pp. 19-34.

Everts, J., "Anxiety and risk: pandemics in the twenty-first century," in *The Spatial Dimension of Risk*, edited by Detlef Müller-Mahn, London: Routledge, 2012, pp. 82-97.

Jensen, T. E. and B. R., Winthereik, "Book review: The Body Multiple: Ontology in Medical Practice," *Acta Sociologica* 48(3), 2005, pp. 266-268.

Jones, B., "The medical establishement is failing the UK public on Covid-19,"

BMJ: British Medical Journal 372(775), 2021. doi: https://doi.org/10.1136/bmj.
n775

Kasdan, D. O. and Campbel, J. W., "Dataveillant collectivism and the coronavirus in Korea: values, biases, and socio-cultural foundations of containment efforts," *Administrative Theory & Praxis* 42(4), 2020, pp. 604-613.

Kelly, A. H., "Ebola vaccines, evidentiary charisma and the rise of global health emergency research," *Economy and Society* 47(1), 2020, pp. 135-161.

Krüger, F., "Spaces of risk and cultrues of resilience: HIV/AIDS and adherence in Botswana," pp. 109-123 in *The Spatial Dimension of Risk*, edited by Detlef Müller-Mahn, London: Routledge, 2012.

Ki, M., "2015 MERS outbrea in Korea: hospital-to-hostpial transmission," *Epidemiology and Health* 37, 2015, pp. 1-4.

Kim, K., "Styles of scientific practice and the prion controversy," in *Infectious Processes: Knowledge, Discourse and the Politics of Prions*, edited by E. Seguin, London: Palgrave MacMillan, 2005, pp. 38-72.

Kim, K. and Kim, J., "Surrender? (Bio)information in the era of the pandemic in South Korea," in *Bioinformation: Worlds and Futures* edited by E. J. Gonzalez-Polledo & S. Posocco, London: Routledge, 2021.

Kucharski, A. J. et al., "Early dynamics of transmission and control of Covid-19: a mathematical modelling study," *The Lancet Infectious Diseases* 20(5), 2020, pp. 553-558.

Law, J. and Mol, A., "Veterinary realities: what is foot and mouth disease?," Sociologia Ruralis 51(1), 2011, pp. 1-16.

Law, J. and Moser, I., "Contexts and Culling," Science, Technology & Human *Values* 37(4), 2012, pp. 332-354.

Law, J. and Singleton, V., "ANT, multiplicity and policy," *Critical Policy Studies* 8(4), 2014, pp. 379-396.

McInnes, C. and Lee, K., "Health, security and foreign policy," *Review of International Studies* 32, 2006, pp. 5-23.

Miles, D. K., Stedman, M. and Heald, A. H., "'Stay at home, protect the National Health Service, save lives': a cost benefit analysis of the lockdown in the United

Kingdom," *International Journal of Clinical Practice* e13674, 2020, pp. 1-14.

Moghadas, S. M. et al., "The implications of silent transmission for the control of Covid-19 outbreaks," *PNAS* 117(30), 2020, pp. 17513-17515.

Mol, A., "Ontological politics: a word and some questions," in *Actor Network Theory and After* edited by J. Law and J. Hassard, Oxford: Blackwell, 1999, pp. 74-89.

Moon, J. et al., "Optimising test and trace systems: Early lessons from a comparative analysis of six countries," *SSRN*, 2020, pp. 1-22.

Müller-Mahn, D & J. Everts, "Riskscapes: the spatial dimensions of risk," in *The Spatial Dimension of Risk* edited by Detlef Müller-Mahn, London: Routledge, 2012, pp. 22-35.

Petruzzi, G. et al., "Covid-19: Nasal and oropharyngeal swab," *Head & Neck* 42, 2020, pp. 1303-1304.

Ryan, M., "In defence of digital contact-tracing: Human rights, South Korea and Covid-19," *International Journal of Pervasive Computing and Communications* 16(4), 2020, pp. 383-407.

Sarka, S., "Pandemic and the statge," *Journal of Social and Economic Development*, 2020. https://doi.org/10.1007/s40847-020-00129-7.

Sonn, J. W. and J. K. Lee, "The smart city as time-space cartographer in Covid-19 contrl: The South Korean strategy and democratic control of surveillance technology," *Eurasian Geography and Economics* 61(4&5), 2020, pp. 482-492.

Tang, Y-W. et al., "Laboratory diagnosis of Covid-19: Current issues and challenges," *Journal of Clinical Microbiology* 58(6), 2020, pp. 1-9.

Timmermans, S., and S. Haas, "Towards a sociology of disease," *Sociology of Health & Illness* 30(5), 2008, pp. 659-676.

Torjesen, I., "What do we know about lateral flow tests and mass testing in schools?," *BMJ: British Medical Journal* 372(706), 2021. doi: https://doi.org/10.1136/bmj.n706

Wise, J., "Covid-19: What's going wrong with testing in the UK?," *BMJ: British Medical Journal* 370, 2020. doi: https://doi.org/10.1136/bmj.m3678.

Yoon, K., "Digital dilemmas in the (post-)pandemic state: Surveillance and information rights in South Korea," *Journal of Digital Media & Policy* 12(1), 2021, pp. 67-80.

You, J., "Lessons from South Korea's Covid-19 policy response," *The American Review of Public Administration* 50(6&7), 2020, pp. 801-808.

Zitek, T., "The appropriate use of testing for Covid-19," *Western Journal of Emergency Medicine* 21(3), 2020, pp. 470-472.

Barer, D., "How can retired doctors really help in the Covid-19 crisis?," *British Medical Journal* 368, 2020. 3. 17.

BBC News, "Coronavirus: tens of thousands of retired medics asked to return to NHS," *BBC News*, 2020. 3. 20.

Béglè, J., "Guy Sorman : 《Le confinement nous fait découvrir qu'avant, ce n'était pas si mal》," *Le Point*, 2020. 4. 27.

Binding, L., "Coronavirus: 4,500 retired doctors and nurses sign up to battle Covid-19 pandemic," *Sky News*, 2020. 3. 22.

BMA, "Covid-19: retired doctors returning to work," *British Medical Association*, 2020. 6. 6.

Choi, S. "Combat of junior doctors in Korea against Covid-19 pandemic," *WMA/JDN Covid-19 Teleconference*, 2020. 4. 15.

Davis, N., "UK failing to use its high Covid test capacity efficiently, study shows," *The Guardian*, 2020. 9. 24.

Hanage, W., "Britain's failure to learn the hard lessons of its first Covid surge is a disaster," *The Guardian*, 2020. 9. 27.

Hattenstone, S., "The Tories' call to 'protech the NHS' is a disgraceful hypocrisy," *The Guardian*, 2020. 4. 4.

Hope, C., "Retired doctors urged to remain on Covid duty to help solve NHS backlog," *The Telegraph*, 2020a. 8. 16.

_____, "The story behind 'Stay Home, Protect the NHS, Save Lives'-the slogan that was 'too successful'," *The Telegraph*, 2020b. 5. 1.

House of Lords *Covid-19 Rapid Summary: Behavioural Science* (Select Committee on Science and Technology) 2020. 6. 17.

Ketchell, M., "Coronavirus: how the UK government is using behavioural science," *The Conversation*, 2020. 3. 25.

Levenson, M., "Scale of China's Wuhan shutdown is to be without precedent," *The New York Times*, 2020. 2. 22.

Mahase, E., "Covid-19: Innova lateral flow test is not fit for 'test and release' strategy say experts," *BMJ:British Medical Journal* 371, 2020. 11. 17.

McTague, T., "How the pandemic rvealed Britain's national illness," *The Atlantic*, 2020. 8. 12.

Mina, M. et al., "Rethinking Covid-19 test sensitivity. A strategy for containment," *New England Journal of Medicine*, 2020. 9. 30.

Normile, D., "Coronavirus cases have dropped sharply in South Korea. What's the secret to its success?," *Science*, 2020. 3. 17.

Paterlini, M., "On the front lines of coronavirus: the Italian response to covid-19," *British Medical Journal* 368, 2020. 3. 16.

Quinn, B. and Halliday, J., "Almost 90% of Covid tests in England taking longer than 24 hours to precess," *The Guardian*, 2020. 9. 17.

Qin, A., Myers, A.L. and Yu, E., "China tightens Wuhan lockdown in 'wartime' battle with coronavirus," *The New York Times*, 2020. 2. 7.

Salmon, R., "Rapid response: Moving on from 'Stay home. Protect the NHS. Save lives'," *British Medical Journal* 369, 2020. 5. 12.

Schraer, R., "Coronavirus: how to get a Covid test," *BBC News*, 2020. 9. 17.

Scott, D. and J. M. Park, "South Korea's Covid-19 success story started with failure," *Vox*, 2021. 4. 19.

Sengupta, K., "Coronavirus: Inside the UK government's influential behavioural 'nudge unit'," *The Independent*, 2020. 4. 2.

Smith, R. D., "What type of governmentality is this? Or, how do we govern unknowns," *Somatosphere:Science,Medicine and Anthropology*, 2020. 5. 26,

Sodha, S., "Nudge theory is a poor substitute for hard science in matters of life or death," *The Guardian*, 2020. 4. 26.

Street, A. and A. H. Kelly, "Counting coronavirus: delivering diagnostic certainty in a global emergency," *Somatosphere:Science,Medicine and Anthropology*, 2020. 3. 6.

The Independent SAGE, *The Independent SAGE Report 5: Final Integrated Find, Test, Trace, Isolate, Support (FTTIS) Response to the Pandemic* (The Independent Scientific Advisory Group for Emergencies, SAGE), 2020. 6. 17.

Weaver, M., "Retired hospital medical director latest to die form Covid-19 in UK," *the Guardian*, 2020. 4. 1.

Yates, T., "Why is the government relying on nudge theory to fight coronavirus?," *The Guardian*, 2020. 3. 13.

Behavioural Insight Team 2020, *Behavioural Insight Team is Now Independent of the UK Government*. https://www.gov.uk/government/organisations/behavioural-insights-team.

Caduff, C., "What went wrong: Corona and the world after the full stop," *Medical Anthropology Quarterly*, 2020. https://doi.org/10.1111/maq.12599.

Department of Health and Social Care 2020, *New Campaign to Prevent Spread of Coronavirus Indoors This Winter*, Department of Health and Social Care, UK. https://www.gov.uk/government/news/new-campaign-to-prevent-spread-of-coronavirus-indoors-this-winter, 2020. 9. 9.

Han, B-C., "The viral emergenc(e/y) and the world of tomorrow," 2020. https://pianolaconalbedrio.wordpress.com/2020/03/29/the-viral-emergence-y-and-the-world-of-tomorrow-byun-chul-han/.

Johns Hopkins University Corona Virus Resource Center, "Mortality analyses," *Johns Hopkins University Corona Virus Resource Center*, 2020. https://coronavirus.jhu.edu/data/mortality, 2020.11.10.

Lowy, I., "Ludwik Fleck where are you now that we need you? Covid-19 and the genesis of epidemiological facts," *Somatosphere: Science, Medicine and Anthropology*, 2020. http://somatosphere.net/2020/ludwik-fleck-where-are-you-now.html.

WHO 2020a, "Timeline: WHO's Covid-19 Response", https://www.who.int/emergencies/diseases/novel-coronavirus-2019/interactive-timeline#!.

팬데믹 시대의 타자와 공간

박혜영

이 글은 《젠더와 문화》 제13권 제2호(2020. 12.)에 게재된 원고를 수정 및 보완하여 재수록한 것이다.

코로나 재난의 생태적 의미

지금 인류는 코로나19라는 무서운 전염병을 경험하고 있다. 하지만 전 세계적으로 급증하는 감염자와 사망자 수가 아무리 공포스럽다 하더라도, 코로나로 인한 국가의 소멸이나 인류의 절멸을 걱정하는 사람은 거의 없다. 다른 전염병과 마찬가지로 코로나의 의료적 병인은 밝혀졌고 곧 의학적 치료법도 나올 것이기 때문이다. 의료기술의 발달 덕분에 이제 역병으로 인한 인류의 종말을 상상하기는 어렵다. 그보다는 반대로 가까운 미래에 인류가 노화와 죽음을 모두 극복함으로써 신으로 업그레이드된 '호모 데우스Homo Deus'가 된다는 하라리Yuval Harari의 주장이 더 현실적인 상상일 것이다.[1] 하지만, 그럼에도 불구하고 코로나 패닉으로 본격화된 비대면, 온택트on-tact와 같은 새로운 형태의 관계 맺기 방식의 증가를 일시적인 방역조치로만 간주하기도 어렵다. 이와 같은 새로운 접촉 방식의 등장은 우리가 누구와 어디에서 접촉해야 하는지에 대해 적어도 우리 사회가 지금까지와는 전혀 다른 길로 들어섰음을 보여 주는 일종의 반反생태적 징후처럼 여겨지기 때문이다. 일례로 언택트un-tact 지침으로 가정생활을 제외한 일체의 사교활동이 중지되면서 대표적인 1인노동인 배달delivery노동과 그로 인한 플라스틱 쓰레기가 폭발적으로 증가하였다. 배달 폭주로 급증한 플라스틱의 양은 실로 엄청나서 하루에만 약 1천만 개로 추정되며, 이는 전체 쓰레기 발생량의 75퍼센트 정도를 차지한다. 일주일에 2억 장 넘게 버려지는 마스크 역

---

1 유발 하라리, 《호모 데우스》, 김명주 옮김, 김영사, 2017, 39쪽. (Harari, Yuval, *Homo Deus: A Brief History of Tomorrow*, New York: HarperCollins, 2017)

시 플라스틱 섬유로 만들어진다. 이처럼 무섭게 증가하는 쓰레기로 인해 이제 미세플라스틱은 새들의 뱃속부터 고래의 뱃속까지 도처에 없는 곳이 없다. 코로나 이전부터 진행된 변화가 언택트 조치로 인해 가속화되는 것이다. 코로나 재난은 무엇보다 야생동물의 서식지를 훼손하면서까지 경제성장과 이윤 추구에 매달려 온 약탈적 자본주의와 그로 인한 자연생태계 파괴가 그 원인임에도 불구하고, 실제 코로나 예방 조치로 취해진 온택트와 같은 비대면 접촉 방식은 지금까지의 악순환을 완화하기는커녕 더욱 가속화시키는 결과를 낳고 있다. 그런데도 K-방역에 대한 정부의 자부심에서 드러나듯, 지금 우리 사회에는 코로나 19에 대한 의학적 접근만 난무할 뿐, 코로나 재난을 계기로 기존의 경제성장을 반성하고 지속가능한 미래를 도모하기 위한 생태적 전환으로의 방향 수정이나 개혁은 여전히 논의되지 않는 실정이다.

비대면과 온택트의 증가는 타자와의 관계 맺기가 사회 구성의 근간임을 생각할 때, 페미니즘 관점에서도 주목해야 할 변화가 아닐 수 없다. 페미니즘이야말로 (여성)타자에 대한 오랜 억압으로부터 촉발된 타자를 위한 정치학일 뿐 아니라, 여성이든 남성이든 간에 인간이란 다른 타자와의 공존을 요구받는 사회적 존재라는 보편적 인식에 동의하기 때문이다. 하지만 지금 우리 사회를 살펴보면 전례 없이 빠르게 이런 공존의 그물망이 망가지고 있음을 목도할 수 있다. 여성혐오에서 시작된 특정 집단 혐오는 남성혐오를 거쳐 모성혐오, 노인혐오, 성소수자 혐오, 외국인노동자 혐오에 이어 코로나감염자 혐오에까지 이르고 있다. 거기에 혼밥, 혼술은 기본이고 혼영(혼자 영화보기), 혼행(혼자 여행가기), 혼놀(혼자 놀기)에 이르기까지 혼자 사는 삶이 보편화되면서 2019년도 우리 사회의 1인가구 수는 전체 가구 수의 3분의 1에 이르게 되었다[2]. 이들이 선호하는 서비스는 대부분 언택트를 전제로 한 배달서비스거나 기계를 통한 무인서비스들이다. 최대한 타자에게 말 걸지 않고 타자를 만나지 않으며 타자와 접촉하지 않으려는 기이한 '무연고' 성향의 확산으로 한국은 OECD 국가 중 최저 합계출산율과 최고 노인자살률을 자랑하면서 태어나서부터 죽을 때까지 혼자인 1인사회로 빠르게 치닫고 있다. 일찍이 대가족제와 핵가족제를 넘나드는 가부장제의 고통이 큰 문제가 되었던 우리 사회가 지금은 고독하고 외로운 단절사회의 길로 들어서고 있는 것이다. 물론 여기에는 정보통신기술의 발달도 한몫 거들었다. 모바일 강국 한국은 소셜네트워크서비스SNS 사용자 수, 인터넷 속도, 전자상거래 증가율 등의 방면에서 세계 최고이며, 이로 인한 가상공간과 가상관계망의 팽창은 실로 놀라울 정도이다. 그 결과 아이러니하게도 현실에서의 인간관계는 점점 단절되는 반면, 소셜네트워크를 통한 가상공간과 가상관계망에의 참여율은 전례 없이 증가하고 있다. 비가시적인 비대면 공간으로의 이동이 비가시적 방식의 관계 맺기의 등장과 맥을 같이함은 물론이다. 포스트페미니스트들 가운데에는 이런 사이버네트워크 기술사회로의 전환을 긍정적으로 수용하자는 입장도 있다. 가령 일찍이 사이보그에 주목했던 해러웨이Donna Haraway는 이후 '자본세Capitalocene' 시대의 지속가능한 생태적 공생을 모색하기 위해 "자식 말고 친족을 만들자making kin, not babies"라는 도발적인 주장까지 한다. 가정과 자식이 아니라 네트워크와 친족을 만들자는 이 주장은 가부장제의 재생산 이데올로기와 자본주의의 생산 신화를 모두

---

2   안숙영, 〈젠더와 노동: 탈노동사회를 향한 상상〉, 《사회과학연구》 59(1), 2020, 463쪽.

비웃는다는 점에서, 지속가능한 미래를 위해 인구를 줄이고 환경 재앙을 막을 일종의 생태적 슬로건으로 비춰지기도 한다.

이런 상황에 주목하여 본 글은 코로나 재난으로 부각된 새로운 변화, 즉 비대면·언택트의 증가로 새롭게 구성되는 타자들과의 관계 맺기와 그에 따른 사회적 접촉공간의 변화에 대해 에코페미니즘적 관점에서 그 의미를 고찰하고자 한다. 먼저 과학기술시대에 이르러 우리의 타자는 누구인지, 그리고 그런 타자들과 어떤 윤리적 관계 맺기가 요청되는지를 성찰하기 위해 해러웨이의 '친족 만들기' 주장을 살펴볼 것이다. 해러웨이는 젠더 관계를 뛰어넘어 새롭게 호명되는 여러 타자들—특히 이종적인 타자들—에 주목하여 이들과의 새로운 공생 관계야말로 기존의 (남성)인간중심주의의 폭력성을 대체할 전 지구적인 생태적 대안이 될 수 있다고 주장한다. 실제로 우리 사회의 경우도 1인가구 수가 증가하는 것과 비례하여 반려견이나 반려묘와 같은 동물과의 반려 관계 역시 증가하는 것을 볼 수 있다. 그렇다면 코로나의 언택트 지침으로 더욱 부상하는 이런 현상에 대해, 이와 같은 타자성의 확대가 가부장제로 인한 젠더불평등과 자본주의로 인한 자연 파괴를 막고 생태적 공생을 도모할 대안이 될 수 있는지 고찰이 필요한 시점이라 하겠다.

다음으로는 이와 같은 타자성의 변화와 밀접하게 연결된 장소성의 변화에 주목하고자 한다. 정보통신기술의 발전과 코로나 재난으로 실제로 사람들이 서로 사귀고 만나던 공공共功의 장소는 빠르게 SNS나 줌Zoom과 같은 비대면 가상공간으로 대체되고 있다. 올든버그Ray Oldenburg가 말하는 자유로운 개인들이 사교와 결사를 위해 접촉하던 비공식적 장소가 빠르게 축소되는 셈인데, 이런 '제3의 장소the great good place'는 타자와의 물리적 접촉이 실제로 일어나는 공간이라는 점에서 다양한 타자를 만나 서로의 타자성을 이해하고 타자와의 관계 맺기를 배우는 사회적 공간이라고 할 수 있다.[3] 물론 제3의 장소는 역사적으로 보자면 '제1의 장소'인 가정과 '제2의 장소'인 일터보다도 더 젠더, 인종, 계급, 종교, 나아가 인간과 비인간끼리의 구별짓기가 일어났던 곳이라는 점에서 페미니즘 입장에서 그 소멸을 안타깝게 생각할 이유가 없을지도 모른다. 하지만 코로나시대 새로이 구성되는 타자들과 마찬가지로 사회적 사교 공간의 대안으로 구성되는 네트워크 공간이 생태적 공생을 위한 타자와의 접촉공간이 되고 나아가 타자를 환대할 장소가 될 수 있을지에 대해서는 성찰이 필요한 시점이라 하겠다.

이런 문제 제기를 하는 이유는 사실상 우리가 지금 소멸의 시대를 살고 있기 때문이다. 우리 사회만 보더라도 가족이나 이웃의 소멸뿐 아니라 농업의 위기와 함께 농촌공동체·논·농사·농부의 소멸도 목전에 두고 있으며, 수도권 집중으로 인한 지방 소멸 위기 역시 심각하다. 지방을 무시하는 각종 혐오 명칭의 등장이 반증하듯 지방문화, 지방색, 지역 방언 등 타 고장과의 경계를 가르던 다양한 문지방들이 빠르게 사라지고 있다. 고향과 마을이 사라지면서 이웃사촌이나 동네친구 같은 인간관계도 사라지고 있다. 청년들은 일자리를 찾아 자신들을 저임금으로 쓰고 버리는 수도권으로 몰려들고 있으며, 감당하기 어려운 주거 불평등으로 인해 'N포 세대'에게 결혼은 이제 선택이 아닌 특권이 되고 있다. 일자리도 배달노동처럼 점점 나홀로 일하는 고립노동만 증가하는 상황이다.

---

3   레이 올든버그, 《제3의 장소》, 김보영 옮김, 풀빛, 2019, 418쪽.

물론 전 지구적으로 보자면 소멸은 더욱 심각하다. 지구온난화로 북극의 빙하는 빠르게 녹고 있고, 기후변화를 초래하는 온실가스 농도는 기록적인 수준까지 상승 중이며, 대형 산불까지 가세하면서 미세먼지 농도 역시 폭증하고 있다. 앞이 보이지 않는 매캐한 지구촌의 모습이나 손바닥만한 얼음 위에 북극곰이 위태롭게 서 있는 모습은 진부할 정도로 빈번히 인터넷에 올라온다. 야생지가 사라지면서 많은 야생동물들이 멸종 위기에 처해 있다 보니 현생인류에 의한 생물종의 대량멸종 위기를 '홀로세 멸종Holocene extinction'이라 부를 정도로 염려스러운 상황이다. 물론 이런 전 지구적인 위기를 한 번에 해결할 방법은 없다. 그러나 이런 사태 앞에서도 꿈쩍 않고 더 많은 개발과 이윤을 부르짖는 기성세대를 향한 전 세계 젊은 여성들의 분노는 가히 폭발적이다. 툰베리Greta Thunberg를 위시한 영에코페미니스트들은 자기들에게 물질적 풍요와 안락한 삶을 물려준 부모 세대를 향해 자신들의 미래를 약탈하지 말라고 부르짖고 있다. 이런 상황에 대한 문제의식에서 출발하여 코로나시대 새로이 구성되고 있는 타자와 이를 둘러싼 사회적 접촉공간의 변화에 대해 인문학적인 관점에서 검토함으로써 비대면, 언택트, 온택트가 아닌 다른 환대의 장을 모색하려는 것이다. 이에 먼저 해러웨이의 '친족 만들기' 주장을 중심으로 과학기술시대에 새롭게 구성되는 타자에 대해 주목하고 이들과의 새로운 윤리적 접촉 방식을 검토하여 그 생태적 대안 가능성을 타진할 것이다. 다음으로 타자와의 사귐의 공간으로서 제3의 장소에 주목했던 올든버그와 타자에 대한 환대의 윤리학을 내세웠던 레비나스Emmanuel Levinas의 주장을 통해 사이버 가상공간으로의 이동이 과연 타자와의 사귐의 공간이자 환대의 공간이 될 수 있는지를 살펴볼 것이다. 이런 고찰을 통해 인간과 인간, 그리고 인간과 자연이 생태적으로 공생할 수 있는 가능성을 모색하려 한다.

퀴어한 타자들의 등장: 이웃에서 친족으로

인류 문화는 오랫동안 이방인과의 지속적인 교류나 접촉으로 발달해 왔다. 굳이 벤야민Walter Benjamin의 〈이야기꾼The Storyteller〉을 인용하지 않더라도 마을마다 오랫동안 이웃공동체를 이루는 정착민들이 있고, 새로이 그 경계를 넘어오는 낯선 이방인들이 있다.[4] 이웃과 이방인과의 경계나 서로를 대하는 사교 예법은 마을마다 고유하게 정해진 규칙에 따라 다를 수 있지만, 이런 사귐이 반복됨으로써 이야기를 비롯한 문화가 발달하는 것은 공통된 특징이다. 이방인도 일단 문지방을 넘어오면 이웃이 되었다가 결혼으로 가족 구성원이 될 수도 있으며, 반대로 정착민도 다른 고장으로 경계를 넘어가면 비슷한 절차를 거쳐 그 마을의 구성원이 될 수 있다. 이방인-이웃-가족으로 이어지는 사귐은 마을마다 보존되어 온 고유한 환대 문화에 기초한다. 가령 고대 그리스에는 '제니아xenia'라는 '주인-손님 간의 환대host-guest hospitality' 문화가 있었는데,

---

4 벤야민은 전통적인 구어문화 속에 풍부하게 자리 잡은 이야기꾼의 서사 전달 방식에 주목하여 통상 이야기가 공동체적 삶의 방식을 전승하는 중요한 통로였음을 설명한다. 특히 이야기꾼의 등장을 한 마을에 정착한 장인과 멀리서 그를 찾아오는 도제를 중심으로 한 전통적인 수공업 생산양식과 연결하여 설명함으로써, 정착민과 이방인 사이에 일어나는 사회경제적 교류, 즉 노동과 사귐과 이야기가 모두 하나로 엮여 서로 간의 상호적 작용에 의해 생산되는 것으로 보았다는 점에서 문화 생산과 경제 방식의 상호관계에 대한 뛰어난 통찰력을 보여 준다. Benjamin, Walter, *The Storyteller Essays*, New York: NYRB Classics, 2019, IX 참조.

이것은 기본적으로 자기 고장 사람과 타 고장 이방인 간의 접촉에 있어 상호존중과 상호부조를 부과하는 일종의 사회적 책임이었다. 제니아의 대상이 되는 자를 '제노스xenos'라고 불렀는데, 이것은 영어로 번역이 어려운 개념이다. 왜냐하면 제노스라는 한 단어가 문맥에 따라 '이방인, 손님(나그네), 친구, 적, 외국인'이라는 다섯 가지 의미로 모두 쓰이기 때문이다. 낯선 이방인에게 잠자리와 먹을 것을 제공하고 상호 간에 위해를 끼치지 않으며 여기에 반드시 답례하는 환대 문화인 제니아는 이방인이 문지방을 넘나드는 사귐을 통해 어떻게 친구가, 혹은 반대로 적이 될 수 있는지를 잘 보여 준다. 제니아 문화를 관장하는 신이 바로 제우스라는 점에서 이것은 개개인이 취사선택할 수 있는 의례가 아님을 알 수 있다.[5] 다시 말해 제니아는 낯선 타자와의 접촉 방식을 규정하던 고대 그리스 공동체의 윤리이자 일종의 종교적 의례로서 사회관계망의 근간이었던 것이다.

제니아 문화라는 관점에서 살펴보자면 소포클레스Sophocles의 《오이디푸스 왕Oedipus the King》도 전염병이 만연한 테베 공동체를 정화catharsis하여 재윤리화하려는 노력으로 볼 수 있다. 실제로 이 작품은 기원전 431년에 발생한 인류 최초의 전염병인 '아테네 역병'으로부터 불과 2년 후에 초연되었다.[6] 소포클레스는 장군으로 펠로폰네소스전쟁에 참

---

5 서동욱, 〈그리스인의 환대 – 손님으로서의 오뒷세우스〉, 《철학논집》 32, 2013, 52쪽.

6 소포클레스의 《오이디푸스 왕》은 기원전 429년에 씌어진 것으로 알려져 있으며, 그는 이 작품으로 디오니시아 경연대회에서 2등상을 수상하였다. 테베의 역병으로 시작하며 그 역병의 병원균(오염원)이 오이디푸스 왕 자신임이 밝혀져 스스로에게 처벌을 내리는 것으로 막을 내린다. Das, Soham, "Oedipus Tyrannos: In the Context of 5th Century Greece," *JEIR* 6(3), 2019, p. 2.

가한 적이 있는데, 이 전쟁에서 아테네가 스파르타에 패배한 원인에도 역병이 있었다. 이 작품은 기원전 429년에서 425년 사이 디오니시오스 극장에서 상연되었는데, 이 기간은 기원전 429년과 427년에 다시 재발했던 아테네 역병 시기와도 겹친다. 그렇다면 스핑크스를 물리치고 테베를 구한 왕이 왜 공동체를 도탄에 빠뜨리는 '미아즈마miasma'(오염원)가 되는가? 물론 일차적인 잘못은 국경을 넘어온 오이디푸스가 길거리에서 만난 모르는 노인이자 자기 아버지인 라이오스에게 무례하게 굴었을 뿐 아니라 그를 살해했기 때문이다. 그렇다면 라이오스는 왜 아들에게 살해당하는 운명을 겪는가? 오이디푸스 가문의 두 번째 잘못은 젊은 시절 라이오스가 자신을 환대한 피사의 왕 펠롭스의 아들을 강간하여 죽게 하였기 때문이다. 다시 말해 테베의 역병과 부친 살해는 이방인-이웃-가족으로 이어지는 고대 그리스의 환대 문화를 깨뜨린 제노스이자 동시에 미아즈마가 되어 버린 두 인물의 잘못에서 비롯된 것이다. 물론 여기서 아테네 역병과 제니아 문화를 길게 설명한 것은 코로나 역병과 비교하여 과거의 공동체 사회를 미화하려거나 고대 그리스 문화의 남성 중심적인 속성을 간과하기 때문이 아니다. 그보다는 타자는 누구이며, 이 타자를 어떻게 대할 것인가라는 고민이 사실상 인류 공동체의 모든 접촉 문화를 구성해 온 주요 원리라는 점과, 그 해결책으로 대부분의 전통문화권이 찾아낸 최선의 응대 원리가 상호존중과 상호부조에 토대를 둔 환대였다는 점을 상기하기 위해서이다.

물론 지금의 산업기술시대에는 이런 문화가 거의 남아 있지 않다는 점에서 이런 식의 상기는 시대착오적일 수 있다. 하지만 누가 나의 타자이고, 낯선 이방인이 어떤 방식으로 이웃의 범주에 들어올 수 있는지에 대한 고민은 이웃-친구-가족이 빠르게 소멸하여 마침내 단절사회로 치닫고 있는 우리 시대를 성찰하기 위해서도 필요한 일이다. 또한 무엇보다 타자의 요구에 상호 간의 환대로 응답하는 고대사회 접촉 문화의 원리도 해러웨이식으로 말하자면 타자의 부름에 대한 일종의 '응답능력'이라고 볼 수 있기 때문이다. 해러웨이는 타자가 무엇을 원하는지 주의를 기울여서 알아차리는 '응답response + 능력ability'이 바로 '책임responsibility'이라고 보는데, 〈반려종 선언The Companion Species Manifesto: Dogs, People, and Significant Otherness〉에서 자신의 경험으로 설명하는 암컷 반려견 카이엔 페퍼 양과 백인 중산층 여자인간인 자신과의 상호 응답능력이 대표적이다. 여기서 해러웨이는 인간만을 진정한 행위주체로 신봉하던 근대적 미신을 타파하고 기술시대의 '자연문화natureculture'의 의미를 전하고자 인간-개의 관계에 주목한다.[7] 물론 이 관계 맺기 요청에 필요한 응답능력은 트랜스휴먼 시대의 다른 관계들, 가령 인간-동물, 인간-기계, 생물-미생물, 유기체-비유기체 등과 같은 수많은 '차이'의 존재들과 상호공존의 윤리를 구성하는 데도 필요한 토대가 된다. 이런 관점은 차이로 경계를 갈라 온 이분법적인 위계들, 가령 남성 대 여성이나 인간 대 자연과 같은 근대적 위계 짓기 기획에 대해 페미니즘마저도 섹스 대 젠더로 응대함으로써 이분법을 벗어나지 못하고 있다는 반성도 촉구할 수 있다. 해러웨이는 자신이 초기에 주목했던 사이버네틱스 시대

---

[7] 최유미는 해러웨이의 '자연문화'야말로 남성을 문명과 동일시하고 여성을 자연과 동일시해 온 서구 이분법을 내파할 일종의 기획이었다고 본다. 해러웨이가 보기에 자연은 문화와 분리된 저 먼 곳의 황야가 아니라 처음부터 분리가 불가능한 자연문화였다는 것이다. 가령 개와 인간이 함께 보낸 역사적 시간들을 보면 그것은 특정한 개와 인간으로서의 두 개체들만의 것이 아니라, 그들과 관계하는 다른 많은 것들이 개입하는 우발성과 복잡성에 열려 있으며, 서로 진화적인 시간을 함께 살아온 일종의 자연문화라는 것이다. 최유미, 《해러웨이, 공-산의 사유》, 도서출판b, 2020, 30~31쪽 참조.

의 인간-과학기술 간의 결합이자 '공진화co-evolution'의 존재인 '사이보그'에서 더 나아가, 좀 더 자연문화적 존재이자 촉각적 접촉 영역에 있는 개로 자신의 친족관계를 확장한 이유를 이렇게 설명한다.

> 사이보그는 모순 속에서 살아가고, 평범한 활동이 이루는 자연문화에 주의를 기울이며, 자기가 자기 자신을 낳는다는 험악한 신화에 반대한다. 또한 존재의 필멸성을 삶의 조건으로 포용하면서, 그 모든 우연적 규모에서 세계를 실제로 채우고 있는 창발적이고 역사적인 잡종체들의 존재에 민감하다. 하지만 사이보그적 재형상화는 기술과학의 존재론적 안무에 필요한 수사학적 작업을 전부 해낸다고 보기는 힘들다. 나는 사이보그를 더 크고 이반적인 반려종 가족에 속한 동생으로 여기게 되었다. …바로 이 점에 개의 매력이 있다. 개들은 투사 대상도, 의도를 구현한 물체도, 다른 무언가의 텔로스도 아니다. 개는 개다. 즉, 인간과 의무적이고 구성적이며 역사적이고 변화무쌍한 관계를 맺는 종이다. 이 관계는 다른 관계들보다 특별히 나을 것은 없다. 기쁨, 발명, 노동, 지성, 놀이로 가득한 만큼, 낭비, 잔인함, 무관심, 무지함, 상실도 가득하기 때문이다. 나는 이 공동-역사의 이야기를 잘 들려줄 방법과 자연문화적 공진화의 결과를 물려받을 방법을 배웠으면 한다.[8]

다시 말하면, 사이보그보다 개가 인간과의 공진화 결과로서의 자연

---

8   도나 해러웨이, 《해러웨이 선언문》, 황희선 옮김, 책세상, 2019, 128~129쪽. (Haraway, Donna, *Manifestly Haraway*, Minnesota: Minnesota UP, 2016) 해러웨이 인용은 번역본이 있는 경우는 번역본을 옮겼고, 원문이 필요한 경우와 번역본이 없는 경우에는 원문에서 인용하였다.

문화를 더 잘 드러내는 퀴어한 친족이라는 것이다.[9] 해러웨이가 구성한 혼종 혹은 잡종의 범위는 《트러블과 함께 살기Staying with the Trouble: Making Kin in the Chthulecene》에 이르면 더 넓어져서 개뿐 아니라 동물, 곤충, 바이러스, 인공지능, 조류독감, 벌레, 퇴비에 이르는 온갖 생명체와 그 생명체들을 보듬는 흙까지도 모두 '지구 타자들Earth Others'로 퀴어한 친족 범주 안으로 들어온다. 인간human에서 흙humus으로, 반려companion에서 퇴비compost로 관계망을 확장함으로써 지속가능한 순환적 생태망을 구성하려는 노력은 무엇보다도 오염, 감염, 부패와 같은 지구가 겪는 트러블과 공생하기 위해서이다.[10] 이런 아이디어 자체는 코로나로 촉발된 우리 사회 타자의 변화를 과연 생태적 관계망의 확장으로 긍정할 수 있는가라는 물음에 대해 적절한 해답이 될 수 있다. 물론 반려종의 친족 범주가 모두 우호적인 관계로만 구성되는 것은 아니기에, 해러웨이식으로 보자면 코로나바이러스도 비우호적인 퀴어한 친족으로 우리에게 말을 걸어 온 것으로 볼 수 있다. 또한 우리 사회의 경우 과거보다 남녀 간의 (결혼)접촉은 줄어드는 반면 이를 대신하여 개가 인간의 '중요한 타자significant other'이자 반려종의 하나로 호명되고 있는 것도 사실이다. 물론 아직은 애완견, 유기견, 반려견의 경계가 모호하다고 비판

---

9 해러웨이는 캐리 울프Cary Wolfe와의 대담에서 사이보그에서 반려종으로 전환한 이유를 사이보그가 충분히 퀴어하지 않았기 때문이라고 말한다. 이론적으로는 퀴어했지만 퀴어함을 촉각의 쾌락과 연결시킴으로써 긍정의 생명정치를 논의하는 데는 개가 더 적합하다는 것이다. 도나 해러웨이, 《해러웨이 선언문》, 313~314쪽.

10 영어의 어원을 살펴보면 'human'이란 신이 아닌 지상적인 존재라는 의미에서 'earth'라는 뜻에서 유래되었는데, 이것은 결국 흙이란 뜻으로 'humus'와 그 어원이 같다. 또한 'companion'은 함께 빵을 먹는다는 어원에서 유래되었는데, compost 역시 함께 놓아두다 라는 의미에서 유래되었기에 사실 두 단어의 어원도 '함께'라는 점에서 동일하다고 할 수 있다.

할 수 있지만 타자 범주의 확장을 제안하는 해러웨이의 생각은 동물권에서부터 모든 생명권을 평등하게 아우르려는 에코페미니즘과도 맥을 같이한다는 점에서 충분히 주목할 만하다.

그러나 여기서 해러웨이의 주장에 주목하는 이유가 비단 타자들의 양적 확대 때문만은 아니다. 그보다는 그녀 식의 타자와의 관계 맺기가 지금 우리 사회에서도 절실히 요구되는 생태적인 윤리관을 담지하기 때문이다. 그렇다면 반려종과의 접촉을 위해 해러웨이가 제안한 이종 간의 윤리는 무엇일까? 어질리티agility 훈련을 통해 해러웨이는 카이엔 페퍼 양과 반려 관계를 구성하게 되는데 그 근간은 "환원 불가능한 차이를 뛰어넘어 이루어지는 소통communication across irreducible difference"에서 비롯된다.[11] 이와 같은 소통에의 노력은 "관계-속의-타자성otherness-in-relation"에 대한 지속적인 관심이며, 이것이 바로 모든 윤리적 행위의 토대라고 말한다.[12] 어질리티는 돈이 많이 드는 활동이며 중산층 백인 여성의 취미라는 비판에 대해, 해러웨이는 수많은 생태적·정치적 위기가 갈수록 긴박해지는 이 세상에서 왜 자신이 이런 문제에 신경을 쓰는지를 다음과 같이 설명한다.

애정, 헌신, 다른 이와 함께하는 기술에 대한 갈망은 제로섬 게임이 아니다. 비키 헌이 말한 의미에서의 훈련 같은 애정행위는 연쇄를 이루며 창발한 다른 세계들을 배려하는 애정 어린 행위를 낳는다. 이것이 내 반려종

---

11 어질리티 게임은 개와 사람이 한 팀을 이루어 정해진 장애물 코스를 통과하는 경기로 1977년 세계 최대의 도그 쇼인 영국의 크러프츠 도그 쇼Crufts' Dog Show에서 처음 소개되었다.

12 도나 해러웨이, 《해러웨이 선언문》, 128쪽.

선언의 핵심이다. 나는 어질리티를 그 자체로 특정한 선이자 더 세속적일 수 있는 방편의 하나로 경험한다. 즉, 좀 더 살 만한 세계를 만드는, 모든 규모에 속한 소중한 타자성이 요구하는 바에 더 민감해지는 것이다. … 처음에는 변화가 사소해 보인다. 타이밍은 너무 까다롭고 어렵다. 일관성은 너무 엄격하고, 선생님이 바라는 게 너무 많은 듯 보인다. 그러다가 개와 인간은 함께 행동하는 법과 티 없는 기쁨과 솜씨로 어려운 코스를 통과하는 법, 소통하는 법, 솔직하게 대하는 방법을 찰나에 불과한 순간일지라도 깨닫게 된다. 훈육된 자발성이라는 모순 어법을 목표로 하는 것이다. 개와 조련사 모두가 활동을 주도하는 법과 상대를 따르는 법을 익혀야 한다. 일관성 없는 세계에서 일관성을 충분히 지님으로써 육신 속에, 경주 속에, 코스 위에, 존중과 응답을 빚어 내는 공동 존재의 춤에 참여하는 것이 과제다. 그리고 모든 척도에서, 모든 파트너와 함께 그렇게 살아가는 법을 기억하는 것이다.[13]

타자의 타자성 속으로 들어가 공존의 기술을 익히며 서로의 서로에 대한 권리를 쌓아 가는 어질리티 훈련이야말로 존중과 응답으로 존재의 춤을 함께 추는 일종의 애정행위라는 것이다. 다시 말해 바로 상호 존중의 응답이 공생을 위한 윤리적 행위이자 아름다움을 느끼게 하는 미적 체험이며, 나아가 실뜨기와 같은 즐거운 놀이 작업이라는 것이다. 이것이 바로 '공산sympoiesis'이다.[14] 패턴을 함께 만들어 나가는 '실뜨기 cat's cradle'는 공산 작업의 시각적 은유로 자주 언급되는데, 이는 모든 지

---

13   도나 해러웨이, 《해러웨이 선언문》, 191~193쪽.

14   '심포이에시스'는 1998년 M. Beth Dempster가 제안한 용어이다.

구적 타자들이 서로에게 기대어 생명활동을 창조해 내는 공동의 작업-놀이 방식을 가리키는 가시적 상징이다. 가령 엽록소가 없는 식물은 뿌리 속에 사는 곰팡이로부터 자양분을 얻고, 곰팡이는 그 대신 식물의 뿌리에서 영양분을 얻는다. 마치 제노스가 친구가 되기도 하고 적이 되기도 하는 것과 마찬가지로, 곰팡이 역시 때로는 병원균이 되기도 한다. 그러나 반려종이 설령 상호 이익으로만 맺어지지는 않는다 하더라도 이종 간에 서로 잘 사귀려는 노력은 해야 하며, 그 방법은 바로 상호 간에 수동과 능동을 번갈아 가는 식으로 새로운 실뜨기 패턴을 만들어 내는 공산에 있다. 이런 관점에서 보자면 코로나바이러스도 이와 유사하다고 할 수 있다. 코로나바이러스는 완전한 박멸이나 종결이 불가능한 존재이기에 우리 사회도 어떤 방식으로든 바이러스의 부름에 응답하고 그 의미를 잘 새김으로써 공생을 모색해야 한다. 다시 말해 코로나바이러스는 인류가 직면한 환경 위기를 알려주고, 우리가 이런 이종적인 타자들과 관계를 잘 맺음으로써 다른 모든 지구 타자들과 함께 공산과 공생을 모색해야 할 전환점에 서 있음을 알려 준다고 하겠다. 어쩌면 지금까지의 재생산 방식처럼 둘이 힘을 합해 부모를 꼭 닮은 하나를 만들어 내는 배타적인 가부장적 공산이 아니라, 자아-타자를 번갈아 가며 부분적으로 상대 만들기에 참여하는 그런 방식의 공산으로 나아가야 한다는 것이 코로나가 주는 교훈이라면 교훈일 수 있다. 이것이 공산이 공생으로 연결되는 방법이다. 해러웨이는 《종들이 만날 때When Species Meet》에서 복수종이 함께 살아가는 자연문화에서 우리가 훈련받아야 할 윤리는 이와 같은 타자에 대한 응답능력이라고 말한다.

존중하고, 응답하고, 몇 번이고 돌아보고, 환대하고, 주의하고, 정중히 행동하고, 소중히 여긴다고 하는 것은 모두 예의 바른 인사, 폴리스의 구성, 종과 종이 만날 때의 장소에 결부되어 있다. 만남에 임하여, 즉 존경과 경의를 표함에 임하여, 반려와 종을 함께 묶는 것은 함께-되기의 세계, 즉 "누구와", "무엇과"들이 틀림없이 문제가 되고 있는 세계에 발을 들이는 것이다.[15]

해러웨이가 제안한 친족 만들기는 그 방향이 트랜스휴머니즘이라는 점을 제외한다면 낯선 타자를 이웃으로 받아들이던 고대의 환대 문화와 성격이 유사하다고 할 수 있다. 특히 타자의 부름에 응답하는 책임을 강조하고 그 바탕에서 일어나는 상호부조의 공산 행위가 바로 낯선 타자와 함께하기 위한 환대의 윤리이자 예법이라는 점에서도 그렇다.

그러나 여기에는 에코페미니즘 관점에서 주의해야 할 큰 차이가 있다. 해러웨이식 환대에서 중요한 것은 타자를 최선을 다해 길들이고 자신도 타자성에 길들여져야 하지만, 그렇다고 경계 안으로 들어와 이웃이 되거나 더 나아가 단일혈족인 가족이 되는 것은 바람직하지 않다는 점이다. "자식 말고 친족을 만들자"는 주장은 동질화에 대한 거부라고 할 수 있다. 타자의 타자성이 사라지면 이질적 연결의 확장은 더 이상 일어나지 않게 되고 그 관계는 고정되기 시작한다. 하지만 마찬가지로 타자가 계속해서 낯섦의 존재로만 남게 되면 동질화로의 폭력은 피할 수 있지만 친밀감은 쌓일 수 없게 된다. 따라서 이런 동질화되지 않는 친밀감을 구현하려면 같은 종인 인간보다는 근접성이 떨어지는 비인간적인 존재들, 가령 사이보그나 반려견·반려종·미생물처럼 서로 이종

---

15 최유미, 《해러웨이, 공-산의 사유》, 57쪽.

적인 관계가 더 바람직할 수 있다는 것이다. 해러웨이가 남자, 가족, 이웃이 아닌 이종 간의 생물학적 계보를 넓히는 친족 만들기를 제안하는 이유가 여기 있을 것이다. 그런데 문제는 이와 같은 이종 간의 접촉이나 접합은 과학기술의 발달로 인해 이미 코로나 이전부터도 실제로 일어나고 있다는 점이다. 또한 다양한 공동체운동을 통해 가부장적 가족 만들기의 대안으로 다양한 형태의 구성 요건들로 이루어진 관계 중심적인 대안가족들도 등장하고 있는 상황이다. 물론 일리치Ivan Illich도 지적하듯 산업사회의 가족이란 남녀 모두 단일 욕망을 지닌 '호모 에코노미쿠스homo economicus'로 구성되며, 성별 노동분업을 통해 임금노동자의 경제적 가치를 극대화하는 데 초점을 맞춘 일종의 공리적인 경제 단위라는 점에서 생태적으로 그다지 바람직하지 않다고도 할 수 있다.[16] 지금의 핵가족이란 가정 내로 배타적 소유를 유지하고 강화하고 집중하여 대물림하려는 호모 에코노미쿠스의 경제적 욕망이 효율적으로 수행될 수 있도록 최적화된 형태이기에, 어쩌면 자본세 시대를 극복하고 생태적 공생의 역할을 떠맡기에는 역부족일지도 모른다. 그러나 문제는 설령 해러웨이식의 "근접함이 없는 친밀감intimacy without proximity"으로 이런 가족주의의 부패와 불평등은 무력화시킬 수 있다 하더라도, 과연 이것이 모든 부분을 상품화시키는 자본세에 대해서도 응답능력을 발휘할 수 있는가라는 점이다. 더구나 배달노동처럼 점점 고독하고, 보이지 않고, 흔적도 남기지 않는 일회적이고 단기적인 1인노동이 증가하는 지금과 같은 상황에서 더 많은 타자들을 비가시적으로 만드는 자본주의

---

16   Illich, Ivan, *Gender*, New York: Random House, 1982, p. 46.

에 대해 무언가 즉각적인 응답이 필요할 때 어떤 책임 있는 저항이 가능할지 묻지 않을 수 없다. 지금의 노동자들은 기간제·파견제·도급제·간접고용제 등으로 인해 조합도 동료도 공동작업장도 없고, 고용주·사용자·소비자가 누군지도 모르는 사실상 보이지 않는 프리케리아트precariat의 존재가 되고 있기 때문이다. 이것이 생태적 공생을 주장하는 해러웨이의 입장이 다른 한편 반생태적인 제안이 될 수 있는 근거이자, 코로나로 인한 비대면·언택트의 증가로 더욱 빠르게 가족-이웃이 소멸하고 그 자리를 반려견이나 반려종이 대신하게 될 이종으로의 타자 확대가 염려스러운 이유이다. 자본세 시대에 자본주의가 강요하는 외로움에 저항하기보다 이를 회피하거나 적응하려는 인간의 욕망을 어떻게 막을 수 있을까?

여기에 대해 해러웨이가 제시하는 대안적 사례는 물론 있다. 《트러블과 함께 살기》에서 해러웨이는 해양생태계 파괴로 산호초가 소멸 위기에 처하자 전 지구적으로 일어났던 공산운동인 크로셰 산호crochet coral reef 구하기 활동을 예로 든다. 여기에서는 예술가들뿐 아니라 과학자와 엔지니어, 평범한 시민들까지도 멸종에 처한 산호초의 부름에 적극 응답하였다. 이 공산운동을 주도한 버트하임 자매Margaret & Christine Wertheim는 산호초의 쌍곡선과 동일한 수학 모형의 코바늘뜨기로 산호초 전시회를 고안하였고, 27개국의 약 8천 명의 공예가들이 여기에 즉각 응답함으로써 마침내 2007년에 세계 최대 규모의 코바늘뜨기 전시회가 열리게 되었다.[17] 이 프로젝트는 수학, 해양생물학, 환경운동, 여성들의 수공예, 섬

---

17   Haraway, Donna, *Staying with the Trouble*, pp. 76-77.

유예술, 박물관 전시, 지역 예술가들이 협업하여 실뜨기와 같은 공산 활동으로 멸종 위기에 처한 산호초의 경고음에 다 함께 '작업-놀이-저항'으로 응답한 것이다. 이 일에 관여했던 해러웨이는 이 새로운 '과학 예술 세계 만들기science art worldings' 작업의 의미를 이렇게 설명한다.

크로셰 산호는 실의 숫자와 과학적 사실, 과학적 허구, 뜨개질로 짠 환상, 그리고 추측적인 우화로 구성된 하나의 공상과학 이야기이다. 이 쌍곡선의 산호는 물질적 · 비유적 · 협동적 · 촉각적 · 세계적이며, 섬유 조직들 속에 그리고 지표면을 가로지르며 흩어져 있다. 이들은 즐겁고, 진지하며, 수학적 · 예술적 · 과학적 · 우화적이고 젠더를 초월한 페미니스트이자 다방면의 전문가들이다. 이 이야기는 지구의 다양성 위에 다 함께 번성을 누릴 가능성의 시간을 열기 위해 실제로 용감하게 그리고 진짜로 만들어 낸 우화적인 사물이다. _ 2016년도 온라인 해러웨이 인터뷰

그렇다면 이제 해러웨이에게 이렇게 묻지 않을 수 없다. 인간종 간의 관계는 단절되고 반면에 이종 간의 접합은 확대되는 이런 방식의 '세계 만들기' 작업으로 과연 손실은 사회화하고 이윤은 사유화하려는 초국적 자본주의에 저항할 수 있을까? 차이를 담지한 퀴어하고 미시적인 이종들 간의 연대의 힘으로 코바늘뜨기 산호초 전시회를 여는 것과 툰베리와 같은 영에코페미니스트들이 젠더 간에 서로 연대하여 가정에서부터 유엔까지 등교 파업, 비행기 파업, 플라스틱 반대를 주도하는 직접행동 가운데 과연 해양생물 보호에 실제로 더 힘이 되는 것은 무엇일까? 문제는 '접촉 없는 접속'이 이미 사이버네트워크 시대 자본주의의 새로운 시장으로 포섭되고 있다는 점이다. 또한 퀴어한 이종 간의

친족 만들기로 가부장제의 위계 구도는 무너뜨릴지 몰라도, 이처럼 이종 간 접합이 이루어지는 순간 유전공학과 같이 유전자 간의 새로운 짝짓기를 욕망하는 과학기술의 개입을 막기는 어려울 수 있다는 것이다. 다시 말해 인간과 동물, 식물, 미생물, 기계 등과의 공생체 관계가 생물학biology-생명bio의 공생을 넘어 사회적 공생관계를 구성하기 위해서는 어떤 방식의 관계 맺기가 필요한지에 대한 논의가 필요하다. 종 간의 경계를 허무는 방법으로는 자본주의가 낳은 억압과 차별, 불평등에 대한 사회적 저항을 기대하기 어렵다. 마치 지방과 중앙을 구별하던 문지방이 무너지면서 지방이 더욱 빠르게 소멸하고 중앙으로 집중되는 것처럼, 인간과 타 종들 간의 경계가 무너지면 비록 인간중심은 아니더라도 이번에는 (인간)유전자중심적인 친족 가계도가 형성될 수도 있다는 점도 에코페미니즘 관점에서 보자면 염려스러운 지점이라 하겠다.

사회적 접촉공간의 소멸과 환대의 장소

비대면과 언택트 외에 별다른 예방법이 없는 코로나바이러스의 경우는 다른 재난들처럼 재난 앞에서 사람들이 서로 모여 애도하고, 공감하고, 연대함으로써 박애와 이타주의를 구현하는 그런 식의 '재난 유토피아'를 만들지 못하고 있다.[18] 물론 가장 중요한 이유는 코로나19의 엄청난 전염성 때문이다. 코로나로 소멸된 것 가운데에는 이처럼 인류애

---

18 레베카 솔닛, 《이 폐허를 응시하라》, 정해영 옮김, 펜타그램, 2012, 242쪽.

를 발휘할 유토피아로서의 물리적 장소도 포함되는데, '유토피아utopia'의 원래 의미가 '장소 없음nowhere'이라는 측면에서 보면 아이러니하다. 사실 장소라는 관점에서 보자면 코로나의 발생 자체부터 아이러니하다. 개발 광풍에 휩싸인 인간이 야생동물들의 서식처를 없애 버리면서 시작된 전염병이 이번에는 인간들끼리의 자발적인 사귐의 공간을 봉쇄시켜 버렸기 때문이다. 코로나19의 중요 지침 중 하나인 '자가격리self-quarantine'와 '사회적 거리두기social distancing'는 이런 코로나 재난의 성격을 잘 보여 준다. '자가격리'는 '자조self help'나 '셀프서비스self service'와 같이 일리치가 말하는 현대 산업사회에서만 볼 수 있는 기이한 특징, 즉 자기주도 하에 타자가 아닌 바로 자신에게로 원조나 서비스를 집중하는 특징이 이번에는 검역으로 확장된 것으로 볼 수 있다. 남을 '도와주고', 다른 사람에게 '서비스를 해 주는' 것과 마찬가지로 원래 격리도 타자를 향한 일종의 응대 방식이다. 하지만 "산업시스템의 마지막 단계는 소비자가 자신에게 제공하는 서비스를 산업화하는 단계"라고 말한 아탈리Jacques Attali의 주장에 비춰 보면 이제는 코로나 감염을 막기 위한 격리조차도 타자가 아닌 자기에게로 향하고 있음을 알 수 있다.[19] 다시 말해 산업시스템의 목표는 스스로 생산한 서비스에 대한 수요는 늘리면서 직접 서비스 비용은 줄이는 데 있는데, 이런 셀프서비스가 검역 차원으로 확대된 것이 자가격리의 의미라고 할 수 있다. 자가격리를 검역과 의료에서의 일종의 셀프서비스로 본다면 그 생태적 의미는 상품 소비에서와 마찬가지로 비용의 사회화로 설명할 수 있다. 개발 이익은

---

19 Illich, Ivan, *Gender*, p. 58.

코로나바이러스를 야기한 기득권층이나 개발업자가 사유화한 반면, 그에 따른 자연 생태계 파괴 비용은 균등하게 사회화 내지는 세계화하는 것이다. 감염자의 격리로 인한 손실은 물론이고 감염이 의심되는 사람들이 스스로를 자발적으로 격리시키는 데 따른 손실에 대해서도 생태 파괴로 이익을 얻은 당사자들은 전혀 응답+능력을 발휘하는 책임을 다하지 않는 실정인 것이다.

사적 영역으로의 집중을 의미하는 자가격리와 마찬가지로 사회적 거리두기도 사회적 혹은 사교적인 접촉 영역의 제한 내지는 소멸을 의미한다. 영어의 'society'는 어원이 사람 간의 교류와 공유를 의미하며 이를 위한 자유로운 결사association의 활동이 일어나는 장소를 말한다. 완전히 공적인 영역도 완전히 사적인 영역도 아닌 이런 제3의 영역에서 이루어지는 인간 활동은 매우 중요하며 그 역사가 오래되었음은 물론이다. 가령 고대 그리스에서는 공간을 세 가지 영역으로 구분하였는데, 바로 폴리테이아politeia, 오이코노미아oikonomia, 코이노니아koinonia가 그것이다. 이것은 각각 폴리스의 정치 활동이 이루어지는 공公적 영역과 가정생활을 꾸려가는 사私적 영역, 그리고 이 둘 다로부터 분리된 공공共功영역을 말한다. 코이노니아는 영어로는 community, partnership 등으로 번역되는데, 사람들이 자발적으로 모여 공통의 친교 활동을 통해 함께 사귀는 것을 말하므로 영어의 사교society에 해당한다고 할 수 있다.[20] 물론 고대 그리스의 코이노니아는 친교를 위한 사교와 함께 종교적 의례의 의미도 있고 민주주의를 위한 토론의 장이 되기도 했지만,

20   Lintott, Andrew, "Aristotle and Democracy," *Critical Quarterly* 42(1), 1992, p. 116.

동시에 거기에는 대체로 (남자)시민들 간의 유대나 교류를 위한 영역이라는 한계도 있었다. 그러나 중요한 것은 코이노니아와 같은 공공영역을 통해 인류는 오랫동안 공통의 장소에서 타자를 자유롭게 만나 사교와 교류의 즐거움을 누리며 살았다는 점이다. 문제는 코로나 거리두기로 소멸되는 것이 정치와 같은 공적 영역도, 가정과 같은 사적 영역도 아닌 바로 이 코이노니아와 같은 제3의 영역이라는 점에 우리가 충분히 주목하지 않고 있다는 것이다. 자가격리와 사회적 거리두기 조치로 사람들이 서로 만나 자율적으로 조직을 결성하고 타자와 어울리며 상호부조의 사교 활동을 벌이던 공간이 감염에 최우선적으로 취약한 곳으로 단정되어 폐쇄 조치되고 있다. 만나지 못하게 됨으로써 서로 단절되고 사귈 수 없는 상황이 코로나 재난의 사회적 결과인 셈이다. 코로나로 인한 의료적 불안전이나 경제적 불안정보다 오히려 인간관계의 단절을 필연적으로 요구하는 이런 고립적인 상황이 앞으로의 사회관계에 더 근원적인 타격을 가할 수도 있다는 점에 주의가 필요하다.

제3의 장소가 지니는 중요성에 주목해 온 올든버그는 이런 비공식적 공공장소가 소멸할 경우 어떤 결과가 초래되는지를 연구하였는데, 그에 따르면 미국처럼 가정과 일터의 양대 공간만 남은 곳에서는 사람들이 더 고립적이 되고, 나아가 제3의 공간에서 충족되지 못하는 만족감을 일과 가정에서 더 많이 얻고자 하게 된다고 한다.[21] 제3의 장소가 없다면 오직 일터와 가정이라는 두 공간만으로는 타자를 향한 근원적인

---

21 레이 올든버그, 《제3의 장소》, 김보영 옮김, 풀빛, 2019, 51쪽 (Oldenburg, Ray, *The Great Good Place: Crafts, Coffee Shops, Bookstores, Bars, Hair Salons, and other Hangouts at the Heart of a Community*, New York: Marlowe, 1999).

앞의 욕구, 혹은 사귐의 욕구를 충족하기 어렵다. 올든버그는 이런 욕구를 충족시켜 주는 장소를 '비공식적 공공생활'이라고 칭했는데, 미국의 경우 제2차 세계대전 이후부터 자동차 중심의 도시계획을 추진하면서 일터와 동떨어지고 "사람들이 걸어갈 수 있는 곳도, 사람들이 모일 만한 장소도 없는" 문화적으로 삭막하고 획일적인 교외 주거지역을 갖게 되었다고 비판한다. 즉, 일터와 집터만을 자동차로 오가는 그런 생활이 시작된 것이다.

현대사회는 제3의 장소를 상실함과 동시에 격식 없이 편하게 어딘가에 속함으로써 가볍게 우정과 친밀감을 얻을 수 있는 방법도 잃어버렸다. 부담을 내재하고 있는 우정의 보완물로서, 사람들이 그러한 부담으로부터 자유롭게, 단지 즐기기 위해 만나는 장소가 필요하다. 제3의 장소는 자아와 사교성이 최적의 균형을 이루고, 거기에 모인 사람들이 가장 즐거운 상태에 이르면서도 비용이 거의 들지 않는 곳이다.[22]

이런 제3의 장소는 페미니즘 입장에서 보자면 중요한 특징이 있는데, 그것은 바로 대부분이 젠더 공간이라는 점이다. 고대 그리스는 물론이고 현대사회에 남아 있는 제3의 장소에 관한 연구를 봐도 마찬가지이다. 올든버그는 이런 장소가 주는 즐거움이 "대개 동성끼리의 유대 관계에서 오며, 남녀 구별이 없는 세계를 만들기보다는 남성들의 세계와 여성들의 세계를 분리하여 유지하는 데" 있다고 보았다.[23] 물론 가부

---

22 레이 올든버그, 《제3의 장소》, 122쪽.

23 레이 올든버그, 《제3의 장소》, 341쪽.

장제는 전통적으로 여성 간의 사교나 연대를 폄하하였다. 이는 예컨대 '소문'을 뜻하는 영어 'gossip'의 의미가 어떻게 달라지는지만 봐도 쉽게 알 수 있다. 원래 가십은 자식의 대부모god parent를 서 줄 만큼 가까운 사람으로, 의례로 맺어진 집안의 남자들에게 붙이는 명칭이었다. 그러다가 16세기 셰익스피어William Shakespeare 시대에는 주막 같은 곳에서 어울리는 남자들끼리의 술친구를 의미하게 되었고, 이후 19세기에 이르러서야 비로소 여성들끼리 모인 장소에서의 여성의 재잘거림과 같은 부정적인 의미로 사용하게 되었다.[24] 하지만 이처럼 제3의 공간이 젠더 불평등하게 분리되어 있다 하더라도 프로방스 농촌 지역의 지리적 공간을 연구한 루뱅Lucienne Roubin도 주장하듯이, 적어도 장소의 경계를 침범하지 않는 범위에서는 여성들의 공간은 남성들로부터 매우 독립적이었고 마을축제 같은 공동체 활동에서도 그 기여도가 높았다는 사실이다.[25] 중요한 것은 최근 들어 이런 공간이 자본주의와 과학기술의 발전으로 빠르게 소멸하고 있다는 점이다. 특히 현대적인 도시 환경의 경우 설령 이런 제3의 공간이 남아 있다 하더라도 다면적인 사교의 장소라기보다는 일면적인 소비의 역할로만 국한되는 경우가 많다. 이렇게 되면 젠더와 상관없이 사람들은 이방인-나그네-친구가 되는 것이 아니라 고객-노동자-통근자로 환원되고, 따라서 타자와의 교류를 통해 윤리적으로 전인적인 존재가 될 기회를 갖기가 그만큼 어렵게 된다. 그래서 올든버그는 "만약 미국인이 독립만큼 우애의 가치를, 자유기업만큼 민주주의의 가치를 존중한다면, 도시계획으로 인해 지역사회에서 사회

---

24 Illich, Ivan, *Gender*, p.113.
25 레이 올든버그, 《제3의 장소》, 347쪽.

적 고립이 야기되지 않도록 한두 블록마다 자연스럽게 모일 장소를 만들도록" 했을 것이라고 비탄한다.[26] 문제는 우애의 장소가 소멸하게 되면 사교-놀이의 즐거움과 놀람뿐 아니라 결국 토론과 대화를 통해 타자와 민주적인 관계 맺기를 연습하고 타자와의 공생의 윤리를 배울 수 있는 공동체 활동도 소멸하게 된다는 데 있다.

제3의 장소는 지역공동체의 정치 프로세스를 활성화하는 것 이상으로 광범위한 역할을 수행한다. 그들은 다른 모든 주민 모임 형태의 전신이면서, 또한 다른 모임들과 공존한다. 토크빌이 말했듯이 자유로운 집회의 권리는 "인간의 가장 자연적인 특권"이다. 그런데 사람들은 대부분 이 권리가 어떻게 행사되고 실행되는지 잘 알지 못한다. 자유로운 집회는 많은 사람들이 생각하는 것처럼 공식적인 조직에서 시작되지 않는다. 노동조합회관에서 시작되지도 않으며, 공제조합이나 독서모임, 학부모회의, 시청에서 시작되는 것도 아니다. 상기한 공식적 모임들은 모두 제3의 장소에서 길러진 '결사의 습관habit of association'의 산물이다.[27]

물론 자본주의의 등장으로 공공성을 상실하고 사적 소비의 장소로 전락해 버린 제3의 공간에 대해 다른 대안이 없는 것은 아니다. 무엇보다 네트워크 기술의 발전은 기존의 위계적 구별짓기로부터 자유로운 완전히 새로운 공간의 등장을 가능하게 하였다. 컴퓨터 과학기술의 발전으로 등장한 사이버공간cyberspace은 "컴퓨터나 전자기술을 이용하

---

26 레이 올든버그, 《제3의 장소》, 70쪽.

27 레이 올든버그, 《제3의 장소》, 132쪽.

여 만들어지고, 사람과 사람 사이의 활발하고도 즉각적인 커뮤니케이션이 이루어짐에 따라 다양한 사회문화적 현상이 일어나는 가상공간의 일종"으로 정의될 수 있다.[28] 이 정의에 따르자면 사이버공간은 의사소통이 활발히 일어나고 타자와의 협력을 통해 일종의 문화도 만들어 낸다는 점에서 소멸하는 공공의 장소를 대신할 새로운 공간이 될 수도 있다. 더구나 이 공간은 낯선 타자의 접근을 막았던 기존의 젠더·계급·종교·인종·언어로부터도 자유로울 뿐 아니라 시간과 공간의 제약으로부터도 자유로운 특성을 지니며, 해러웨이도 주목했듯이 단일한 자아 정체성이 아닌 인간·동물·기계의 경계를 넘나드는 새로운 제휴와 짝짓기가 가능한 공간이기도 하다. 게다가 중요한 것은 이런 이질적 확장성을 촉각을 통해 구현할 수 있다는 점이다. 해러웨이는 무감각의 시대에 맞서 시각이 아닌 "촉각적 사유tentacular thinking"의 중요성을 강조하는데, 가령 키보드를 두드리는 인터넷 접속도 그런 활동이 될 수 있다. 시각은 상대를 대상화하기 쉬운 감각인 데다 전통적으로 남성적인 것이지만, 촉각은 상대를 대상화하지 않고도 접촉할 수 있을 뿐 아니라 무엇과 연결하고 무엇과 단절할 것인지를 사유하게 만들어 줄 수 있기 때문이다.[29] 더구나 코로나 감염으로 인한 비대면, 온택트로의 전환은 실제로 사이버공간에서의 접촉 없는 새로운 접속적 관계 맺기의 가능성까지 열어 주고 있다. 그렇다면 이와 같은 사이버공간이 전통적으로 코이노니아와 제3의 장소에서 나누던 타자에 대한 우정과 환대를 대신할 중요한 대안적 공간이 될 수 있는지 검토할 필요가 있다고 하겠다.

---

28 배덕현, 〈사이버공간의 정의와 특징〉, 《문화역사지리》 27(1), 2015, 131쪽.

29 최유미, 《해러웨이, 공-산의 사유》, 124쪽.

장소의 변모는 결국 타자와의 대면 방식의 변화와 분리될 수 없다는 점에서, 비대면이 그 특징인 사이버공간에 대해 의문을 던지지 않을 수 없는 것이다.

그런데 사이버공간으로의 접속이 빠르게 증가하고 있는 우리 사회만 보더라도, 지난 몇 년간 전례 없는 속도로 사이버공간에서의 디지털 성범죄를 비롯한 여성혐오의 정도가 증가하는 것을 경험할 수 있다. 가령 신체 접촉 없이 키보드로 접속하는 소위 n번방과 같은 디지털 성범죄는 텔레그램과 같은 사이버공간의 협조 없이는 성립될 수 없지만, 그런 공간에 대해 누구에게 어떤 방식으로 책임을 물 수 있는지는 공론화되지 않는다. 비단 디지털 성범죄만이 아니라 '일간베스트저장소'(일베)나 '디시인사이드'를 비롯한 여러 커뮤니티 공간조차도 남녀 간 성대결과 상호 혐오를 더욱 조장하고 강화하는 것이 사실이다. 유독 우리 사회만 해러웨이식 대안을 잘 수용하지 못하는 것이 아니라면, 사이버공간에서의 비대면 접촉이 왜 타자를 환대하고 우정을 나눌 수 있는 방식이 되기 어려운지 그 까닭을 묻지 않을 수 없다. 이 경우 왜 타자의 부름에 응대하는 능력, 즉 타자에 대한 책임이 발현되지 않는 것일까? 다시 말해, 코로나 재난을 계기로 소멸하는 사회적 사교 공간의 대안으로 새로이 구성되는 사이버공간이 실제로 타자와의 생태적 공생 공간이자 타자를 환대할 상호부조의 책임을 짊어질 공간이 될 수 있는지 인문학적 성찰이 필요한 상황이다.

이 질문은 우리에게 타자란 과연 누구인지, 그리고 어떤 순간에 우리가 타자에게 무관심이나 배제가 아니라 환대를 베풀게 되는지와 연결되어 있다. 타자 문제에 있어 가장 대표적인 철학자인 레비나스는 서구 근대철학의 형이상학이 지닌 자아중심주의를 비판하고 철학의 중심축을 존재론에서 타자에 대한 윤리학으로 바꿀 것을 주장한 바 있다. 레비나스가 이처럼 타자 문제에 몰두한 까닭은 "나의 삶에 대한 기록은 나치 공포에 대한 예감과 그에 대한 기억이 지배한다"고 할 정도로 유대인으로서 큰 상처를 받은 제2차 세계대전의 폭력성 때문이었다.[30] 홀로코스트는 에코페미니즘에서 보자면 가부장제에서 여성에 대한 남성의 폭력이나 자본주의에서 자연에 대한 인간의 폭력과 맥을 같이하는 폭력으로, 타자에게로 확장하려는 욕망이자 동일성을 기준으로 타자를 배제하려는 욕망이기도 하다. 여성, 자연, 그리고 비서구와 같은 인종적 약자는 남성, 인간, 서구라는 주체의 관점에서 보면 모두 동일한 영역의 타자들인 것이다. 이처럼 레비나스가 주체의 존재 이전에 타자와의 만남을 우선시하는 타자 우위의 철학을 개진한 데에는 "무엇보다 경쟁과 배제와 죽임의 서구 문명에 대한 비판"이 바탕에 있었다.[31] 다시 말해 고통을 겪는 실제 인간 삶에 대한 관심과 책임에서 비롯된 것이었다. 레비나스는 《전체성과 무한Totalité et Infini》에서 타자란 '고통'으로 '헐벗은' 자들이며, 우리를 불러 세우는 것은 이런 타자들의 절박한 얼굴이라고 밝힌다.

그 벌거벗음은 스스로를 드러내면서 감춰진 자신의 비참이 지닌 부끄러움을 절규한다. 그것은 영혼에서의 죽음을 절규한다. 이 인간의 벌거벗음은 나를 호명한다. 그것은 나인 그대로의 나를 부른다. 그것은 아무런

---

30   강영안, 《타인의 얼굴 – 레비나스의 철학》, 문학과지성, 2005, 23쪽.
31   문성원, 《타자와 욕망 – 에마뉘엘 레비나스의 『전체성과 무한』 읽기와 쓰기》, 현암사, 2017, 33쪽.

보호도 방어도 없이 자신의 약함으로부터, 벌거벗음으로부터 내게 말을 건다. 그러나 그것은 또한 낯선 권위로부터 나를 부른다. 명령적이지만 아무런 무기도 갖지 않은 권위로부터, 신의 말과 인간의 얼굴에 나타난 말씀으로부터, 얼굴은 낱말들에 앞서 이미 언어다.[32]

타자가 우리에게 고통을 호소하는 것은 '얼굴'을 통해서인데 20세기까지의 서구 철학은 이런 타자의 얼굴-언어의 호소에 귀를 기울이지 않았다는 것이다. 이처럼 타자의 호소에 '응답능력'을 발휘하지 못한 까닭에 바로 홀로코스트와 같은 비극적인 상황이 일어나게 되었다. 레비나스는 이 비참한 얼굴의 언어적 호소와 그에 대한 응답의 절박함이 가장 중요한 철학적 관심사여야 하며, 이런 응답능력이야말로 타자에 대한 책임이자 윤리라고 보았다. 해러웨이와 마찬가지로 레비나스도 타자와의 관계 맺기에서 응답능력을 최우선에 내세움으로써, 자아를 절대화하거나 타자를 대상화하는 동일화의 폭력성을 차단하고 연대와 환대의 윤리학을 수립하게 된다.

그렇다면 왜 얼굴일까? 우리는 추상적인 개념이나 관념이 아닌 살과 피를 지닌 육체의 생생한 감각을 통해 타자의 부름에 응답할 수 있는데, 이때 중요한 것은 내게 가까이 다가와 호소하는 벌거벗은 얼굴이다. 내 감각에 직접 호소하는 이 얼굴은 그 '근접함proximity'으로 인해 시각적 대상이라기보다는 오히려 촉각적 존재로 수용될 수 있다. 즉, 우리는 "직접적으로 드러나는 눈빛으로 자신의 벌거벗음과 결핍을 분명

32 문성원,《타자와 욕망 – 에마뉘엘 레비나스의 『전체성과 무한』 읽기와 쓰기》, 49쪽.

하게 노출하며 나를 죽이지 말라고 호소하는" 그 얼굴을 감각을 통해 느낌으로써 윤리적 명령에 응답하게 된다는 것이다.[33] 레비나스는 응답 능력을 타자에 대한 책임의 윤리적 근원으로 보았다는 점에서 해러웨이와 맥을 같이하지만, 그 방법에서는 해러웨이의 크로셰 산호초의 코바늘뜨기 전시회처럼 '근접함이 없는 친밀감'을 통해서가 아니라, 오히려 반대로 얼굴을 서로에게 더욱 바짝 가져다 댐으로써 생기는 '근접함'을 통해 윤리의식을 느끼게 된다고 보았다. 다시 말해 대면할 때 책임을 느낀다는 것이다. 사실 해러웨이가 말하는 촉각적 사유야말로 반려견과의 어질리티 훈련에서처럼 감각적 근접함이 없이는 느낄 수 없는 것이다. 사이버공간에서는 아무리 촉수를 예민하게 세우더라도 벌거벗은 얼굴을 근접 거리에서 직접 접촉함으로써 느끼는 촉각적 반성에는 미치기 어렵다. 이처럼 이기심을 초월할 수 있는 가능성은 타자와의 대면에서 나오고, 환대는 얼굴로 호소하는 비참한 타자를 가까이에서 마주하는 데서 나온다. 그렇다면 관계 맺기에서 다가섬이 필요한 이유는 무엇일까?

타인에 대한 나의 관계는 마치 비의도적인 다가섬과 같이 불려 가는 것이며 그에게서 떨어져 나올 수 없기 때문에 타인에의 근접성은 곧 의식적인 사로잡힘이며 이런 관계로 인해 고통이 수반된다. 왜 이런 존재론적인 무모함이 타자와의 관계에 강요되고 개입하는 것일까? 그것은 박애 때문이다. "다가서는 것은 정확히 박애로의 다가섬의 연루이다." … 이것은 타자와의 구체적인 관계를 통해 실현되는 것 외엔 아무것도 아니며, "너 자

---

33   이희원, 〈레비나스, 타자 윤리학, 페미니즘〉, 《영미문학페미니즘》 17(1), 2009, 245쪽.

신과 같이 너의 이웃을 사랑하라"와 같은 기본적인 인륜을 정당화할 수 있게 된다.[34]

타자의 고통에 가까이 다가서려는 윤리적 개입이야말로 박애의 근본이며, 이질적인 타자를 무조건적으로 환대하는 박애를 통해 약자와 자연을 향한 전쟁과 폭력을 멈출 수 있다. 이처럼 환대란 개인에게서 시작되지만 그 끝은 공동체를 향하고 있다. 이런 관점에서 보자면 사이버공간과 같은 비대면의 확산은 타자를 향한 이런 윤리를 근접한 거리에서 수행하는 데 바람직한 방향이 되기 어렵다. 실제로 고통받는 유기견이나 공장식 축사에 내버려진 동물들의 얼굴을 가까이서 접하는 것이 그 동물의 생명을 지키고 보호하는 데 더 유의미한 직접 행동을 촉발할 가능성이 크다. 물론 사이버공간의 장점을 애써 부인하려는 것은 아니지만 적어도 타자와의 직접 접촉이 아닌 가상적 접속만으로는 타자의 헐벗음을 야기한 반생태적 요인을 없애기란 쉽지 않다고 생각된다.

윤리적 접촉을 위하여

코로나 재난이 두려운 것은 이것이 사회적 약자들, 가령 사망률이 높은 노인, 비정규직 노동자, 서비스 직종에 종사하는 젊은 여성, 취업준비생, 실업자, 그리고 빈민과 같은 취약계층에 속한 사람들에게 더 치

---

34 윤대선, 〈삶의 해석으로서의 타자철학과 초월적 가능성 – 레비나스의 타자철학과 그 초월성을 중심으로〉, 《철학연구》32, 2005, 152쪽.

명적이기 때문이다. 물론 코로나 이전에도 약자들은 그들의 노동은 물론이고 심지어 생존조차도 점점 비가시적인 영역으로 밀려나는 실정이었다. 레비나스의 주장처럼 누군가가 절박한 얼굴을 가까이에서 보여주지 않으면 타자에 대한 책임과 환대는 쉽게 일어나지 않는 까닭에, 이들이 점차 보이지 않는 영역으로 밀려나는 것은 향후 큰 사회적 불안을 낳을 수 있다. 약자들의 생존 자체가 위험에 빠지는 것도 문제지만 무엇보다 이들이 보이지 않게 됨으로써 사람들이 고통스런 타자의 얼굴을 마주하여 타자를 사귀고 이들에게 도움을 베풀 환대를 익힐 공간도 사라진다는 게 더 큰 문제이다. 더구나 지금처럼 전 지구적으로 이주가 활발한 상황에서는 끊임없이 문지방을 넘어오는 낯선 이방인과의 관계 맺기가 공동체의 공존과 평화에 매우 중요하다. 난민을 거부하고 외국노동자를 추방하고 이주민을 특정 지역에 가두는 것만으로는 지속 가능한 공생을 모색하기 어렵다. 특히 우리 사회처럼 무차별적인 경쟁 논리와 승자독식, 배금주의가 만연한 곳일수록 만인 대 만인의 투쟁이 타자를 향한 사회 구성 원리가 되지 않도록 세심한 주의가 필요하다. 물론 그렇다고 타자를 공동체를 위한 효용성의 관점에서만 대면하자는 뜻은 아니다. 레비나스의 타자는 주체인 나에 앞서는 것으로, 나를 살게 하는 존재이자 영원한 신비의 영역에 있는 존재이다. 따라서 우리는 조심스럽게 다가갈 수밖에 없으며 이 타자에게 환대의 덕성을 실천함으로써 자신의 주체성도 만들어 낼 수 있다. 해러웨이식으로 말하자면 자아와 타자 간의 일종의 즐거운 공산 작업인 것이다.

물론 이렇게 다가오는 타자에 대해 불안감을 느낄 수도 있다. 퀴어한 친족 범주에서도 상호 이익으로만 관계 맺지 않는 타자가 있듯이, 헐벗은 얼굴로 찾아오는 타자가 선한 관계로만 맺어지지 않을 수도 있다. 그러나 중요한 것은 고통을 호소하는 타자의 부름에 응답하는 것이며, 무조건적인 환대를 통해 그 고통에 개입함으로써 경계를 넘어온 이방인과 상호부조의 윤리를 계속해서 정립하는 일이다. 이것은 비단 인간에게만 해당되는 윤리는 아니다. 가령 서식지를 찬탈당해 생존을 위협받는 야생동물, 공장식 축산으로 비참하게 양육되는 가축, 아무 데나 버려지는 유기견, 플라스틱 쓰레기로 죽어 가는 해양생물, 도래지가 사라진 철새 등 모든 지구 타자들의 고통스런 부름에 우리가 응답하지 않는다면 결코 다음 세대를 위한 공생과 평화는 가능하지 않을 것이다. 환경위기와 생태 파괴가 지금보다 더 진행된다면 인간과 자연의 관계는 물론이고 궁극적으로는 인간들 간의 사회적 관계마저도 쉽게 무너질 것이기 때문이다. 더구나 코로나와 같은 재난으로 인해 낯섦을 내려놓고 우정과 환대를 나눌 제3의 장소가 급격히 소멸하는 이런 상황이 계속된다면 조만간 타자의 부름을 듣기조차 어렵게 될지도 모른다. 타자에 대한 윤리는 감각을 통해 인식하여 각자의 몸에 새기는 것이기에 사이버네트워크 공간만으로는 충분하지 않다. 대체 불가능한 타자의 얼굴에 바짝 다가가서 촉각으로 느낄 수 있을 정도의 근접함을 회복하는 일이 급선무인데, 아무 준비도 없이 코로나 종결 이후에 금방 회복될 수 있을지 염려스럽지 않을 수 없다.

참고문헌

강영안, 《타인의 얼굴 – 레비나스의 철학》, 문학과지성, 2005.

문성원, 《타자와 욕망 – 에마뉘엘 레비나스의 『전체성과 무한』 읽기와 쓰기》, 현암사, 2017.

소포클래스, 《소포클래스 비극전집》, 천병희 옮김, 숲, 2010.

솔닛, 레베카, 《이 폐허를 응시하라》, 정해영 옮김, 펜타그램, 2012.

올든버그, 레이, 《제3의 장소》, 김보영 옮김, 풀빛, 2019. (Oldenburg, Ray, *The Great Good Place: Crafts, Coffee Shops, Bookstores, Bars, Hair Salons, and other Hangouts at the Heart of a Community*, New York: Marlowe, 1999)

에마뉘엘 레비나스, 《전체성과 무한》, 김도형 · 문성원 · 손영창 옮김, 그린비, 2018.

하라리, 유발, 《호모 데우스》, 김명주 옮김, 김영사, 2017. (Harari, Yuval, *Homo Deus: A Brief History of Tomorrow*, New York: HarperCollins, 2017)

최유미, 《해러웨이, 공-산의 사유》, 도서출판b, 2020.

해러웨이, 도나, 《해러웨이 선언문》, 황희선 옮김, 책세상, 2019. (Haraway, Donna, *Manifestly Haraway*, Minnesota: Minnesota UP, 2016)

＿＿＿, 《겸손한 목격자: 페미니즘과 기술과학》, 민경숙 옮김, 갈무리, 2007. (Haraway, Donna, *Modest Witness: Feminism and Technoscience*, New York: Routledge, 1997)

배덕현, 〈사이버공간의 정의와 특징〉, 《문화역사지리》 27(1), 2015, 129~143쪽.

서동욱, 〈그리스인의 환대 – 손님으로서의 오뒷세우스〉, 《철학논집》 32, 2013, 39~70쪽.

안숙영, 〈젠더와 노동: 탈노동사회를 향한 상상〉, 《사회과학연구》 59(1), 2020, 449~485쪽.

윤대선, 〈삶의 해석으로서의 타자철학과 초월적 가능성 – 레비나스의 타자철학과 그 초월성을 중심으로〉, 《철학연구》 32, 2005, 134~167쪽.

이희원, 〈레비나스, 타자 윤리학, 페미니즘〉, 《영미문학페미니즘》 17(1), 2009, 237~267쪽.

Benjamin, Walter, *The Storyteller Essays*, New York: NYRB Classics, 2019.

Haraway, Donna, *Staying with the Trouble*, Duke: Duke UP, 2016.

_____, *Simians, Cyborgs, and Women: The Reinvention of Nature*, London: Free Association Books, 1991.

Illich, Ivan, *Gender*, New York: Random House, 1982.

Das, Soham, "Oedipus Tyrannos: In the Context of 5th Century Greece," *JEIR* 6(3), 2019, pp. 1-3.

Lintott, Andrew, "Aristotle and Democracy," *Critical Quarterly* 42(1), 1992, pp. 114-128.

해러웨이 인터뷰

"Crocheting the Chthulucene, Donna Haraway in Conversation with Christine and Margaret Wertheim," October 21, 2016. https://ias.ucsc.edu/events/2016/crocheting-chthulucene-donna-haraway-conversation-christine-and-margaret-wertheim

코로나 위기와
'공공성의 사회적 공간'의 확장

박명준

이 글은 《노동리뷰》 제184호(2020. 7.)에 게재된 원고를 수정 및 보완하여 재수록한 것이다.

2020년 초 코로나 위기가 발발한 이후 코로나 위기에 대한 대응, 포스트코로나 사회에 대한 구상을 놓고 새로운 고민·처방·노력들이 대두해 왔다. 대체로 위기가 일자리에 끼칠 여파가 심각한바, 그와 관련한 새로운 정책적 수단과 제도에 대한 고민이 두드러져 보인다. 기본소득이나 전국민고용보험 등 사회적 안전망을 포용적으로 재편하자는 주장이 대표적이다. 이른바 '디지털 뉴딜digital new deal', '휴먼 뉴딜human new deal', '녹색 뉴딜green new deal' 등의 상징적 수사들 하에서 새로운 일자리 창출을 위한 정책들이 활발히 고안되고 있다. 위기 대응을 위한 정책들은 위기 이후 새로운 사회질서 형성에 적지 않게 영향을 끼칠 수 밖에 없다. 코로나 위기를 극복하기 위해 고안되고 있는 다양한 시도들은 과연 우리 사회를 어디로 이끌고 갈 것인가? 그와 관련하여 좀 더 타당하게 우리가 지향해야 할 방안과 태도는 무엇인가?

의미심장한 것은 바이러스 위기가 전 세계적인 경제사회적 위기로 증폭되는 배후에 이른바 글로벌화globalization와 신자유주의화neo-liberlization의 지난 수십 년간의 기류가 자리한다는 점이다. 자연스럽게 금번 위기에 대한 처방은 그러한 기류에 편승해 형성된 구질서의 약화를 의미하게 된다. 현재의 위기에 대한 대응과 처방은 단기적인 것 이상을 요구한다. 그것은 우리 사회가 필요로 하는 새로운 질서를 형성해 가는 일종의 '체제이행적regime transitional' 성격을 갖는다. 필자는 그중에서도 공공성과 민주주의라는 사회적 가치를 중심으로 우리의 사회경제 시스템을 전면적으로 쇄신하려는 전략이 필요하다고 본다. 일자리와 관련해서도 현재 일고 있는 공공성 확장을 향한 담론을 정교화시켜 가야 함은 물론이고, 여기에 민주주의적 기제들을 충실히 담아내려는 노력도 결부시킬 필요가 있다.

요컨대, 현재의 위기 대응은 탈신자유주의화와 사회적 가치의 진작에 정향되어야 하며, 단기적 처방을 넘어 포스트코로나 사회로의 중장기적 이행 전략까지 염두에 두고 도모될 필요가 있다. 그러한 의미에서 현재의 위기는 이미 시작된 신자유주의 이후 사회를 향한 질서 형성을 좀 더 가속화 내지 전면화시키는 쪽으로 작용하는 것으로 보인다. 다만, 그러한 선택적 친화성이 자동적으로 실현되는 것은 아니기에 새로운 기획과 정치가 요구된다.

그렇다면 현재의 정책적 처방들 안에 새로운 사회적 가치는 어떻게, 또 얼마나 존재하는가? 작금의 위기를 극복하며 건설하려는 새로운 사회를 향한 사회통합의 원리에 공공성과 민주주의라는 사회적 가치를—보다 구체적으로—어떻게 담아내야 할까? 특히 일자리와 관련하여 어떠한 정책 수단이 그러한 가치들이 충만한 '포스트코로나 사회'로의 이행을 실현시킬 수 있는가?

공공성의 사회적 공간과 신자유주의

개념적 논구: 공공성의 사회적 공간

사적 소유를 인정하는 사회의 개인들은 저마다 사적 이해를 추구하지만, 그러한 사적 이해 추구의 기반으로서 공공성의 영역은 여전히 존재한다. 사적 이해와 공적 이해의 영역은 종종 시장과 사회의 이름으로 다르게 불리기도 한다. 세계 자본주의 역사가 증명해 왔듯이—과잉생산, 대공황 등—시장을 과도하게 강조하면 시장에 내재한 '자기파괴적

속성'이 발현된다.[1] 반면 공적 가치만을 과도하게 강조하면 개인들이 추구하는 사적 이해 추구의 '사회적 공간'이 축소되고, 경제활동의 위축이 초래되는 부작용이 있을 수 있다.

사적 이해 추구의 영역과 공공성의 영역의 크기, 후자가 전자를 제약하는 양태는 사회마다 상이하다. 미국식 자유시장경제는 사적 이해를 극대화시키고 공공성의 기반과 개입을 최대한 약화시킨 시스템이다. 반면 독일식 사회적 시장경제는 사적 이해 추구를 인정하고 존중하되, 그 공통의 기반으로서 공적 이해의 영역을 크게 확대시킨 시스템이다. 한국도 원론적으로는 순수한 사적 이익의 극대화가 아니라 사적 이익과 공적 이익의 조화를 추구하는 이른바 혼합 경제시스템의 일종이다 (헌법 119조). 물론 독일과 비교해 한국 시장경제에서 공공성이 작동하고 실현되는 정도, 범위 및 수준은 훨씬 얕고 좁고 또 낮다.

사회과학에서는 '사회적 행위공간action space'이라는 개념을 자주 쓴다.[2] 이는 어떤 특정 이해와 자원을 지니고 있는 사회적 행위주체들이 특정 상황에서 취할 수 있는 행위의 선택지와 범위를 가리킨다. 또한 '사회제도social institutions'는 사회적 행위들이 목적과 가치를 구현해 갈 수 있도록, 그러한 사회적 행위공간들과 관련한 규율적 울타리를 일정하게 마련한 것이다.

---

1 칼 폴라니, 《거대한 전환: 우리 시대의 정치, 경제적 기원The Great Transformation: The Political and Economic Origins of Our Time》, 홍기빈 옮김, 도서출판 길, 2009.

2 대표적으로 20세기 사회학의 대가인 탤컷 파슨스Talcott Parsons는 행위의 네 가지 유형을 정립하면서, 〈The Dimensions of Action Space〉라는 논문을 집필한 바 있다(Parsons and Bales, 1953). 근래에는 상대적으로 한국이나 영미권보다 독일어권 사회과학계에서 독일어로 행위공간을 뜻하는 Handlungsraum 개념을 빈번히 사용함을 확인할 수 있다.

이때 특정 가치와 관련하여 '사회적 (가치의 실현) 공간'이라는 개념을 상정할 수 있다. 그것은 한 사회 내에 존재하는 다양한 가치들의 크기와 처소, 실현 양태 등을 표현한다. 또 목적합리적이고 가치담지적인 사회적 행위자들이 각각의 합리성과 목표를 실현해 가는 기회와 가능성을 규정한다. 사회적 공간은 일차로 어떤 사회제도를 통해 규정되며, 그 안에서 어떤 행위자들은 특정한 가치를 실현한다. 여기에서 공간은 하나의 추상적 사고 영역을 가리키며, 실제 물리적인 공간을 가리키는 것은 아니다.

사적 소유와 시장을 통한 개인들의 영리 추구를 보장하는 자본주의 사회에서도 공공적 가치가 실현되는 사회적 공간들이 시장 안팎에 일정하게 포진한다. 필자는 그것을 '공공성의 사회적 공간'으로 칭하고자 한다. 전술하였듯이, 공공성의 사회적 공간의 분포와 크기는 그 나라의 자본주의 내지 시장경제의 속성에 따라 상이하다. 같은 나라에서도 일정한 시간을 거치면서 그러한 공간의 크기와 강도 및 발현 양태가 변모한다. 공공성의 사회적 가치는 반드시 필요하지만 그렇다고 과도하게 강조되어서도 안 된다. 특정 사회, 특정 시기에 공공성의 사회적 공간이 어떠해야 하는지는 결국 그 사회의 지배적 인식의 변화와 정치적 결정에 따라 달라진다.[3]

일례로 실제 물리적 공간을 놓고, 특정 가치의 사회적 공간이 실제 공간을 어떻게 다르게 형성시키는지 판단해 볼 수 있다. 한강변에 아파트를 짓는 것을 생각해 보자. 한강의 멋진 조망을 누군가가 소유한

---

[3] 공공성의 공간이 시대에 따라 커졌다 작아졌다 한다는 것은, 한 사회의 시장에 대한 의존도와 강조점과 관련하여, 칼 폴라니Karl Polanyi가 강조한 '진자운동pendulum movement'의 성격을 지닌다고 할 수 있다(Polanyi, 2009).

개인의 공간에서 누릴 수 있도록 만드는 일은 말하자면 일종의 '공간의 사유화privatization of space' 내지 '공간의 자본화capitalization of space'를 의미한다. 그를 통해 한강변에 있던 허공 하나가 일종의 '구매된 공간purchased space'이자 돈벌이 수단으로 전환된다. 구매력을 갖춘 소수만이 해당 공간의 가치를 향유하고, 건물 뒤의 대중들은 아예 한강 조망권 자체를 박탈당한다. 이는 물리적 공간의 자본화, 사유화가 공공성의 사회적 공간을 파괴 내지 희생시킨 것을 의미한다. 해당 건물 자리에 잔디공원을 조성했으면 실현될 수 있는 다른 성격과 크기의 '사회적 공간'이 소멸된 것이라고 볼 수 있다.

신자유주의와 탈신자유주의: 공공성의 사회적 공간의 축소와 회복

1980년대 이후 한 세대를 휩쓴 이른바 '신자유주의'는 전 세계적으로 거의 모든 나라에서 공공성의 사회적 공간을 위축시켜 왔다. 신자유주의는 공공성의 잠식을 핵심 정체성으로 하며, 공공재로 간주되어 왔던 것들을 사적 이윤 추구의 수단이 되도록 했다. 많은 보편적 공적 기제들을 특수한 이해 추구의 대상, 즉 판매와 거래, 돈벌이의 대상으로 만들면서 공공성을 잠식해 갔다. 정부들은 이른바 '시간벌기buying time'를 통해, 국가부채를 활성화해 위기를 뒤로 미루어 왔다.[4] 환경을 그 자체로 보호하기보다 관광이나 레저산업의 대상으로 만들어 이윤을 추구하는 사적 자본의 이해에 복무하도록 했다.

일자리에서도 노동에 동반되고 부여되어야 할 다양한 사회적 가치들

---

4 볼프강 슈트렉, 《시간벌기: 민주적 자본주의의 유예된 위기Gekaufte Zeit: Die Vertagte Krise des Demokratischen Kapitalismus》, 김희상 옮김, 돌베개, 2015.

을 탈각시켜 자본으로 하여금 비용 절감을 도모하게 했다. 일에 부가되는 다양한 사회적 위험들을 사용자나 사회가 아니라 노동하는 개인들이 감당케 했다. '쓰고 버리는' 휘발성 높은 계약관계 하에서, 과거라면 부당한 월권으로 생각될 사용자들의 행태가 만연하게 되었으나, 노동자들은 그에 맞서 효과적으로 저항할 수 없었다. 사용자가 뒤에 숨어서 아예 보이지도 않아 항의조차 못하는 일자리들(특수고용)도 점점 늘어났다.

이렇게 일자리 질서는 자연스럽게 민주주의와 공공성의 약화로 귀결되었고, 사회적 가치를 상실한 일자리들이 다수 만들어져 노동시장을 채웠다. 한 사회의 질, 한 나라 국민의 존엄이 그 나라 국민들이 일자리에서 누리는 사회적 가치의 정도에 따라 달라진다면, 한국 사회는 겉으로는 경제성장을 지속했지만 정작 일하는 국민들 다수의 존엄은 약화되어 갔다. 노동존중 사회가 국정과제로까지 부상한 현재의 상황은 그만큼 우리 사회의 노동이 신자유주의 질서 하에서 제대로 존중받지 못했음을 반증한다.

2008년 글로벌 금융위기를 계기로 2010년대에 접어들어 세계적으로 신자유주의의 폐해에 대한 성찰이 대두했고, 사회 곳곳에 사회적 가치를 탈각시키며 시장의 논리만을 강조한 것의 부작용이 눈에 띄게 부각되었다. 이후 10여 년의 시간 동안 신자유주의의 위세는 점차 약화되어 갔다. 대신 탈신자유주의 시대를 향한 새로운 여정을 모색하면서, 사회 구성의 수단이자 목표로서 '사회적 가치'를 강조하는 담론들이 부상했다.[5] 사회적 가치를 이루는 요소들은 다양할 수 있으나 그중에서도

---

5 사회적 가치에 대한 강조와 불평등 극복의 필요성 역설은 근래에 여러 국제기구들의 정책 방향에 주로 담긴 대표적인 공통 화두라 할 수 있다. 국내 사회학계에서 사회적 가치

민주주의와 공공성은 가장 핵심이다.

다만 한국의 정치지형 하에서는 그러한 이탈이 그렇게 근본적이지도 철저하지도 못했다. 뒤늦게 문재인정부 들어 소득주도 성장의 일환으로 최저임금 인상, 공공부문 비정규직 대폭 축소 등 일자리의 질을 증진시키려는 노력들이 강화되었다. 그것들은 한편에서 반대 논란, 형평성 논란, 비용 부담의 편파성 논란을 불러일으키기도 했으나, 다른 한편에서는 사회 전반적으로 꽤 높게 수용되고 지지를 받아 왔다. 그 과정의 정교함이 미흡했고 일정한 속도 조절이 필요했다고 해도, 전체적으로 그러한 방향성으로의 개혁 자체는 폭넓게 공감되었다. 이러한 정책기조는 일정하게 신자유주의로부터의 이탈을 의미했다.

코로나 위기로 인한 '공공성의 사회적 공간'의 확장

신자유주의와 더 멀리 거리두기

이른바 코로나 위기는 '코로나19바이러스Covid19'의 전 세계적 확산으로 인해 초래된 방역, 경제, 고용 및 사회통합의 위기를 말한다. 여기에는 일반적인 경제위기, 금융위기와 차원이 다른 물리적인 방역위기가 동반되었고, 바이러스 백신이 개발되지 않은 상황에서 초래된 감염 불확실성의 확대는 정상적인 시장의 작동을 급작스럽게 제약했다. 방역위기로 인한 사람 이동의 제한은 곧바로 상품 이동의 제한으로 이어

와 관련한 의미 있는 연구 결과는 박명규 · 이재열 외(2018) 참조.

졌고, 이는 거래장벽과 생산 중단을 초래했다.[6] 사실 코로나 위기는 '세계화의 역설'에 의해 촉진된 면이 있다. 지난 반세기 동안 탈국경화된 시장의 확대는 상품뿐 아니라 사람의 이동과 사람 간 접촉을 폭발적으로 확대시켰다. 코로나바이러스는 바로 그렇게 확장되어 온 세계화의 소통과 교류의 인프라를 따라 금세 세계 전역으로 퍼지게 되었다.

이러한 가운데 국가들이 국경을 폐쇄하는 등 새삼 자국민 보호를 위한 주권 행사에 몰두하면서 자연스럽게 '국가의 시대'로의 회귀 경향이 도드라지고 있다. 이러한 흐름은 당분간 계속될 것으로 보일 뿐 아니라, 미국과 중국을 필두로 경제의 영역을 포함한 패권주의적 경향을 부추기기까지 한다. 이러한 가운데 그간 신자유주의 하에서 확산되어 온 시장중심주의는 큰 타격을 입고 있다. 글로벌한 방역위기는 시장 작동의 위기를 초래하고, 위기 대응 수단으로서 시장이 갖는 위력을 격감시킨다. 종래의 경제 및 사회활동 영역들은 공공성의 사회적 공간이 심하게 축소되고 홀대되어 온 양상을 고스란히 드러내고 있다. 여러 취약 일자리들이 고스란히 방역위기에 더 심하게 노출되어 있음이 여러 기회를 통해 확인되고 있는 것이 대표적인 예다.

그간 신자유주의 자본주의 체제는 물리적 공간을 효율적으로 구획하여 노동과 소비를 행하는 대중들을 그 안에 동원하여 이윤 획득에 효과적으로 활용하는 쪽으로 작동해 왔다. 학교, 군대, 병원, 양로원, 감

---

6 시장이 규제regulation보다 더 꺼려하는 것은 불확실성uncertainty이다. 규제가 있는 것은 오히려 확실성을 의미하기 때문에 껄끄러워도 그나마 수용 가능하지만, 불확실성이 큰 상황에서 자본의 운동은 심대히 위축될 수 밖에 없다. 자본은 끊임없이 규제를 약화시키면서도 불확실성을 없애기 위해 노력해 왔다. 규제 자체를 없앴다기보다 '약화된 표준화'를 추구해 왔다고 할 수 있다. 무규제 나아가 무규범 상태는 그 자체로도 시장이 수용하기 힘들다. 또 다른 불확실성의 극대화를 초래하기 때문이다.

옥, 공장 등 사회학자 미셸 푸코Michel Foucault가 근대성의 실패상으로 규정한 통제권력의 효과적 작동을 위해 고안된 기관들은[7] 코로나바이러스가 초래하는 감염병에 치명적 약점을 드러냈다. 예컨대 콜센터의 감염 사례는 '다닥다닥' 붙어서 대화 활동을 통해 업무를 보는 영역이 위험에 얼마나 취약한지 상기시켜 준다. 특정 공간 내에서 대중적 소비가 일어나는 영역에서의 감염 위험은 매우 큰 상태이다. 그러한 가운데 사람과 사람 간의 '사회적 거리두기social distancing'를 활성화하는 것은 자본화된 공간의 축소, 영리 추구 영역으로 정의된 물리적 공간의 축소를 의미한다. 사회적 거리두기 안에는 신자유주의로부터 더 멀리 거리를 두는 의미가 함께 담겨 있는 셈이다.

'공공성의 사회적 공간'의 확장

사회적 거리두기를 통해 형성된 물리적 공간의 성격 변모는 공공성의 사회적 공간이 확장될 여지를 키우기도 한다. 한 사회 내에서 물리적 공간 자체가 주는 쾌적함은 하나의 공공재이며, 돈벌이가 아닌 공유공간의 확장을 의미한다. 예컨대 지하철 환경 측면에서 사회적 거리두기는 지옥철을 사라지게 만들었다. 코로나 위기 이후—적어도 백신이 보급되기 전까지는—노동과 소비가 이루어지는 장으로서 물리적 공간은 감염 취약성을 반영하여 새롭게 규정되어야 한다. 더 근본적으로 '현대 자본주의의 생태적 기반ecological foundations'의 재설계를 지향하는 새로운 공간 및 거리 개념에 기반한 규범의 태동을 예견케 한다. 이

---

7 미셸 푸코, 《감시와 처벌: 감옥의 역사Surveiller et punir》, 오생근 옮김, 나남, 2016.

러한 규범의 작동은 기존의 '자본화된 공간capitalized space'을 기반으로 한 비즈니스 모델의 재설계를 요구한다.

나아가 자원 동원과 배분에 있어서 비시장적 기제들(국가의 개입, 사회적 헌신 등)의 활성화를 통해 시장에 대한 의존성을 낮추어 사회를 운영해 가야 한다는 공감대가 커지고, 위기에 대한 효과적인 대응 기제로 국가와 사회의 역할이 더 강조된다. 노무현정권 하에서 만들어진 질병관리본부는 신속하게 방역위기에 대응하는 해드쿼터headquarter 역할을 성공적으로 수행하여 청으로 승격되었다. 이는 전문가의 사회적 학습과 정부의 신속한 결단 그리고 시민들의 지원과 협조가 어우러져 이뤄낸 성공으로, 그 안에는 수많은 이들의 헌신이 담겨 있다.

다소 과장해서 말한다면, 지금은 마치 '시장의 시간'에서 '국가의 시간'으로의 이행이 이루어지고 있는 듯하다. 예컨대, '마스크 대란'과 같은 사건은 시장이 마스크라는 공공재를 분배하는 수단으로서 위기의 상황에서 얼마나 무기력한지 증명해 준다. 위기 발생 초 한국은 마스크의 의미를 빠르게 인지하고 그 필요성을 강조하였다. 폭증한 보편적 수요에 신속하게 대응함에 있어 수요가 무한대로 증가한 상황에서 공급이 제대로 따라갈 수 없었다. 사재기가 횡행하고 마스크 부족 사태도 발생했다. 결국 국가가 개입하여 사실상의 '마스크 배급제'를 실시했고, 이에 대해 "사회주의냐?"는 비판이 불거지기도 했다. 이는 위기 대응 수단으로서 시장이 작동하기 어려우며, 시장을 통한 자유로운 거래가—그냥 두었을 때—공공성의 가치를 파괴하는 방식으로 작동하기까지 한다는 것을 여실히 보여 주었다.

이와 관련하여, 미국과 한국의 공공의료 체계의 차이나 마스크 공급 방식의 차이는 매우 인상적인 대조를 이룬다. 한국에서 마스크의 배급제적 공급 방식이 작동했던 기저에는 국민건강보험과 그것의 전산화된 인프라가 손쉽게 활용된 측면이 있다. 코로나19 검진 및 치료에 천문학적 비용을 치른 미국에 비해 한국은 그러한 늪에 빠지지 않을 수 있었다. 건강보험은 질병 치료 시장에 공공성의 사회적 공간을 꽤 성공적으로 담지시킨 시스템이라고 할 수 있다. 한국에서 지키고 가꿔 온 이윤 제약적 시스템이 위기 상황에서 효자 노릇을 한 것이다.

지자체가 불을 댕기고 중앙정부가 합세한 긴급재난지원금 지급, 기본소득 논쟁의 부상도 의미심장하다. 자본화된 물리적·사회적 공간의 축소로 자영업이 심하게 위축되자 세계적으로 자영업에 대한 정부의 전폭적 지원—이른바 '헬리콥터 머니helicopter money' 살포—이 과감히 이루어졌다. 한국도 경기도와 서울시 등에서 긴급재난지원금 지급 포문을 열었고, 급기야 중앙정부 차원에서 전 국민을 대상으로 이를 확대하였다. 긴급재난지원금은 단기적이고 제한적이지만 일종의 기본소득적 성격을 지녔다. 그것은 복지정책의 성격을 지녔지만 지역화폐와 결합되어 지역경제 부양, 즉 경제정책으로서의 의미를 함께 지녔다. 최근 전국민고용보험이냐 기본소득이냐를 놓고 사회적 논쟁이 커지고 있는 바, 이러한 상황은 좀 더 타당한 공공성을 놓고 건강한 담론 경쟁이 벌어지고 있는 형국이다. 이는 금번 위기의 도래가 아니었으면 나타나기 어려웠을 구도이다. 초기엔 대중들도 어색하게 여기고 기재부 등 재정을 담당한 정부기관도 우려했으나, 결국 경제사회정책의 주요 영역에서—시장을 살리기 위해서라도—비시장적 기제를 전면 도입하는 것이 불가피했다.

노동시장에서 '공공성의 사회적 공간'의 확장
: '위기 대응'을 넘어 '시스템 이행'으로

작금의 위기는 노동시장을 이루는 일자리들에 공공성의 사회적 공간을 확장케 한다. 그 의미는 그간 사회적 가치를 탈각당한 일자리들에서 노동하는 이들에게 물리적·사회적 위험을 감내하게 만들었던 것을 지양하고, 거기에 물리적·사회적 안전성을 증진시키는 방안들을 불어넣는 정책을 심화, 확대하는 것이다. 여기에 더 나아가 다양한 일자리들에 민주주의의 증진을 도모하는 것까지 생각해 볼 수 있다. 위기 앞에서 일자리들은 크게 네 가지 유형으로 나뉜다. ① 계속 유지되는 일자리, ② 소멸 위기에 처한 일자리, ③ 막 상실된 일자리, ④ 새롭게 창출되는 일자리 등이다. 네 유형의 일자리별로 다르면서도 또 새로운 정책수단을 도입해야 한다. 특히 그 안에 공공성의 사회적 가치 진작이라는 새로운 규범적 기초를 담아내는 것이 중요하고 또 효과적이다.

우선 계속 유지되는 일자리에는 일하는 방식의 변화(재택근무 등)가 일정하게 불가피하며, 당장 소멸 위기에 처한 일자리들은 최대한 지켜내려는 노력(고용유지지원금 등)이 필요하다. 막 상실된 일자리들은 해당 종사자들을 보호하는 방안과 함께 그들이 신규 일자리로 원활히 이전해 가도록 적절한 지원책을 마련해야 한다(고용센터의 원활한 가동 등). 끝으로 새로 만들어지는 일자리들은 자칫 일자리 창출 자체를 목적으로 하면서 공공성의 사회적 가치를 뒷전에 두지 않도록 새로운 규범을 정립해 주어야 한다(디지털 뉴딜, 휴먼 뉴딜, 그린 뉴딜 등). 그리고 이 모든 정책 영역에서 단기적인 '코로나 시대 대응책under corona responses'과 중장기적인 '포스트코로나 시대 설계 사안post corona designing'

이 구분되어 함께 추진될 필요가 있다.

이를 통해 현재 우리의 일터와 일의 조건이 포스트코로나 시대에 어떠한 모습을 가져야 할 것인지, 그 과정과 결과 모두를 포함한 총체적 시각을 취해야 한다. 전반적으로 그러한 정책적 수단들 모두에 '이윤 만능성'으로부터의 일정한 탈피, 즉 일자리에 공공성의 옷을 다시 입히거나 두텁게 하는 쪽으로의 이동이 공히 요구된다. 이러한 시각에서 요구되는 정책 영역과 주요 수단을 〈표 1〉과 같이 정리할 수 있다. 현재

표 1 코로나 위기에 대한 대응 및 포스트 코로나 사회로의 이행을 위한 일자리 정책

대상 일자리	정책목표	정책영역, 정책행위자	코로나 위기 시기 대응 의제	코로나 위기 이후 사회 설계 의제
계속 유지되는 일자리	일하는 방식의 변화	인사관리 근로조건 관련 제도	▪ 비대면, 재택근무 등 가능 방안, 부작용 완화 방안 ▪ 재직자 훈련 및 교육 강화 (단축/휴업/휴직 활용)	▪ 노동뉴딜 = 일자리에 공공가치 강화 ▪ 공간과 시간의 유연성 증진 + 산업안전강화 ▪ 디지털 중심 일자리들의 표준 규범 정립
상실 위기에 처한 일자리	일자리 지키기	노사관계 정부정책 지방정부 역할	▪ 고용유지지원금 ▪ 근로시간 단축+고용 유지 ▪ 고용유지협약 ▪ 지자체별 지원금(자영업 일자리 지원, 예: '해고 없는 전주')	▪ 독일의 조업단축제도 등을 염두에 둔 제도적 기제 강화
막 상실된 일자리	실직자 보호 및 재취업 지원	고용정책 (중앙정부) 노사관계	▪ 고용안전망 강화(특고, 비정규직 생계비 지급) ▪ 취약층 사회보험료 지원 ▪ 각종 사회적 연대기금 활용 취약층 지원(여성, 비정규직 등)	▪ 전국민고용보험제 ▪ 기본소득제 ▪ 조세기반 고용안전망 시스템 ▪ 한국형실업부조(국민취업지원 제도)
새로 만들어진 일자리	지속가능성 확보 + 새로운 규범 부여	산업정책 (중앙정부) +기업들)	▪ 이른바 '한국형 뉴딜'(디지털 인프라/비대면 산업 육성/ SOC 디지털화) ▪ 신청년고용 ▪ 정부 직접일자리사업 ▪ 대기업 간 및 대중소기업 간 전략적 파트너십 활성화	▪ 구조조정 매개 산업구조 전환 ▪ 그린뉴딜(기후변화 친화적 산업구조 개편) ▪ 산업4.0(디지털화) ▪ 리쇼어링(Return) ▪ 공공 사회서비스 질적 양적 강화

자료: 저자작성

각 유형별로 어떠한 정책 수단이 도입되고 있으며, 그것들이 향후 다양한 일자리에 공공성의 사회적 가치를 함양하려면 어떻게 발전해 가야 하는지 좀 더 구체적으로 논해 보겠다.

계속 유지되는 일자리: 일하는 방식의 변화

산업사회의 유산이 여전히 우리가 일을 대하고 수행하는 방식에 크게 작용하고 있는 가운데, 현재 우리의 일하는 방식은 시공간적으로 일정하게 경직성을 갖는다. 일터에 출근한 우리는 여전히 밀집해서 장시간 일하고 그 속에서 발생하는 위험들을 감내하고 있는 형국이다. 일과 쉼의 간극을 적절히 또 노동자의 자기주도성 하에서 결합시키는 관행은 적어도 한국의 대부분 일터에서는 아직도 매우 미흡하다. 산업안전과 관련해서도 여전히 우리 일터들 가운데 상당수는 '위험 일터'이다.

현재 일하는 방식은 코로나 위기를 맞이하여 큰 도전을 맞고 있다. 대면 기회 자제가 강조되는 상황에서 제조업이든 서비스업이든, 민간부문이든 공공부문이든 밀집과 고객 응대, 적극적인 물리적 상호작용 억제를 요구받는다. 당장 '밀집'을 피할 것을 주문하고 있기 때문에 일터의 공간적 구성 혹은 범위를 새롭게 만들 필요가 생기고 있다. 대표적으로 콜센터 등 '오밀조밀' 붙어서 발화 행위를 하는 일터의 전면적 재구성이 필요하며, 위기의 심각성이 높아질 경우 아예 재택근무가 장려되고 있다. 전반적으로 이러한 흐름은 근무 방식의 '시공간적 유연성'을 높이는 쪽으로 일하는 방식의 변화를 초래할 것으로 예견된다.

최근 디지털 기술의 발전은 포스트코로나 시대 시공간적 유연성을 높이는 쪽으로 일하는 방식이 변모하는 데 있어 기술적 실현 가능성을 높이고 있다. 하지만 아무런 준비 없이 맞이하는 '업무 공간의 유연화'

는 많은 스트레스와 문제 그리고 위기를 동반한다. 재택근무의 경우 자칫 노동시장이 가정의 영역을 합법적으로 침범하는 결과를 초래할 수 있기에, 이에 대한 새로운 규범이 반드시 요구된다. 이미 준비 없이 돌입한 재택근무가 무규범적이고 무책임한 문제점을 여과 없이 양산한다는 우려가 제기되고 있다.

일하는 방식의 변화는 일단 일자리 상실의 위기가 그렇게 크지 않은 일자리들에서 취할 수 있는 대응이라고 볼 수 있으나, 이는 자칫 일자리의 질 저하와 소멸로 이어질 가능성이 있다. 따라서 일하는 방식의 변화를 도모할 때, 그에 드는 비용과 위험을 개인에게 전가시키는 것이 아니라, 노사 대표가 주도하여 사회적 합의를 통해 방안을 정립해 가는 것이 필요하다. 과정의 민주주의를 통해 생산성 증진이 안전성 훼손으로 이어지지 않도록 하는 것도 중요하다.

공간만이 아니라 시간의 유연화도 요구된다. 특히 근로시간 단축, 휴직, 휴업 등이 발생할 시에 그 시간을 단지 무노동 무임금 방식으로 방치하는 것이 아니라, 좀 더 공공적이고 상생적으로 활용해 나가는 방안이 필요하다. 그 시간에 재직자들이 숙련을 증진하고 필요한 교육훈련을 받을 수 있도록 하는 것이다. 특히 디지털화 등 급속한 기술 발전은 노동자들에게 계속학습·평생학습의 필요성을 높이는바, 쉼의 시간을 방치하지 않고 숙련의 증진과 확장을 위해 적극 활용하는 것은 노동자 개인이나 사측은 물론 사회 전체적으로도 유용한 의미를 지닐 수 있다.

위기 앞에서 고안하는 대응책들은 포스트코로나 시대로 인도하는 중장기적 전망 하에서 제도 개혁까지 염두에 두고 모색될 필요가 있다. 전반적으로 일자리에 안전망과 민주주의의 사회적 가치를 좀 더 강하게 부여하는 식으로 일하는 방식의 변화를 도모해야 한다. 이 주제는 대체로 정부가 제도적인 기반을 마련해 가면서, 기업에서 노사가 적극적으로 변화를 도모하고 합의해 나가는 식으로 구현될 것이다. 큰 틀에서 일자리의 미래지향적 양질화로 귀결될 수 있는 사회적 합의가 필요하다. 필요할 경우, 코로나 위기로 활성화되는 디지털 전환 과정에 사회협약을 통한 개입과 규범 설정도 의미가 있을 것이다.

소멸의 위기 앞에 있는 일자리: 일자리 지키기

현재와 같은 위기의 시간에 효과적으로 대응하기 위해 가장 절실하고 시급한 것은 자칫 소멸할 수도 있는 일자리들을 지키는 것이다. 위기로 인하여 증폭된 시장의 불확실성과 작동 제한은 생산 및 투자 유인의 상실로 이어진다. 즉, 기존의 자본화된 공간이 축소되는 것이다. 이는 자연스럽게 노동력 판매 기회의 축소(고용위기)를 초래한다. 이때 자본으로 하여금 노동과의 결별을 결정 내리기 전 최대한 관계를 유지하면서 '쏟아지는 폭우를 피하도록' 할 방도를 마련하게 할 필요가 있다. 일자리 유지 그 자체가 사회적 가치를 지니기 때문이다.

위기 시에 다른 가치들(대표적으로 임금 등)을 일부 희생하더라도 '일자리 지키기'라는 목표를 달성할 수 있다면, 그 의미와 가치는 특별히 크다. 근로시간 변화, 임금 인상 자제, 정부의 지원, 노사합의 등 다양한 수단을 동원해 사측이 일자리 유지에 들이는 비용을 일시적으로 낮추어, 일자리의 소멸 자체를 억제하는 것은 보편적인 위기 대응책이다. 독일의 조업단축지원제도Kurzarbeitgeld와 같은 수단이 대표적이다. 이 제도는 코로나 위기를 맞이하여 독일에서 재차 진가를 발휘하고 있고, 다른 유럽 국가들로도 확산되고 있다.

이와 관련하여 특히 정부의 지원과 기업 내 노사의 대응력이 중요하다. 한국은 현재 일정한 조건을 갖춘 기업들을 대상으로 고용을 유지하도록 '고용유지지원금'을 제공하고 있으며, 위기가 지속되면서 이를 더 확대·강화해 가고 있다. 나아가 일자리 지키기와 관련하여 일부 지자체들의 다양한 역할이 활성화되고 있다. 예컨대 전주시에서 '해고 없는 전주'를 선언하면서 이러한 방안을 마련하는 데 적극적인 역할을 수행하려고 나서는 모습은 인상적이다. 이러한 노력들이 모두 노사정 파트너십의 활성화를 촉진한다.

그러나 이러한 수단들은 대체로 정규직 고용, 즉 제도적으로 해고의 위협에서 안전성을 확보하고 있는 일자리들에 주로 적용된다. 비정규직이나 특수고용 등 취약한 일자리들은 근본적으로 고용안정의 기제가 탈각되어 있으며, 그에 대한 정부의 단기적 지원은—의미가 없지 않지만—근본적으로 한계가 있다. 실제로 공식 통계상의 고용 동향에서 이러한 양극화된 일자리 질서가 초래하는 '비극의 양극화'가 적나라하게 드러난 바 있다. 결국 실직자들을 보호하고 그들의 재취업을 지원하는 조치를 대폭 강화하는 것이 불가피하다.

막 상실된 일자리: 실직자 보호와 재취업 지원

일자리 상실자(실직자)에 대한 보호와 지원책은 일자리 지키기에 실패한 경우, 혹은 일자리 지키기를 위한 노력을 전개하기 어려워 결국 사업 자체가 사라지며 일자리가 상실된 경우에 대한 대응책이다. 현행 고용보험제도 하에서 실직 근로자는 실업급여를 받을 수 있다. 이는 노와 사가 일정액의 고용보험분담금(현행 고용보험요율: 노사 각각 0.8퍼센트×2=1.6퍼센트)을 매월 납입하여 고용보험기금을 형성하고, 노동자가 비자발적 실업에 처했을 경우 일정 기간 동안(90~240일) 퇴직 전 평균

임금의 50퍼센트(최고 1일 4만 원)에 해당하는 급여의 수급 기회를 제공하여 그 사이 적극적으로 구직 행위를 하면서 새로운 일자리를 얻을 기회를 부여하는 제도다.

대체로 일시적 단기실업자를 구제하기 위한 수단으로 활용되는 이 제도는 한국의 대표적인 고용안전망 기제이다. 문제는 이 수단마저 소진해 버린 이에게 다음 대책이 없다는 것이다. 세계적으로는 그러한 위치에 처한 이에게 실업부조를 지급하는 나라들이 많지만, 한국에는 아직 존재하지 않으며 이제 막 '국민취업지원제도'라는 이름으로 그 도입이 모색되고 있는 중이다.

현재 위기의 한가운데에서 가장 인상적인 정책 담론상의 변화는 전반적으로 일자리 안전망의 강화 시도가 획기적으로 모색되고 있는 점이다. 전국민고용보험이라는 화두가 부상하고 있고, 이미 정부가 그 초석을 닦기 위한 시도에 돌입하고 있다. 위기 이전이었다면 취하기 힘들었을 특수고용, 비정규직 일자리들까지 안전망에 포함시키려는 시도를 명시적으로 전개하고 있다. 늘 비용 논리에 익숙한 자본의 반발도 평소에 비해 그다지 두드러지지 않는다. 소득을 중심으로 임금소득자와 영세 자영업자들까지 포괄하는 새로운 사회보장시스템의 구현도 모색되고 있다. 나아가 조건 없는 기본소득 지급 이슈가 정치권을 중심으로 크게 부상해 있다. 모두 일자리 안전망의 쇄신을 통한 불평등 양산 시스템의 개혁으로 나아가고 있는 형국이다. 향후 기본소득과 전국민고용보험 등의 기제들이 어떻게 제도화될지 귀추가 주목되는 가운데, 이들 모두—당장은 '전환의 고통'을 수반하더라도—공공성의 사회적 공간을 확장시키는 기제의 일환임에 틀림없다.

새롭게 만들어진 일자리: 지속가능성 확보와 적절한 규범의 보장

목적의식을 갖고 일자리를 창출하려는 노력은 놓치지 말아야 할 또 다른 위기 대응 수단이다. 위기 시 새로운 일자리 창출은 두 가지 유형으로 나뉜다. 하나는 노동시장 이탈자들을 흡수하기 위한 공공부문 위주의 단기 일자리들이며, 다른 하나는 정부가 주도하는 새로운 산업정책 활성화를 통해 형성되는 일자리들이다. 특히 후자는 위기를 극복함과 동시에 산업구조의 변동을 이끌어 가는 의미도 함께 갖는다.

위기 하에서는 단기적으로 공공근로 등의 활성화를 통해 일자리 상실자들에게 취업 기회를 부여해 주는 등 1930년대 미국 대공황기에 활성화된 '뉴딜'적인 접근 방식이 선호된다. 급속한 불확실성 확대와 투자 위축 상황에서 자본은 스스로 타당한 투자처를 향해 움직이지 못하는 가운데, 정부가 나서서 '뉴딜'과 같은 형태의 새로운 투자 활로를 만들어 내는 노력이 요구된다. 한국 정부가 추진하는 이른바 '디지털 뉴딜' 등의 수단이 이러한 방식의 일환이다. 단지 공공근로뿐 아니라 디지털 전환이나 그린 산업 전환 등의 전략도 이러한 조치와 연계될 수 있다.

특히 민간에 새로운 일자리를 창출하기 위해서는 불가피하게 자본의 이동, 즉 투자 조건의 적극적 조성이 필요한바, 이는 규제 완화deregulation를 필요로 할 수 있다. 새로운 투자와 새로운 일자리 창출에 새로운 사회적 규범이 요구되는 것은 바로 이러한 이유에서이다. 예컨대 최근 관광산업 활성화를 위해 업계는 정부에게 다양한 요구 사항을 제시했고 정부도 그것들을 수용할 태세이다. 이때 우려되는 것은 그 안에 그간 지켜 온 자연보호 기제들을 약화시켜 사회적 가치를 파괴할 수도 있다는 점이다. 또한 디지털화의 활성화는 IT 부문으로의 새로운 투자를 증진시키는바, 이 역시 해당 부문 일자리 질서 일각에 포진해 있는 문제점들(장시간 노동, 갑질, 취약성 등)을 재생산시킬 우려를 자아낸다.

결국 새로운 투자에 대한 사회적 가이드라인, 그리고 그로 인해 만들어질 새로운 일자리에 대해 새로운 규범과 조건 형성의 합의가 요구된다. 위기 시 새로 형성된 일자리들의 지속가능성을 보장하기 위해서는 일정하게 탈규제화에 방점을 둘 수 밖에 없기 때문에, 그러한 필요와 새로운 규범을 정립하는 과제가 서로 충돌적으로 사고될 수 있다. 특히 한국형 뉴딜이라는 이름으로 위기의 계곡을 건너기 위해 새롭게 만들어 내는 일자리들의 경우, 해당 사업의 시장성 증진을 통해 그것의 지속가능성을 보장해 주는 것과 함께 그 안에 이러한 기본적인 규범들이 자리 잡도록 해야 '뉴딜'의 의미가 제대로 살아날 수 있다.

요컨대, 현재 한국형 뉴딜을 통해 디지털 관련 분야의 급성장이 예상되고 그 영역에서 일자리 창출이 기대되나, 문제는 새로운 일자리에 대한 새로운 규범이 제대로 형성이 되어 있지 않다는 것이다. '묻지마 일자리 창출'이 되어서는 안 될 것이다. '한국형 뉴딜'에 노동과 사회적 대화, 나아가 민주주의가 결부되어야 하는 이유이다. 또한 공공부문에 급하게 만들어 낸 직접일자리들의 경우 취약성이 높을 가능성이 크기에 별도의 보호 기제가 요구되며, 동시에 위기 이후 해당 일자리의 지속성 문제를 놓고 벌어질 갈등도 염두에 두어야 한다.

한편, 앞서 세 가지 수단들의 활성화 자체도 일정하게 일자리 창출 효과와 관련이 있다. 예컨대, 처음에 언급한 '일하는 방식의 변화'와 같은 수단의 측면에서, 근로시간 단축을 통한 일자리 나누기 방식을 생각할 수 있다. 현 정부가 주도하고 있는 '상생형 지역 일자리 창출 방안'도 일자리의 구성 요소를 변화시켜 투자를 유인해 일자리를 창출하려는 시도의 일환이므로, 이 역시 위기 대응의 맥락과 연계하여 좀 더 적극적으로 사고할 수 있다. 일자리 상실자 지원을 위해 공공자원 투여를 확대하는 경우에도 해당 행정업무를 담당할 공공부문의 일자리 창출 효과를 동반하며, 고용유지지원금의 원활한 집행을 위해서도 해당 업무를 담당할 공공부문 내 일자리 증가가 요구된다. 다만, 그렇게 고용으로 흡수된 이들을 위기 이후 어떻게 배치해야 할지에 대해서는 고민이 필요할 것이다.

뉴-노멀라이제이션: '공공성 확장 정치연합'과 사회적 대화

코로나 위기를 경험하면서 우리는 비시장 기제들의 활성화를 통한 공공성의 사회적 공간 확장을 자연스럽게 경험하고 있다. 향후 이러한 노력들을 시스템화해야 하며, 이를 통해 궁극적으로 양극화 해소와 사회 전반에서 사회적 가치 복원을 이루어야 할 것이다. 공공성은 시장, 즉 돈의 소유 여부에 따라 거래되는 상품들을 중심으로 재화가 배분되는 것을 지양한다. 이는 돈이 없어도, 혹은 적어도 누구에게나 공급되고 접근 가능한universal accessibility 공공재들에 기반하여 사회생활을 도모하는 기제를 강화함을 의미한다. 시장의 이윤 창출과 효율성 극대화에 몰입하여 '촘촘한 시간'과 '촘촘한 공간'을 고수하는 태도는 더 이상 적절하지 못하다. 대신에 그들은 '적정한 쫌'과 '적정한 거리'로 새롭게 재구성되어야 한다.

코로나 이후 도래한 새로운 일상을 '뉴노멀new-normal'이라고 칭한다. '뉴노멀'은 고정적이고 결정론적으로 형성되지 않는다. 오히려 지금은 뉴노멀을 향한 새로운 행위 공간이 열린 상태라고 할 수 있다. 자연스럽게 '뉴노멀' 질서를 향한 헤게모니전이 전개될 것인바, 이를 '뉴-노멀라이제이션new-normalization'이라고 칭하는 게 타당하다. 그러한 전환은 계속해서 '공공성 중심성'과 '이윤 중심성'의 대결 구도 하에 펼쳐질 것으로 예견된다. 그 과정에서 분명 '공공성의 사회적 공간'의 변동이 이루어질 것이며, 한편에서는 확장의 기회를 제공하고 다른 한편에서는 축소의 여지를 만들기도 할 것이다.

코로나 위기를 겪으면서 한편에서는 시장이 위축되고, 다른 한편에서는 새로운 시장이 만들어질 것이다. 이러한 가운데 그간 신자유주의의 지배 하에 등한시되었던 사회적 연대, 비시장적 관계망의 강화가 필요하다. 이윤을 중심에 두고 사고했던 것들을 가급적 재고하며, 최대한 시장을 활성화시키되 그것이 사회적 가치 실현에 복무하도록 만들어야 한다. 즉, 시장에 공공성의 확장된 사회적 공간을 채워 나가는 프로그램과 정책을 작동시켜야 한다. 이윤 논리에 식민화된 시장과 그 과정에서 약화된 사회적 가치의 담지자들을 공공성의 주체로 세우면서, 새로운 사회적 관계 형성을 도모해야 한다.

확대된 공공성의 사회적 공간을 누가 주도해서 채울 것인가도 관건이다. 공공성의 확장은 자연스럽게 시장에 대한 국가 개입의 정치적 기회 구조political opportunity structure의 확대를 동반한다. 그러나 공공성은 국가가 독점할 수 없다. 그것은 오히려 국가주의 내지 관료중심주의 강화의 여지가 있다. 공공적이면서도 탈관료적인 질서 구축이 필요하다. 즉, 공공성의 중요한 가치인 민주주의가 확대·강화되어야 한다. 사회는 공공성의 또 다른 중요한 주체이다.[8] 코로나 위기에서도 깨어 있는 시민들, 까

---

8 여기서 사회란 시민들과 그들의 자유로운 결사체association 내지 공동체community 등을 의미한다.

칠하지만 공공의식이 높은 시민들, 그리고 헌신적인 시민들의 역할이 컸다. 향후 확장된 공공성에 기반한 사회질서 구축 과정에서 새로운 사회통합 전략이 필요하며, 그것에서 일방적 국가주의를 경계해야 할 것이다.

다양한 사회적 주체들이 참여하는 '공공성 확장 정치연합Political Alliance for Publicity Expansion' 형성 및 강화 노력이 필요하다. 공공부문 확대를 넘어 사회 자체의 역량 강화를 통한 사회 전반의 공공성 강화를 도모해야 한다. 노동 진영과 시민사회가 국가를 더 추동하고 부추겨야 하며, 특히 이른바 '사회혁신'(연대와 신뢰의 확장)의 관점에서 이를 추동해야 한다. 깊은 수준의 담론 전략, 그것을 뒷받침할 새로운 싱크탱크의 활성화가 필요하며, 이 모든 것들을 위한 새로운 투자가 이루어져야 한다.

끝으로 이러한 정치연합이 영향력을 발휘하려면 위기 대응을 위한 '사회적 대화'가 활성화되어야 한다. 그를 통해 위기에 대한 사회연대적, 민관협력적, 노사협력적 대응을 논의하고 합의해 가야 한다. 나아가 그것은 단기적 대응을 넘어 포스트코로나 사회로의 이행을 염두에 둔 정책적 논의를 지속하기 위한 기반 형성으로 이어져야 한다. 그 과정에서 앞서 소개한 일자리 유형들 모두에 필요한 방안을 검토하고 각각에 요구되는 새로운 규범을 정립해 나가야 할 것이다. 사회적 가치의 중심에 공공성이 있다면, 그 노른자는 민주주의이다. 시장의 한계를 행위자들 내지 대표자들의 숙의를 통해 극복하면서, 노동시장과 일자리 질서의 체질 개선 노력이 일회성 이벤트가 아니라 계속 이어져 새롭게 시스템화되어야 한다는 전략적 사고가 요구된다.

참고문헌

박명규, 이재열 편,《사회적 가치와 사회혁신: 지속가능한 상생공동체를 위하여》, 한울, 2018.

슈트렉, 볼프강,《시간벌기: 민주적 자본주의의 유예된 위기Gekaufte Zeit: Die Vertagte Krise des Demokratischen Kapitalismus》, 김희상 옮김, 돌베개, 2015.

폴라니, 칼,《거대한 전환: 우리 시대의 정치, 경제적 기원The Great Transformation: The Political and Economic Origins of Our Time》, 홍기빈 옮김, 도서출판 길, 2009.

푸코, 미셸,《감시와 처벌: 감옥의 역사Surveiller et punir》, 오생근 옮김, 나남, 2016.

Parsons, Talcott and Bales, Robert F., "The Dimensions of Action Space," *Working Papers in the Theory of Action*, The Free Press, Chapter3., 1953, pp. 63-109.

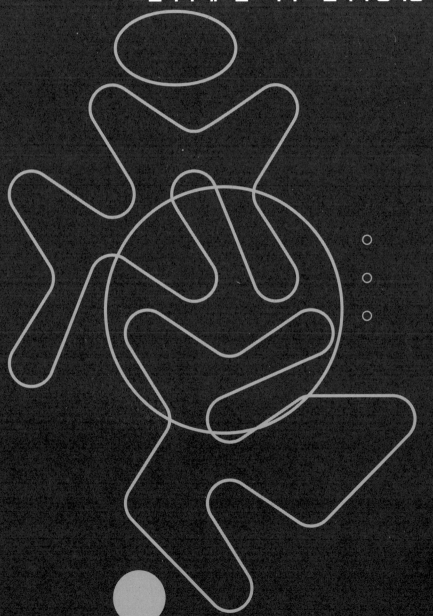

유령과 환영

: 팬데믹과 뉴노멀 시대의 철학

한광택

이 글은 《比較文學》 제82호(2020. 10.)에 게재된 원고를 수정 및 보완하여 재수록한 것이다.

유령과 환영

윌리엄 셰익스피어William Shakespeare의《햄릿Hamlet》을 여는 1막 1장에서 관객들이 보고 듣는 대부분은 유령에 관한 대화이다. 궁정 근위대인 마셀러스와 바나도는 자신들이 선왕의 유령을 목격했다는 사실을 호레이쇼에게 전하지만 호레이쇼는 그들이 본 것은 환상이었을 거라며 무시한다. 학자로 불리는 호레이쇼는 유령의 존재를 "내 두 눈이/직접 보고 진실하게 보증하지 않으면" 믿지 않을 만큼 현명하다. 마셀러스와 바나도가 함께 본 "그것"의 정체는 유령이라는 초자연적 실체의 발현인가? 아니면 단순한 착시 혹은 환각에 불과한가? "그것"이 실재實在하는 유령이라면 중세의 신학적 세계관을 갓 벗어난 인간중심의 존재론의 근간이 흔들릴 수밖에 없고, 그것이 환상이라면 본격적으로 정립되기 시작한 과학적 인식론의 전제와 범주를 수정하지 않을 수 없게 된다. 이처럼 셰익스피어는 근대적 존재론과 인식론이 각각 위기에 처하면서 그 딜레마가 서로 겹치는 묘한 교점에 유령을 출몰시키면서《햄릿》을 시작한다.

이때 주목할 점은 학자 호레이쇼의 관점과 태도이다. 다시 출현한 선왕의 유령을 직접 대면한 그는 자신이 본 그것의 환영적 실체를 의심치 않거나 부정하지 않고 곧바로 받아들이는 듯 보인다.《햄릿》에서 셰익스피어가 호레이쇼를 여러 등장인물들 중 흔치 않게 사려 깊고 일관되게 통찰력 있는 긍정적 인물로 묘사한다는 점을 고려할 때, 셰익스피어는 학식을 지닌 근대인이 유령의 존재를 경험하고 믿는 것에 대한 거부감을 드러내지 않는 듯하다. 하지만 셰익스피어는 "학자" 호레이쇼의 근대성을 훼손하지 않는다. 이는 호레이쇼가 유령에게 "멈춰라, 환영아!"라고 명령하는 장면에서 확인된다. 그가 유령을 군이 "환영"이라고 호명하는 이유는 생전 선왕의 면모를 생생히 기억하는 까닭에 선왕과 닮은 유령을 선왕이라고 믿을 수밖에 없는 상황임에도 유사성likeness은 동일성identity이 아니라는, 즉 유령이 아무리 선왕을 빼닮았을지라도 유령을 실제 선왕이라고 인정하지 않기 때문이다.

흥미로운 점은 "환영"이라는 단어는 유령을 의미할 뿐만 아니라 속이는 행위, 속이는 외관과 정신의 현혹이라는 뜻을 함의하는 반면, 유령과 환상의 어원에는 거짓이나 속임수라는 의미가 없다. 즉, 유령을 군이 환영이라고 부르는 호레이쇼는 환상과 비환상이라는 도식적인 이분법에 의존하지 않고 어느 한쪽에도 귀속되지 않는 환영적 속성을 분별함으로써 인식 주체의 정신이 현혹되어 속을 가능성을 인정한다. 나를 속이는 것은 내가 속을 수 있음을 전제하는 것이다. 요컨대, 셰익스피어가 근대적 학자의 특질로 이해하는 능력은 자신의 과거 기억이 유발하는 혼란에 흔들리지 않고 눈앞에 보고 있는 대상과 과거에 알고 있던 대상 간의 유사성과 동일성을 혼동하지 않으면서도 여전히 자신의 정신이 속을 가능성을 받아들이는 조심스러운 관점과 태도이다.

코로나19의 전 지구적 대유행이 촉발한 이른바 팬데믹pandemic과 뉴 노멀new normal 시대의 의미를 논의하는 글의 서두에 근대의 초입이었던 1601년경에 쓰인 《햄릿》에 등장한 유령을 불러들인 이유는 바로 이 때문이다. 호레이쇼는 근대성이 구축되던 시대에 근대성의 존재론적, 인식론적 딜레마를 정확히 꿰뚫어 보고 극화한 셰익스피어의 통찰을 체화한다. 그는 환영적 실재라는 자기모순적인 현상을 몸소 겪으면서도 근대적 지식인으로서 자신이 과거에 알고 있었고 기억하고 분별하는 바에 스스로 속지 않고 그것과 처음 경험하는 대상 간의 유사성과 동일성의 차이를 변별하려고 의식적으로 노력한다.

이 글에서는 팬데믹과 뉴노멀이라는 전례 없는 충격과 격변으로 점철된 지난 몇 개월의 흐름의 각 마디에서 사태의 국면을 이해하고 설명하는 학자들, 특히 철학자들과 호레이쇼를 비교한다. 2020년의 철학자들이 서로 어긋난 시점과 파편화된 관점에서 인류 공동의 체험이었던 바이러스 감염의 의미의 퍼즐 조각들을 서로 맞추는 과정을 살펴봄으로써, 현실에 맞지 않는 퍼즐 조각들을 쥐고 있는 철학자들을 확인하고자 한다. 근대인에게 유령만큼 당혹스러운 대상이 없었듯이 오늘날의 철학자들에게 그들이 의존했고 특권을 누려 왔던 존재와 세계의 개념적 주조가 무용지물이 되는 경험은 코로나19가 초래한 낯설고 당혹스러운 현상들 중 하나이다. 철학의 무용성은 늘 공격받아 왔지만 철학자의 무능함과 무기력이 갑작스럽게 바이러스가 삶을 옥죈 지난 몇 개월에서처럼 노골적으로 드러난 적은 없었다. 따라서 이 글에서는 코로나19 확산이 불러들인 팬데믹과 뉴노멀이라는 유령을 정면에서 마주보며, 그것을 환상 혹은 환영으로 호명하는 철학적 딜레마의 내부를 들여다봄으로써 그 한계뿐만 아니라 바이러스 시대에 부합하는 새로운 철학의 가능성을 함께 모색해 보겠다.

팬데믹과 뉴노멀

2019년 말 중국 우한 지역에서 발병 사례들이 보도될 때만 하더라도 심각하게 여겨지지 않았던 코로나19는, 2020년 1월부터 전 세계로 급속히 확산하여 불과 반년 만에 지구상의 대부분 국가들을 전염과 사망의 공포에 얼어붙게 만들었다. 2020년 3월 11일, 세계보건기구WHO 사무총장은 코로나19를 팬데믹으로 선포했다. 국지적 유행병이 두 장소 이상에서 동시에 확산될 경우 팬데믹 선포가 이뤄진다는 점에서 한참 때늦은 대응이었다. 제2의 흑사병이라 불릴 만큼 바이러스의 확산 속도와 범위가 가공할 정도였던 2020년 2월에서 5월 사이에 각국 정부는 방역 대책을 서둘러 마련하고 강제 시행에 급급했다. 백신과 치료제가 없는 상황에서 그나마 효과적인 방역조치였던 봉쇄lockdown, 사회적 거리두기social distancing, 그리고 비말차단용 보건마스크 착용이 사회적 의무로 강제되었다.

이미 2020년 5월에 세계보건기구의 한 전문가는 현재 사태가 종식되더라도 팬데믹 이전의 삶으로 되돌아가는 것은 불가능하며, 코로나19가 일시적인 "팬데믹"이 아닌 지속적인 "엔데믹"(지역 토착병)이 될 가능성을 우려했다.[1] 국내외 방역당국과 전염병 전문가들 역시 유사한 견해를 피력했다. 2020년 8월 영국 정부의 자문기관인 비상사태 과학자문그룹SAGE에 속한 저명한 면역학자는 코로나19가 천연두처럼 백신으로 종식될 질병이 아니라 감기처럼 계속 백신을 맞아야 하며 어떤 형태로든 영원히 인류와 함께할 것이라는 암울한 전망을 내놓았다.[2] 이처럼 팬데믹의 의미와 이해가 변했듯이 팬데믹 시대의 고유한 특징으로 요란하게 논의되었던 변화의 양상과 방향도 시간이 지남에 따라 현실에서 그 허위적인 실체를 드러내고 있어 그에 대한 객관적인 판단이 가

---

[1] https://edition.cnn.com/2020/05/14/health/coronavirus-endemic-who-mike-ryan-intl/index.html/ (2020년 9월 10일 최종접속)

[2] https://www.bbc.com/news/uk-53875189/ (2020년 9월 10일 최종접속)

능해졌다.

단적인 사례는 팬데믹 시대의 표어이자 유행어로 통용된 개념인 뉴노멀이다. 뉴노멀은 원래 2007년과 2008년에 닥친 세계 금융위기와 그 여파로 2012년까지 이어진 경제 침체 기간 동안 저성장, 저금리, 저물가, 저소비, 고실업율, 규제 강화 등을 새로운 기준으로 받아들이도록 만든 일련의 상황을 의미했다. 이후 성장이 아닌 지속가능성, 결과 중심이 아닌 과정 중심, 전문화가 아닌 융합, 권위가 아닌 창발emergence, 소유가 아닌 공유를 강조하는 등 긍정적인 미래 전망을 포괄적으로 뜻하게 되었다.[3]

2020년 팬데믹이라는 전례 없는 상황에서 뉴노멀은 사회적 거리두기와 마스크 착용을 매개로 한 낯선 사회관계의 일상화와 그 긍정적 영향과 부정적 영향을 모두 의미했는데, 긍정적인 의미로 쓰일 때에는 주로 비대면과 홈 기반을 특징으로 하는 온라인과 인공지능을 기반으로 한 경제 플랫폼 활성화, 그에 수반하는 여러 사회적·문화적 변화들을 가리켰다. 뉴노멀 개념은 금세 확장되어 포스트코로나 시대의 뉴노멀에 대한 예언적 담론으로 이어졌다. 이때에는 세계화가 아닌 탈세계화의 가속화, 효율성보다는 회복탄력성 추구, 디지털 전환의 촉진, 소득수준과 건강 관심도에 따른 소비 행태의 변화, 신뢰의 중요성 제고가 강조되거나[4] 창의적인 변화의 자발적인 수용이 중시되었다.[5]

---

3 https://www.sedaily.com/NewsVIew/1VN220XFM1/ (2020년 9월 10일 최종접속)

4 https://biz.chosun.com/site/data/html_dir/2020/09/03/2020090303654.html/ (2020년 9월 10일 최종접속)

5 http://www.joongboo.com/news/articleView.html?idxno=363435512/ (2020년 9월 10일 최종접속)

하지만 비대면과 홈 기반 경제 플랫폼은 코로나19 확산 이전에도 이미 활성화되고 있었으며, 4차 산업혁명의 도래를 예증하는 변화의 구체적인 사례로 빈번히 논의된 주제였다. 실제로 포스트코로나 관련 국내외 서적들은 대부분 미래학자들의 선홍빛 전망으로 가득한 4차 산업혁명 관련 저서들의 내용을 팬데믹 상황에 급히 끼워 맞춘 조악한 기획 상품에 불과하다.

뉴노멀이 코로나바이러스 시대를 대변하는 유행어로 유통되고 있다는 사실은 본래 용례와 이후 변용된 의미와 비교했을 때 지독한 아이러니가 아닐 수 없다. 팬데믹을 겪는 각국의 상황은 뉴노멀의 대체적인 전망과는 정반대로 치닫고 있기 때문이다. 초유의 불황에 허덕이는 다수의 경제 주체들은 성장도 지속가능성도 불가능한 처지에서 생존에 매달렸고, 만족과 즐김의 여유와 유연성을 통한 융합의 기회는커녕 각자도생의 기회조차 메말라 갔으며, 시스템의 안정적인 권위에 대한 의존도는 오히려 높아졌고, 공유경제는 만개하기도 전에 시들어 버렸다.[6] 인적·물적 교류가 급감한 상황에서 세계화 또는 탈세계화의 진전은 멈췄으며 인공지능 기반 서비스의 확대나 자율주행차 보급과 같이 체감할 수 있는 디지털 사회로의 전면적 전환이 가속화되지도 않았다.

요란스럽게 예언되었던 4차 산업혁명의 도래가 코로나19로 인해 앞당겨질 것이라는 예측이 난무하지만 현실의 변화는 더디기만 하다. 뉴노멀이라는 유령이 팬데믹 시대를 횡행하는 듯하지만 "물리적/물질적 현실" 속에서 뉴노멀이 약속하는 희망들은 미래라는 이름으로 현재를

---

6 https://www.worldpoliticsreview.com/articles/28893/what-the-coronavirus-pandemic-means-for-the-sharing-economy-business-model/ (2020년 9월 10일 최종접속)

속이고 있는 환영인 것이다. 실제로, 코로나19가 야기한 경제불황에 대응하기 위해 각국 정부는 긴급 추가경정예산을 집행할 수밖에 없었으며, 이는 자연스럽게 미래지향적인 연구 개발과 행정 예산의 축소로 이어질 수밖에 없다. 결국, 팬데믹은 4차 산업혁명과 겹치는 포스트코로나 뉴노멀의 낙관적인 비전을 지체시키거나 불가능하게 만들고 있다.

뉴노멀이라는 표어는 그 허위성 못지않게 은폐성도 심각한 문제이다. 새로운 미래의 도래가 예기치 않게 강제로 일찍 앞당겨짐으로써 미래로의 이동 속도가 빨라졌다고 강조하는 긍정적 뉴노멀 개념은 코로나19로 인해 오히려 기존의 사회적 갈등과 모순이 심화되어 사회의 미래화가 지체되고 있거나 애초부터 불가능하다는 사실을 보여 주는 명백한 현실 조건들을 외면한다. 가령, 팬데믹 시대의 새로운 표준이 된 사회적 거리두기, 재택근무, 가족돌봄, 원격수업 등은 여성들에게 가사·육아·교육의 부담을 전가하였고,[7] 이 과정에서 여성들이 당하는 가정폭력의 위험은 유엔에서도 공식적으로 우려를 표할 정도로 심각한 수준으로 급증하였다.[8] 코로나19가 초래한 파국적인 상황들이 "여성의 노동, 공감 및 돌봄 능력에 기대어 해결되고 있지만, 정작 이들의 피해나 기여를 망각"하는 것도 심각한 문제이다.[9] 전 세계적 확산에 따라 인류의 공동 난제로 인식되었던 코로나19는 현실에서 남성과 여성에게

---

7 권2020. https://hrcessex.wordpress.com/2020/04/07/international-human-rights-news-focus-on-the-impact-of-coronavirus-on-vulnerable-groups/ (2020년 9월 10일 최종접속); https://news.un.org/en/story/2020/04/1061052/ (2020년 9월 10일 최종접속)

8 https://news.un.org/en/story/2020/04/1061052/ (2020년 9월10일 최종접속)

9 김현미, 〈코로나19와 재난의 불평등: 자본과 남성 중심의 해법에 반대한다〉, 권김현영 외, 김은실 엮음, 《코로나시대의 페미니즘》, 휴머니스트, 2020, 73~75쪽.

상이한 피해와 부담을 끼쳤으며, 특히 페미니즘에는 재앙과 다름없다는 비판이 이미 확산 초기부터 터져 나왔다.[10] 그럼에도 이에 대한 진지한 사회적 논의는 찾아보기 어렵다. 뉴노멀의 환영은 팬데믹 시대가 조장하고 방기하는 불평등과 차별에 질식하는 여성들의 현실을 가리고 있는 것이다.

한국의 경우, 특히 교육 분야에서 뉴노멀의 허구성 역시 심각한 문제이다. 팬데믹 시대 새로운 교육으로 표방되는 블렌디드 러닝blended learning은 이미 오래전에 도입된 낡은 개념으로 긍정적 기대효과에도 불구하고 입시교육 중심인 교육현장에서 제대로 활용되는 것은 불가능했다. 하지만 바이러스 확산 사태로 인해 정상적인 등교수업이 불가능해지자 블렌디드 러닝은 비대면 수업 방식으로 급박하게 도입되었고, 마치 미래 교육의 징표인 양 호들갑스럽게 찬양되기 시작했다. 그러나 실제 블렌디드 러닝은 기존의 EBS 온라인 교과목 콘텐츠나 교사가 제작하고 업로드한 수업 영상을 시청하는 원격수업에 머물고 있고, 후자보다 전자의 비중이 압도적으로 높은 까닭에 결국 EBS 인터넷강의 시청에 불과할 뿐이다. 2020년 2학기가 시작되면서 원격수업에서 실시간 쌍방향 온라인수업으로 전환되고는 있지만, 정작 학교 현장은 블렌디드 러닝을 제대로 소화할 시스템조차 갖추지 못한 상황이며 쌍방향 수업에 대한 교사들의 이해도와 역량은 천차만별이다.

무엇보다도, 궁극적으로 대학입시를 중심으로 운영되는 중고등 교육 체계는 전혀 변하지 않았고 가르치는 방식과 기법이 아닌 가르치는

---

10 https://www.theatlantic.com/international/archive/2020/03/feminism-womens-rights-coronavirus-covid19/608302/ (2020년 9월 10일 최종접속)

내용과 교육의 방향과 관련된 유의미한 혁신은 추진되지 못한 채, 학교는 방역과 기존 입시교육 제공에만 급급한 상황이다. 비대면 교육으로 인한 학생들의 인성과 사회성 함양 교육의 부재에 대한 우려는 커지고 있지만 출석과 내신 관리 및 대학입시 준비에 뒷전으로 밀려날 뿐이다. 이런 총체적인 난국 속에서 위기가 기회라며 새로운 교육이 곧 도래할 것처럼 낙관하는 전망은 "물리적/물질적 현실"을 왜곡한 환영일 뿐이다. 대부분의 미래학자들의 낙관 일변도인 비전과 달리 미래학자 최윤식의 전망에 따르면, 코로나19로 인한 비대면 업무와 교육의 경험은 경제적 이익이나 교육적 효과를 목적으로 계획되고 시행된 것이 아니라 "사실상 전염병 위험을 피하기 위해 강제적으로 실시된 것"으로 "국민 입장에서는 '비대면' 경험이 미래 경험 일부를 미리 맛보는 유익, 원격 가상 활동의 수용성 증가라는 유익이 있었지만 일시적 현상이 될 가능성이 높다."[11]

이처럼 뉴노멀과 팬데믹 사이의 간극이 심화되고 있을 뿐만 아니라 팬데믹이 공식 선언된 3월과 달리 몇 달이 지난 뒤 팬데믹에 대한 인류공동체의 인식과 감응은 국가별로 불연속적이고 파편화되고 있다. 2020년 3월의 경험과 기억에서 코로나19는 세계를 절멸의 위기로 몰고 있는 극한 공포의 대상이었지만, 9월의 시점에서 코로나19는 사망률이 이전처럼 폭증하지 않는 난치 바이러스일 뿐이다. 북반구의 겨울이라는 조건이 여러 국가에서 확진자 수 급증의 원인이 되고 있지만 어느 국가에서도 사망자 수가 1차 대유행 때 수준으로 증가하지는 않았

---

11 최윤식,《빅체인지: 코로나19 이후 미래 시나리오》, 김영사, 2020, 209~210쪽.

으며, 동아시아 국가들과 같이 확진자 수를 국가적으로 관리하고 안정적으로 통제하는 사례가 늘었다. 불과 몇 개월 만에 위기와 현실에 관한 인식과 담론이 변하고 있으며 변하지 않을 수 없는 조건에 놓인 것이다.

이제 팬데믹 시대의 "팬"(모두)과 "데믹"(사람) 및 뉴노멀의 "뉴"와 "노멀"을 한데 모아 요란스럽게 개념화하기보다는, 각각의 단어가 제대로 개념화하지 못하는 팬데믹과 뉴노멀의 "물리적/물질적 현실"의 단면과 이면들에 대한 성숙한 논의와 성찰이 필요해졌다. 코로나19로 인해 모든 것이 바뀌리라는 열띤 예언은 어설픈 영매靈媒의 자기현혹에 불과하다. 혼란의 시대에 으레 그러하듯, 우리는 여전히 앞선 통찰을 기대한다. 역사에서 그와 같은 역할은 주로 철학자들의 몫이기에 우리는 동시대 철학자들에게서 팬데믹과 뉴노멀의 요체를 꿰뚫어 보는 통찰을 기대한다.

바이러스와 철학

국내에서는 코로나19 확산 초기에 언론과 대중의 주목을 받은 감염학 전문가와 미래학자들 사이에서 철학자들을 찾아보기 어려웠지만, 서구의 철학자들은 지면과 인터뷰 등을 통해 활발하게 의견을 표명하고 서로 논박을 주고받기도 했다. 본인의 의도와 무관하게 지상 논쟁과 논란의 중심에 놓인 철학자는 이탈리아의 조르조 아감벤Giorgio Agamben이다. 국가적인 긴급 상황이나 무법적인 상태에서만 제한적으로 적용되었던 초법적 "예외상태state of exception"가 현대 민주국가에서 법제화되고 통치 패러다임으로 상례화되는 과정에 대한 연구로 세계적 명성을 얻은 아감벤은 이탈리아에 코로나바이러스가 급속히 확산하고 이탈리아 정부가 강력한 봉쇄조치와 방역지침을 서둘러 시행하는 상황이야말로 예외상태가 노골적으로 구현되고 있는 단적인 사례라고 지적하였다.

그는 2020년 2월 26일자 신문에 게재한 칼럼에서 국가적 위기와 긴급 상황을 국가권력이 연출하는 호들갑으로 치부하면서 "국가권력이 시행하는 예외적 조치의 정당화에 과거에는 테러리즘을 활용했듯이 지금은 코로나바이러스를 활용"한다고 신랄하게 비판했다. 공중보건 수호를 위해 개별 시민의 자유를 초법적으로 규제하려는 일련의 정부 방침들 뒤에 "비상상태를 통상적 통치 패러다임으로 만들려는 국가권력의 욕망"이 은밀하게 작동하며, 그 결과 국민의 자유 제한이 "악순환과 역순환"을 맞고 있다는 것이다.[12] 주지하다시피, 아감벤의 논점은 그가 새롭게 정식화한 미셸 푸코Michel Foucault의 생명정치biopolitics 개념, 즉 18세기 이후 근대국가에서 국민의 신체와 건강을 억압적으로 규율하기 시작한 새로운 통치성 개념과 그가 이론화한 "예외상태" 개념을 혼합하여 구성한 것이다.

반면, 아감벤과 같이 푸코의 생명정치 개념을 부정적으로 전유한 아감벤의 해석으로부터 거리를 두며 원 개념의 모호성과 양가성에 주목했던 로베르토 에스포지토Roberto Esposito는 아감벤의 글이 나오고 이틀 뒤에 게재한 논평에서 아감벤의 철학적 관점이 지닌 맹점을 비판했다. 자유의 침해에 대한 아감벤의 우려가 정당하지만 (현실적) "균형감"을

---

12 https://www.journal-psychoanalysis.eu/coronavirus-and-philosophers/ (2020년 9월 10일 최종접속)

잃지 않아야 한다고 강조한 에스포지토는 이탈리아의 현실 상황은 "전체주의 장악이 극적으로 펼쳐진다기보다는 공권력의 붕괴라는 성격이 더욱 두드러진다"고 지적하였다. 에스포지토의 견해는 유럽과 미국에서 코로나19가 유독 심각하게 확산된 원인이 정부의 늑장 대응과 불충분한 규제 조치라고 분석한 역학 전문가의 분석과 동일하다. 영국 요크 대학교의 역학과 교수로 영국왕립학회와 영국공중보건기구 회원인 케이트 피킷Kate Pickett은 다음과 같이 정부의 실패를 지적한다. "분명한 것은 영국을 비롯한 이들(유럽과 미국) 정부가 확진자 접촉 경로를 추적하고 바이러스 이동 상황을 쫓고자 결정하기까지 오래 걸렸다는 겁니다. 굼떴어요. 방역과 치료 일선에 있는 의료진은 물론이고 다른 핵심 인력들에게조차 개인 보호장비를 공급하는 데 힘들어했습니다. 영국 정부는 여행 제한 조치를 내리는 데도 늑장이었고, 입국자들을 격리하기까지도 시간이 걸렸어요."[13]

에스포지토는 아감벤이 강조하는 압제적 권력은 실재하지 않으며 따라서 "민주주의의 위기라는 인식은 과장"이라고 단언하며, "정치의 의학화"와 "의학의 정치화"가 얽힌 작금의 상황에서 정치의 고유한 의미와 역할이 훼손된 까닭에 아감벤처럼 고전정치학의 범주였던 개별적 혹은 계층적 이해관계를 고집스레 따지는 것은 무의미하다고 보았다. 대신 새롭게 요구되는 연구는 "건강, 나이, 젠더, 심지어 인종에 따라 차별화되고 있는 인구의 분절체들segments of population"을 온전히 이해하는

---

13 케이트 피킷, 〈우리는 질병과 죽음 앞에 평등한가〉, 《오늘로부터의 세계》, 메디치, 2020, 146~147쪽.

것이라고 결론 내렸다.[14]

한편, 이탈리아에서 동일한 현실을 겪고 있었던 철학자이자 정신분석학자인 세르조 벤베누토Sergio Benvenuto는 아감벤에 대해 한층 더 예리한 비판을 가했다. 그는 아감벤의 현실 인식이 마치 9/11 테러를 미국 중앙정보국CIA의 음모로 치부하는 것과 다를 바 없는 "망상적인 역사 해석"에 기인한다고 일갈했다. 팬데믹 시대에 부합하는 정치는 서로 접촉하지 않고 격리되어 살아가는 현실을 기꺼이 받아들이는 개별 시민들의 선택과 삶으로 구성된다고 강조한 벤베누토는 개인과 사회의 안정을 보장하는 조건인 사회적 격리를 오히려 환영해야 한다고 강조했다.[15] 그리고 아감벤에게 전하는 조언으로 오히려 "(코로나19에 대한) 공포를 퍼뜨리는 것이 상황을 철학적으로 사유하는 것보다 더욱 현명"할 수 있으며, "철학에서 꿈꾸는 것보다 더 많고 다양한 정치가 하늘과 땅에 존재한다"고 덧붙였다.

에스포지토와 벤베누토의 연이은 비판에 대해 아감벤은 다시 지면을 통해 의견을 냈다. "해명"이라고 제목을 붙인 두 번째 글에서 그는 자신의 철학적 쟁점을 보다 명시적으로 기술했다. 그는 자신의 의도가 "적이 외부에 있는 것이 아니라 우리 내부에 있다"는 사실을 폭로하고 "질병의 심각성에 대한 의견을 내는 것이 아니라 전염병의 윤리적·정치적 결과에 대해 묻는 것"이라며 "우려되는 것은 현재가 아니라 미래"라고 강조했다. 그의 전망에 따르면, 비상사태가 종결된 이후에도 정부는

---

14 https://www.lacan.com/symptom/philosophy-the-coronavirus/ (2020년 9월 10일 최종접속)

15 https://www.journal-psychoanalysis.eu/coronavirus-and-philosophers/ (2020년 9월 10일 최종접속)

필요에 따라 휴교를 강제하고 온라인수업만 허락하며 대면 만남과 정치적 발언을 금지하고 디지털 메시지만 주고받게 할 것이 분명하며, 이전에는 감히 실현시키지 못했던 억압적 정책들을 이때를 기회삼아 지속할 가능성이 크다는 것이다. 그렇게 된다면 인간 존재가 영위하는 삶의 질이 저하되고 타락하게 될 것이라고 아감벤은 우려했다.[16]

이에 대해 벤베누토는 다시 기고문을 통해 재반박했다. 그는 "우리가 위험에 처한 것이 아니라 우리가 바로 위험이다"라는 한 언론인의 말을 인용하고, "우리와 그들, 나와 타자를 이항대립으로 이해하는 관점은 붕괴되고 우리 모두가 동일하게 위험한 존재가 되었다"며 아감벤이 고집스레 반복하는 고전정치학적 관점과 인본주의적 논리에 날선 비판을 가했다.[17]

아감벤이 촉발한 일련의 논쟁은 담론의 성격이 지나치게 철학적이어서 특징적인 것이 아니라, 그의 철학적 사유에 대한 철학자들의 냉소적 반응이 비非철학 또는 반反철학적인 듯 보인다는 점에서 특징적이다. 에스포지토와 벤베누토는 공통적으로 코로나19 사태를 이해하기 위해서는 잠시 사변적이고 현학적인 철학적 사유를 멈추고 날것 그대로의 현실을 봐야 한다고 요구한다. 심오한 철학적 사유가 철학 밖에서 무책임한 현실 인식의 결여로 힐난을 당하는 상황은 흔히 있어 왔지만, 아감벤의 사례는 동료 철학자들이 적극적으로 관여한 상황이라는 점에서 팬데믹 시대에 철학 또는 철학자들이 처한 위기와 딜레마의 징후를 보

---

16 https://itself.blog/2020/03/17/giorgio-agamben-clarifications/ (2020년 9월 10일 최종 접속)

17 https://www.journal-psychoanalysis.eu/coronavirus-and-philosophers/ (2020년 9월 10일 최종접속)

여 준다.

흥미롭게도 《뉴욕타임스The New York Times》의 한 기사에서 아감벤과 관련된 논란과 그가 코로나19를 감기로 착각했던 실수 등 관련 이슈들을 소개하였다. 이 기사에서는 아감벤의 목적이 현 시점에서 과학이나 정책과는 상관없이 서구 세계에서 권력과 지식의 관계를 고고학적 관점에서 천착함으로써 정치적 자유와 권리의 불변하는 가치를 깨닫고 지키도록 일깨워 주는 것이라 설명했다. 이에 덧붙여 그러한 철학적 의미를 있는 그대로 읽을 필요가 있다고 강조했다.[18]

하지만 기사에서 놓친 아감벤을 둘러싼 논란의 핵심은 그의 철학의 특징인 이론적 추상성 그 자체가 아니라, 추상화된 그의 이론적 설명이 2020년의 현재적 시점에서 닥친 현실 문제의 핵심을 포착하지 못했다는 점이다. 아감벤의 정치철학은 20세기에 더욱 간교해지고 정교화된 생명정치라는 억압적 시스템의 구성과 작동 방식을 폭로하지만, 지배/피지배와 "국가권력의 욕망"과 그 피해자라는 고전적인 정치학의 이분법적 범주를 탈피하지 못하였다.

그 결과, 권력의 정치적 욕망이나 "전염병의 윤리적, 정치적 결과"와는 다른 여러 중첩적이거나 대척적 차원에서 작동하는 다양한 경제적 원리와 심리적 기제의 문제들을 세심하고 면밀하게 풀어 내지 못한다. 또한, 자유와 권리 같은 기존 정치철학의 상위 범주로는 설명하지 못하는 국민들의 안전과 생존에 대한 욕구와 같은 복합적이고 가변적이며 이율배반적이기까지 한 미세한 정치적 작인들의 현실적 기능과 그 각

---

[18] https://www.nytimes.com/2020/08/21/opinion/sunday/giorgio-agamben-philosophy-coronavirus.html/ (2020년 9월10일 최종접속)

각의 국면적 변화 가능성과 중요성도 좀처럼 설명하지 못한다.

아감벤은 푸코가 근대 국민국가에서 발현한 생명정치를 최초로 이론화했지만 이를 20세기의 전체주의 국가들의 정치학 연구에 적용하는 당연히 했어야 할 일을 안 했다고 지적했다. 하지만 푸코의 주된 목적은 대립항이 아닌 각 항을 규정하는 관계의 현실적 복잡성에 주목하고, 권력의 작용에 선행하는 자유롭고 자율적인 개인으로서의 주체를 전제하지 않으며 권력과 지배의 관계를 구성하는 다양하고 차별적인 힘들의 관계를 연구하는 것이었다. 더욱이, 말년의 푸코는 생명정치 개념을 확장하여 규범적 규격화와 정상화에 저항하는 생명체 고유의 경향성을 새롭게 개념화했는데, 이때 그의 주된 관심은 19세기와 20세기 국민국가의 정치적 상동성을 확인하는 것이 아니었다. 그는 자연권이나 인권 같은 초월적인 정치철학 개념에 근거하지 않으면서도 역사에 내재하고 역사를 통해 발현하지만 특정한 역사적 사건들로 환원되지 않는 생명정치의 또 다른 가능성을 모색하면서, 어떤 권력도 제거할 수 없는 저항의 가능성을 항상 품고 있는 생명의 고유한 "규준성"을 모든 정치의 가능성의 조건으로 이해했다.[19]

푸코가 염두에 둔 진정한 탈근대성은 이처럼 근대적 인본주의와 이분법 및 역사주의를 완전히 벗어남으로써 성취되었던 반면, 아감벤은 푸코가 간파한 생명관리권력의 근원적인 구조를 이해하는 조건을 주권권력과 벌거벗은 생명이라는 예외상태의 구조적 특징에 대한 이해로 한정했다.[20] 이때의 문제점은 아감벤이 푸코가 확장한 권력의 관계

---

19   진태원, 《을의 민주주의: 새로운 혁명을 위하여》, 그린비, 2017, 226~229쪽.

20   강선형, 〈푸코의 생명관리정치와 아감벤의 생명정치〉, 《철학논총》 78, 2014, 137쪽.

적 의미를 주권 개념으로 제한하면서도 가족, 국가, 생산관계를 비롯한 모든 심급에 동질하게 적용한다는 것이다.[21] 따라서 푸코는 생명정치의 부정성을 개념화한 후 그것을 지양하였지만, 이처럼 지양된 선개념을 푸코 사상의 핵심 개념으로 오독했던 아감벤은 푸코가 19세기의 생명정치학을 20세기에 그대로 적용하지 않은 의도를 그의 이론의 결함으로 이해할 수밖에 없었던 것이다.

아이러니하게도 아감벤이 푸코를 제한적으로 전용하였다고 비판한 에스포지토 역시 유사한 딜레마를 벗어나지 못한다. 2020년 6월에 게재된 인터뷰에서 에스포지토는 "정치가 의학화되어 시민들을 영원한 돌봄을 필요로 하는 환자로 취급하고 사회적 일탈은 전염적인 분열로 다뤄지거나 억압되었다"며, "의사들에게 정치적 결정권이 부여됨으로써 한편으로는 정치적 행위의 범위가 현저히 줄어들고 다른 한편으로는 정치적 영역이 급진적으로 변하여 일탈을 병리적 조건으로 만드는 매우 의미심장한 결과가 초래되었다"고 비판하였다."[22] 시민을 환자 취급하려는 국가권력 욕망의 일방적 작동 방향에만 초점을 맞춘 이런 도식적인 인식은 아감벤과 마찬가지로 비현실적이다. 왜냐하면, 국가 방역시스템이 개별 시민들의 "영원한 돌봄"은커녕 장기입원 환자들의 증가조차도 감당하기 어려워하는 현실과 "영원한 돌봄"이 초래하는 경제적·사회적 손실, 그리고 평상시에는 국가가 관리하는 환자가 되지 않으려 하지만(바이러스 감염을 원치 않지만) 감염 시 국가에 의탁한 환자

---

21 양창렬, 〈생명권력인가 생명정치적 주권권력인가 – 푸코와 아감벤〉,《문학과사회》 19(3), 2006, 251쪽.

22 https://antipodeonline.org/2020/06/16/interview-with-roberto-esposito/ (2020년 9월 10일 최종접속)

가 되어 공적 의료서비스의 수혜자가 되기를 바라는 시민들의 자기모
순적인 욕망 등 복합적인 현실의 문제점들을 간과하기 때문이다.

특히, 의사들에게 정치적 결정권이 부여되었다는 인식은 대부분의
국가들에서 사실이 아닌 착시에 불과했다. 현실에서 실제로 발생한 상
황은 의사들에게 정치적 결정권을 넘긴 것이 아니라 정치가들이 의학
적 결정권을 침해하고 전용했고, 심각한 경제적 불황의 여파로 인한 정
치적 위기가 그 원인이었다. 즉, 정치의 의학화가 아닌 의학의 정치화
를 거쳐 정치화된 의학이 경제 논리에 밀리고 치이는 일련의 흐름이 있
었을 뿐이다. 앞서 코로나바이러스가 유발한 일련의 정치적 상황은 "정
치의 의학화"와 "의학의 정치화"가 복잡하게 얽힌 것이라고 이해했던
에스포지토였지만, 6월의 인터뷰에서는 그 이후 단계로의 이행과 그
현실적 복잡성을 감지하지 못했다. 2020년 6월의 인터뷰에서 그가 개
념화한 긍정적 생명정치 개념을 실현할 방법을 묻는 질문에 에스포지
토는 "공중보건 시설에 대한 집중 투자, 병원 건설, 저렴한 약이나 무료
약제 제공, 인구의 편안한 생활환경 유지, 전염병으로부터 의사와 간호
사를 보호하는 데 초점을 맞추는 것"이라고 대답한다. 하지만 그는 이
러한 긍정적인 생명정치가 역설적으로 부정적인 생명정치가 작동하여
산출한 긍정적인 결과물일 수 있다는 사실을 간과한다. 즉, 그가 예시
로 든 긍정적인 생명정치의 사례들은 강력한 국가적 개입과 규제를 통
한 적극적이고 전면적인 정책 시행을 통해 그 효과를 극대화할 수 있는
경우에 해당한다.

경제화의 문제점을 일찍 간파한 철학자는 도널드 트럼프 대통령이
라는 전례 없이 기이한 정치적 현상을 미국에서 직접 겪고 있었던 주디
스 버틀러Judith Butler였다. 버틀러는 2020년 3월에 응한 인터뷰에서 "바

이러스는 (누구도) 차별하지 않는다"는 과학적 명제를 강조하면서, 이와 같은 의학적 사실이 무색하게 경기 회복을 위해 트럼프 대통령이 맹목적으로 추진하는 정책들로 인해 "급진적인 불평등, 민족주의, 그리고 자본주의적 착취가 유행병 지역 내에서 급속히 재생하고 강화"되는 현실을 비판했다. 버틀러에게 문제의 핵심은 "국가가 국민을 중시하는 것이 아니라 시장만을 중시"하게 되어 "경제가 되살아날 수 있는 한 노인과 노숙자 같은 가장 취약한 사람들이 죽는 것은 괜찮다고 용인되는 상황"이었다.

하지만, 인권이 개인주의에 근거하지만 의료보험과 공중보건은 공적 속성을 지닌다는 사실을 지적하는 버틀러 역시, 팬데믹 시대를 살아가는 개별 시민들의 집합적 욕망에 내재하는 모순과 역설에 대한 자문에서는 머뭇거리는 듯한 태도를 보인다. 그녀는 (현명하고 시민의식이 투철하다고 믿는) "미국의 대중이 과연 백신을 독점하려는 대통령의 미국 예외주의와 국가중심주의와 결합한 급진적으로 외설적인 사회적 불평등을 지지하겠는가"라고 비판적으로 물을 뿐 확답을 하지 못한다.[23] 그러한 불평등이 그녀가 전제하는 "미국의 (일부) 대중"이 아닌 미국 내 또 다른 다수의 대중에 의해 급진성이나 외설성과는 무관한 위기 상황에서 발현하는 특정하고 예외적인 사회적 감각과 감정과 이해와 실천의 차원에서 기꺼이 용인될 가능성과 그 원인에 대한 성찰까지는 나아가지 못한 것이다. 이처럼 버틀러의 딜레마는 팬데믹 시대의 현실적 딜

---

[23] https://www.versobooks.com/blogs/4603-capitalism-has-its-limits?fbclid=IwAR29tPvGaYcQNgzSvLO99OfWQCRHD4cGJ7ushuTo74D99RKJo5ZiQzn0P4A/ (2020년 9월 10일 최종접속)

레마에 포개어지지만 이때 팬데믹을 구성하는 한 축인 "데믹"에 관한 철학적 사유는 근대적 공공선과 시민윤리 개념, 즉 기존 정치철학의 추상적 범주와 그 윤리적 자명성의 논리에 발목을 잡혀 멈춰 선다.

현재 유럽 대륙의 철학자들 중에서 에스포지토가 중시한 "균형감"을 보여 주는 주목할 만한 철학자로는 장-뤽 낭시Jean-Luc Nancy를 꼽을 수 있다. 그는 아감벤의 첫 글이 실린 다음날 게재한 글에서 병자는 치료를 받아야 한다는 지극한 상식적인 명제로부터 논의를 시작한다. 그는 아감벤이 "모든 종류의 기술적 상호 연결이 알 수 없는 강도로 심화되는 오늘날의 세계에서 팬데믹과 같이 바이러스로 인한 예외상태라는 문제에 온 문명이 놓여 있는 상황에서 정부는 냉정하게 규제를 시행하는 집행자일 뿐이므로 억압의 주체로 비난하는 것은 정치철학이 아니라 문제의 본질을 벗어나는 것"이라고 비판했다.[24]

코로나19 확산이 절정이었던 5월에 행한 인터뷰에서 낭시는 "갑작스럽게 세계는 방향을 잃고 구조도 받지 못하는 듯 보인다"며 더욱 절망적인 현실 상황을 그대로 인정한다. 그는 작금의 사태에서 바이러스를 "인간 삶의 모순과 한계를 확대해 보여 주는 확대경"에 비유하며 "갑작스럽게 국가가 다시 중요"해진 상황에서 "모든 변화들은, 아직 우리가 주목하지 못하고 있는 생태학적 문제들과 섞일 것이고 매우 문제가 심각한 경제 분야에서 발생할 까닭에 다양한 방식으로 복잡하고 갈등적인 미래를 향해 천천히 움직이고 있다"는 전망을 머뭇거리듯 조심스럽게 내놓았다.[25] 낭시의 견해는 코로나19의 발생 원인을 기후변화라고

---

24 https://www.lacan.com/symptom/philosophy-the-coronavirus/ (2020년 9월 10일 최종접속)

25 http://www.homomimeticus.eu/2020/05/27/allegories-of-contagion-jean-luc-nancy-on-

단정하는 제러미 리프킨Jeremy Rifkin의 견해와 동일하다. 리프킨은 "기후변화로 생긴 모든 결과가 팬데믹을 만든" 원인이라며 세부적으로 온난화로 인한 물 순환의 교란이 야기한 생태계 붕괴, 인간에 의한 야생 지역 개발과 기후재난이 촉발한 야생 생명들의 이주를 주요 원인으로 설명한다.[26]

한편, 철학자들 중 머뭇거림 없이 가장 적극적으로 "균형감"을 개의치 않으며 팬데믹에 관한 논평을 한쪽에 경도된 관점에서 지속적으로 쏟아내고 있는 이는 슬라보예 지젝Slavoy Žižek이다. 그는 이제 모든 것이 바뀌었고 바뀔 것이라며 현재를 뒤엎고 새로운 미래를 도래시켜야 한다고 강력히 주장한다. 코로나19가 야기한 문제들은 "모든 가능성이 열려 있음"을 보여 주며 "이 사회를 어느 쪽으로 돌릴지 선택"해야만 하는 우리는 "중대한 '정치적' 국면과 직면"했다는 것이다.[27] 그는 "우리의 생활양식 전체의 갑작스러운 종말"을 맞이하여 "우리의 욕망을 새롭게 발명하는 일"이야말로 새로운 과업이며, 이를 위해 "관점을 통째로 바꾸어 … 자동차 산업, 패션 품목들, 먼 이국에서의 휴가는 잊어버리고 마음 편히 그 모든 것이 망가지게 내버려 두어야 한다"고 외친다.[28]

이처럼 지젝은 팬데믹이라는 사건을 노골적으로 정치화하는데, 그 목적은 혁명이고 수단은 철저히 정치경제적이다. 감염병의 전 세계적 확산은 자유방임 시장 메커니즘이 혼란과 기아를 막을 수 없는 불능을

newfascism-democracy-and-covid-19/ (2020년 9월 10일 최종접속)

26 제러미 리프킨, 〈화석연료 없이는 문명이 가능한가〉, 《오늘로부터의 세계》, 19~21쪽.

27 http://www.hani.co.kr/arti/opinion/column/936708.html/ (2020년 9월 10일 최종접속)

28 슬라보예 지젝, 《팬데믹 패닉》, 강우성 옮김, 북하우스, 2020, 12~14쪽.

예증하므로 "'공산주의적'으로 보이는 조치들이 전 지구적으로 고려될 것"이라고 자신한다.[29] 구체적인 예시로 그는 "막연한 꿈으로서가 아니라 이미 진행되고 있는 것(혹은 적어도 많은 사람이 필수적이라고 느끼는 것), 이미 고려되고 있고 더러는 일부 시행되기도 한 조치들을 지칭하는 명칭으로서의 공산주의"를 가리킨다. 지젝의 분석과 제안에 따르면, "재난 자본주의의 해독제로 쓰일" 공산주의는 "국가가 훨씬 더 적극적인 역할을 맡아 마스크·진단키트·산소호흡기같이 긴급하게 필요한 물품들의 생산을 조정하고, 호텔들과 다른 휴양지들을 고립시키며, 이번에 실직한 모든 사람의 최소한의 생존을 보장하는 등의 조치를 수행"하는데, 이는 "시장 메커니즘을 버려 가며 해야 한다."[30]

주체 내에서 작동하는 이데올로기의 환상에 대한 탁월한 분석을 통해 이념의 주체화와 주체의 이념화가 포개어지는 현실적 메커니즘을 예리하게 해부했던 지젝이지만, 그의 공산주의 개념은 거시적 역사 전망으로 단숨에 점프한다. 그의 공산주의론이 노정하는 근본적인 문제점은 지젝 본인이 스탈린주의를 비롯한 기존의 역사적 공산주의 모델들을 신랄하게 비판하고 유럽의 사회민주주의적 복지국가 모델들과도 거리를 두는 등 현실정치의 좌표에 자신의 입장을 끊임없이 기입하면서도, 결국 추상적 관념에 그치는 공산주의 개념을 고수한다는 점이다. 스탈린주의나 사회민주주의는 역사적 실패든 성공이든 각론에 해당하는 실천 방안을 수반하였지만, 지젝의 공산주의는 정작 그 부분이 비어 있다. 따라서 그는 자유방임과 시장 메커니즘 각각이 구현하는 복잡다

---

29 슬라보예 지젝, 《팬데믹 패닉》, 28쪽.
30 슬라보예 지젝, 《팬데믹 패닉》, 128쪽.

단한 특성과 기능들을 지나치게 단순화하고 일반화하여 자유방임 시장 메커니즘이라는 흉측한 괴물 한 마리를 만들어 역사적 파국이라는 무대에 옮겨 놓은 뒤 그에 대적할 무적의 용사 한 명으로 공산주의를 설정할 수밖에 없다.

지젝의 공산주의론과 혁명론의 가장 큰 문제점은 공산주의와 혁명이 가능한 조건인 역사적 파국에 대한 성급하고 비현실적인 이해이다. 영국 옥스퍼드대학교 철학과 교수이자 동 대학교 부설 인류미래연구소 소장인 닉 보스트롬Nick Bostrom은 코로나19로 인한 인류의 위기가 문명의 파괴나 몰락을 야기할 수준은 아니라고 진단한다. 그의 분석에 따르면, "세계 인구의 15퍼센트(약 11억 명)가 사망하거나 세계적으로 GDP의 50퍼센트가 감소하고 그 상태가 10년 이상 지속되는 상황"이 문명 몰락이다. 실제로 2020년 9월 현재의 세계는 심각한 경제위기에 처해 있지만 100만여 명에 이르는 사망자 수는 문명이 파괴되고 몰락할 조건으로는 미흡하며, 실제로 문명 몰락의 그 어떤 징후도 전혀 보이지 않는다.[31]

그러나 자유와 자율성이라는 근대적 가치 규범으로 21세기의 시민(성)을 획일적으로 동질화하는 것은 무리이다. 네덜란드의 정치이론가 헤르만 R. 판 휜스테런Herman R. van Gunsteren은 "온전하게 자유롭고 유능한 사람들"로서의 시민은 "전혀 존재하지 않"으며 "시민권에는 복수의 차이와 의존 상태, 부자유를 능숙하게 상대하는 일이 수반"된다고 설명

---

31 닉 보스트롬, 〈세계는 다음의 위기에 대응할 준비가 되어 있는가〉, 《오늘로부터의 세계》, 172~173쪽.

한다.[32] 사회구성체를 이루는 계급 간 혹은 계급 내 적대적 관계의 소멸에 대한 이론적 전망에 있어서 적대가 부차적 역기능이 아닌 구조적 원천이라는 현실적 관점과 균형을 맞출 필요가 있다.

지젝이 열거하는 다양한 대안적 예시들은, 그 스스로 인정하듯이 이미 시장경제 내에서 정부의 관여와 개입을 통해 시행되는 일련의 정책들이다. 그럼에도 특유의 추상적 개념화를 통해 그가 이끄는 역사적 과제의 지향점은 전 지구성 개념과 결합하여 더욱 추상적인 목적으로 변질된다. 그는 코로나19가 세계시장의 원활한 작동을 가로막은 상황에 대해 "시장 메커니즘에 더 이상 좌우되지 않을 전 지구적 경제의 재조직화가 시급하다"며 "구닥다리 공산주의가 아니라, 바로 경제를 통제하고 규제할 수 있을 뿐만 아니라 필요하다면 국민국가의 주권에 제한도 가할 수 있는 전 지구적 형태의 조직"을 수립해야 한다고 주장한다.[33]

지젝의 문제점은 과잉된 추상성과 그 무용성 자체가 아니라, 철학이 그동안 누려 온 추상성이라는 특권이 특히 쓸모없어진 팬데믹 시대에도 그것만을 고수하려는 태도이다. 월별로, 그리고 계절별로 상황이 급변하는 펜데믹 시대에 기존의 학문적 위상과 권위에 안주하려는 철학은 추상성과 현실성 사이의 간극과 시차를 인식하고 그에 면밀하게 대응하는 데 있어서 아감벤의 사례가 예증하듯 근본적인 난맥을 드러낸다. 비록 지젝의 철학적 사유가 나름의 역사학과 정치경제학의 범주화를 시도하고 둘을 경유하지만, 정작 시장 메커니즘을 전혀 매개로 하지

32 헤르만 R. 판 휜스테런, 《시민권의 이론: 동시대 민주정들에서 다원성 조직하기》, 장진범 옮김, 그린비, 2020, 264쪽.

33 헤르만 R. 판 휜스테런, 《시민권의 이론: 동시대 민주정들에서 다원성 조직하기》, 264쪽.

않은 전 지구적 경제의 재조직화라는, 현실에서 도무지 실현 불가능한 추상적 개념을 필요조건으로 앞세우는 까닭에 그가 갈구하는 정치체의 역사적 도래를 불가능하게 만드는 자기모순으로 귀결될 뿐이다.

　장하준은 경제학자의 관점에서 코로나19 유행이 폭로한 것은 자본주의 체제 자체의 문제라기보다는 단기적 효율성을 추구하는 신자유주의의 실체인 경제적 불안정성과 장기적 비효율성 및 그에 대한 대비책의 부재라고 설명한다. 장하준이 제시하는 해답은 외적 성장이 아닌 삶의 질적 향상을 추구할 수 있는 제반 조건을 사회적으로 구성하고 공적으로 비용을 부담하는 것이다. 구체적으로 고성장과 재정 건전성의 맹목적인 추구를 버리고 저성장 경제구조 내에서 의료, 교육, 연금과 같은 복지를 국민들이 공동구매하고 국가는 복지제도를 확대하고 강화하며 그에 필요한 세제 개혁을 이루고 교육제도를 공정하게 개선하는 것이다. 장하준의 구상은 시장 메커니즘을 완전히 버리는 방식이 아니라 시장 메커니즘의 성격과 기능을 수정하고 보완하는 것이다.[34]

　주지하다시피, 지성사의 유구한 흐름에서 존재와 세계에 대한 추상적 사유는 철학자들의 고유한 역할로 그 가치와 특권을 인정받아 왔다. 추상성은 주관성과 객관성 어느 한쪽으로 환원되지 않으면서 각각을 또는 둘의 관계를 이해하는 도구로서 유효했다. 특히, 근대성과 현대성을 함께 함의하는 모더니티modernity의 모호한 중의성과 양가성 및 그 내재적 시차와 모순을 설명하는 데 있어서 추상화된 개념들은 적절한 수단으로 사용되어 왔다. 근대/현대라는 이전과는 변별된 시간과 공간의

34　최재천 외, 《코로나 사피엔스》, 인플루엔셜, 2020, 85~87쪽.

체험이 구상미술에서 추상미술로의 전환을 이끈 것은 우발적 사건이 아니었다. 실제로 현대철학은 추상화를 통해 시대정신과 시대 모순을 포착하여 개념화하고 이론화하였으며, 이때 개념과 현실의 틈이 크게 벌어지더라도 추상적 사유는 철학의 고유한 사명으로 이해되고 인정받았으며 보호받을 수 있었다.

이런 특권을 누리며 20세기 철학은 분주할 수밖에 없었다. 인간과 사회를 새롭게 이해하는 철학자들은 역사, 정치, 사회, 경제, 문화 등 다양한 연구 분야로 파고들어 갔으며 정신뿐만 아니라 육체, 의식, 무의식, 욕망 등의 설계도면을 각자의 관점과 방식으로 복원했다. 철학자들이 쏟아 내는 이론은 넘쳐났고 추상성과 난해함은 권위가 되었지 흠결이 되지 않았다.

하지만 정체불명의 바이러스가 일상의 삶을 무너뜨리고 국경을 넘어 확산되는 갑작스런 사건이 터지자 철학자들의 언어는 일반인들의 언어와 크게 다를 바가 없어졌다. 곧 바이러스의 정체가 밝혀졌지만 백신과 치료제 개발이 요원한 듯 보이는 상황에서 잠시 당황하고 머뭇거리던 철학자들이 이내 주목한 것은 자유, 인권, 시민, 개인, 사회, 생명, (비)정상, 공공선, 정의, 혁명, 시장, 삶의 질과 같은 근대성을 함유한 낡은 개념들이었다. 철학자들은 두꺼운 철학사와 철학용어사전과 자신이 펴냈던 저서의 책장을 넘기며 오래된 개념들을 인류가 처음 경험하는 세상에 맞추어 설명하려 했다.

그러나 그들이 가르치려 한 개념들은 이미 기존의 철학에서 정식화된 의미망을 벗어나 매일 변화하는 현실의 국면에서 온갖 (비)인간적 작인들과 결합하여 자기파괴적이거나 자기증식적인 현상들과 의미들을 산출하고 있었다. 많은 이들이 개념과 실체의 유사성과 동일성 사이에서 혼란을 겪고 있었지만 유독 혼란스러워하지 않은 이들이 바로 철학자들이었다. 기존 개념으로 뒷걸음질해 들어간 그들은 그 안에서 혼란스러워할 이유가 없어 보였다. 셰익스피어가 진정한 근대인으로 묘사한 호레이쇼는 유령이 선왕과 닮았지만 선왕이 아니라고 단언하고 자신의 지성과 기억으로 인해 자신이 속을 수 있음을 인정하기에 그가 보고 있는 유령을 환영이라고 부른다. 그런데 근대와 현대를 개념화했으며 동시에 근현대성의 한계 극복을 위해 철학이라는 칼날을 날카롭게 벼려 왔다고 자부하는 오늘날의 철학자들은 그들이 눈앞에서 마주 보고 있는 팬데믹 시대에 출몰한 온갖 유령들을, 근대와 현대의 개념적 경계들을 횡단하고 있는 유령들을 환영이라고 부르지 못하고 있는 것은 아닌가?

유령의 시대와 새로운 철학

팬데믹의 시대가 예상보다 빨리 종언되면 철학자들은 다시 예전에 누렸던 특권을 급히 되찾으려 할 것이다. 팬데믹 시대에 숨죽이고 있던 철학자들까지 나서서 인류가 겪었던 특별했던 고행의 의미를 새롭게 추출하고 개념화하는 데 다시 관념적 추상화를 끌어올 것이다. 하지만 코로나19는 재난의 상시화를 알리는 나팔소리와도 같다. 다시 언제 유사한 혹은 더 끔찍한 전 지구적 재난이 닥칠지 모른다. 따라서 재난이 일상화될 미래에서 철학자들이 선택하는 복귀는 회복이 아닌 퇴행이 될 것이다. 그렇다면 이 위기의 시내에 철학이 보색할 수 있는 새로운 가능성은 무엇인가?

지젝과 유사하게 정치적 당파성을 선명하게 드러내면서도 "우리가 당면한 문제의 특수성과 구체성"에서 논의를 시작하는 철학자 김재인은 "코로나19는 과학과 행정의 문제"라고 잘라 말한다.[35] 그는 지젝과 마찬가지로 코로나 위기가 "급진적인 정치적·사회적 변화를 가져올 것"이며 "이 변화가 서양 근대체제의 변화와 함께하리라는 것"을 믿어 의심치 않는다.[36] 그러나 그의 관심은 경제혁명을 통한 정치혁명의 완수가 아니라 일상의 영역과 관계에서 정치적, 경제적, 사회적 민주주의의 동력원을 구체적으로 개선하고 지속적으로 강화하는 것이다. 그가 개념화하는 정부와 개별 시민의 상보적 협력과 소통을 통해 구축하는 "새로운 거버넌스"는 "의사결정의 투명성, 솔직한 소통, 신속한 대안 마련"과 시민들이 참여하고 구현하는 "기술, 통신, 방송, 소셜미디어를 통한 준-직접민주주의"가 서로에 대한 "신뢰"를 매개로 맞물려 작동할 때 가능하다.[37]

파나지오티스 소티리스Panagiotis Sotiris 역시 권위주의적인 속성의 생명정치와 합리적 개인주의를 상호 대립이 아닌 상보적 관계에서 새롭게 이해할 수 있다고 주장한다. 그는 선진 자본주의경제에서도 공중보건 인프라가 열악하며 백신과 치료제가 없는 상태에서 규제적인 공중보건 정책이 취약계층의 부담을 줄이는 등 잠재적인 유용성을 지닌다는 점을 인정하고, 푸코가 후기 저작에서 개념화한 비강압적 방식을 매개로하는 개인적이고 집단적인 돌봄care의 정치적 실천을 통해 합리적인 개

35 김재인, 《뉴노멀의 철학》, 동아시아, 2020, 58쪽.
36 김재인, 《뉴노멀의 철학》, 18쪽.
37 김재인, 《뉴노멀의 철학》, 61~62쪽.

인주의와 자유주의를 구현하는 공공성의 실현이 가능하다고 보았다.[38]

　그의 철학적 관점은 아감벤을 둘러싼 논쟁에서 몇몇 철학자들이 보였던 관점과는 확연히 다른 유연성과 연결성, 그리고 확장성을 보여 준다. 그가 나열하는 개념들은 추상적 개념화의 인력에 끌려가지 않고 그로부터 과감히 탈주한다. 실제 국제적으로 인정받고 있는 한국의 국가적 방역 모델은 전체주의적 강압으로 매몰되거나 시장 메커니즘을 버리지 않고서도 방역당국의 적극적인 검사와 추적 시행, 국가 시책이 반영된 대대적 진단키트 생산, 정보기술을 활용한 통계자료의 투명한 공개와 최소한의 필요에 한정한 개인정보 이용, 탄력적 방역 레벨 적용, 시민들의 능동적 참여와 여론이 반영된 정책 구현 등을 실현하고 있다. 김재인이 제안하는 "새로운 거버넌스"는 이와 같이 구체적인 현실적 조건에 부합하는 개념으로 기존의 낡은 정치철학의 범주로는 설명할 수 없는 팬데믹 시대의 고유한 특질들을 반영한다. 특히, 이제는 사용이 보편화된 다중이용시설 이용 시 QR코드에 기반해 출입 기록을 저장하는 시스템의 경우, 방문 기록과 개인정보를 암호화하여 안전하게 분산 보관한다는 점에서 아감벤의 우려를 기술적으로 불식시킨 사례이다. 김재인이 정확하게 지적하듯이 "과학과 행정의 문제"로서의 코로나19는 "서양 근대체제"에서는 불가능했던 새로운 민주주의 모델의 테스트 기회를 제공하고 있는 것이다.

　김재인의 통찰은 브뤼노 라투르Bruno Latour의 과학기술사회학Science Technology Sociology과 행위자-네트워크 이론Actor-Network Theory과도 유관

---

38 http://criticallegalthinking.com/2020/03/14/against-agamben-is-a-democratic-biopolitics-possible/ (2020년 9월 10일 최종접속)

하게 연결된다. 라투르는 세계와 존재를 구성하는 비인간적 요소들을 인간적 요인들과 동등하게 중시함으로써 인본주의와 근현대 철학에서 여전히 남용된 이분법적 사고를 과감히 폐기한다. 그는 세상을 온전히 이해하려면 "그래프, 설계도, 표본, 표준, 기관, 병균과 같은 '비인간'에 주목해야 한다고 주장"하고 "인간과 비인간 사이에 형성되는 네트워크에 주목"하며, 이때 "인간과 비인간을 동등하게, 대칭적으로 다뤄야 한다고 주장"한다.[39] 인간적이든 비인간적이든 각각의 행위자actor는 서로 "연합association"하거나 "절합articulation"함으로써 연결을 통해 각각의 행위자로 귀속되거나 환원되지 않는 새로운 것을 생성한다.[40] 팬데믹 시대의 특징은 바이러스 자체와 바이러스와 관련된 비인간적 요인들과 인간적 요인들의 지속적인 대립과 갈등인 까닭에, 비인간적 행위자들의 기능과 관계에 대한 올바른 이해는 인간에 대한 정확한 이해만큼 중요하다. 이런 맥락을 통찰하는 라투르는 최근 인터뷰에서 코로나19의 원인을 제대로 이해하려면 현 상황에서 인간적인 요인들을 뺀 비인간적 요인들과 그것들이 서로 그리고 인간과 맺고 있는 복합적인 관계들을 분석해야 한다고 강조하였다.[41]

이처럼 철학은 이제야 "물질적 전회material turn"를 통해 물질, 물성, 물

---

39 홍성욱, 〈행위자네트워크 이론: 불확실하고 변화하는 수상한 사물에 주목하라〉, 브루노 라투르 외, 홍성욱 엮음, 《인간 · 사물 · 동맹: 행위자네트워크 이론과 테크노사이언스》, 이음, 2005, 7~8쪽.

40 Latour, Bruno, Trans. Catherine Porter, *An Inquiry into Modes of Existence: An Anthropology of the Moderns*, Cambridge: Harvard UP, 2013, pp. 179–187 (*Pandora's Hope: Essays on the Reality of Science Studies*, Cambridge: Harvard UP, 1999).

41 https://www.theguardian.com/world/2020/jun/06/bruno-latour-coronavirus-gaia-hypothesis-climate-crisis/ (2020년 9월 10일 최종접속)

리적 힘과 같은 비인간적 작인들에 관심을 기울이기 시작했다. 기존의 유물론materialism과 달리 새로운 물질론new materialism은 정신과 마음의 대 척점에 있는 물질만을 연구하는 것이 아니라 인간(화)과 무관한 물(리) 적 대상을 연구하지만, 의식과 영혼의 물질적 근거 이해에 굳이 매달리 지도 않는다. 바이러스와 인간과 세계에 대한 철학적 이해는 "과학과 행정"을 비롯하여 개인들이 이용하는 "기술, 통신, 방송, 소셜미디어," 그리고 "그래프"와 "병균"의 철저히 비인간적(인간화의 오류에 빠지지 않 는) 해석 등을 통해 팬데믹 시대의 환영에 속지 않을 수 있다.

1876년에 탈고한 《반시대적 고찰Untimely Meditations》에서 프리드리 히 니체Friedrich Nietzsche는 우리에게 필요한 역사는 "지식의 정원에서 유 유자적하는 버릇없는 게으른 자들이 바라는 역사," 즉 "활력을 주지 않 는 교훈, 활동을 잠재우는 지식, 값진 인식의 과잉과 사치인 역사"가 아 니라 "삶과 행위를 위한" 그래서 결국 "삶에 봉사하는" 역사임을 역설 한다(59). 90여 년 후인 1966년에 발간된 《부정변증법Negative Dialectics》에 서 테오도어 아도르노Theodor Adorno는 그가 1937년에 발터 벤야민Walter Benjamin에게 들은 조언을 소개한다. 벤야민은 "간결하고 구체적인 철학 적 사유에 도달하기 위해서는 추상이라는 얼어붙은 황무지를 횡단해야 한다"고 그에게 말했다(xix). 벤야민의 조언은 추상이라는 얼어붙은 황무 지를 횡단해야 하는 이유가 결국 간결하고 구체적인 철학적 사유에 도 달하기 위함임을 강조한다. 간결성과 구체성은 철학이 삶에 봉사할 수 있는 재현의 형식이 아닌 사유의 내용인 것이다.

같은 시기에 모리스 메를로-퐁티Maurice Merleau-Ponty는 "우리는 현재 를 바라보는 관점에서 철학에 생기를 다시 불어넣고 철학을 다시 활성 화"하며, "철학은 지금까지 있어 왔던 모든 것에 우리를 관여시키는 힘으로 살아간다"고 적었다(89). 탈근대, 혹은 탈현대의 철학자들로 논의되는 니체와 벤야민, 그리고 메를로-퐁티는 모두 철학의 본질에 대해 언급하는데, 이들이 각자 새롭게 정의한 철학 개념은 팬데믹 시대에 철학이 우리를 위해 선택할 수 있는 새로운 가능성을 시사한다.

철학이 탈근대화된 세계의 문제와 본질에 천착하면서, 특히 바이러스 시대의 탈근대성과 탈현대성을 설파하고자 하면서, 근현대의 존재론적·인식론적·윤리적 시점과 개념들을 고수한다면 철학의 쓸모없음은 더 이상 쓸모없음이라는 고유한 쓸모 있음조차도 인정받기 어려워질 것이다. 팬데믹 시대의 철학은 이제 "추상이라는 얼어붙은 황무지를 횡단"하여 "값진 인식의 과잉과 사치인 역사"가 아닌 "삶에 봉사하는" 역사 속으로 들어가서 철학에 현실성뿐만 아니라 현재성이라는 새 생명을 불어넣어야 한다.

이를 위해 철학은 과학을 비롯하여(20세기에 이미 철학이 과학을 품었지만 더 적극적으로 과학기술과 교접해야 하며) 통계학, 인구학, 감염학, 위생학, 방역학, 공중보건학, 지역학, 행정학, 미디어이론, (물리학적, 경제적, 생물학적) 복잡계이론, 사회관계이론, 사회인지이론, 국제관계학 등과 연결되어야 하고 인간이 아닌 것들과 대등하고 병렬적인 관계로 접목해야 한다, 가령, 바이러스의 특성과 전염 관련 통계 수치를 이해하거나 활용할 때 결코 그 의미를 인간화하지 않고 그 자체의 물(질)성에 주목해야 한다. 또한, 스스로 새로운 문제의 핵심을 이해하지 못할 때에는 기꺼이 자신의 무능을 인정하고 성찰의 중심적 역할을 내줄 수 있어야 한다.

팬데믹 시대가 드러낸 인간 존재와 세계의 새로운 진실은 바이러스라는 유령과 함께 살아가야 한다는 교훈만이 아니다. 코로나19는 언젠가 사라지더라도 기후재난과 경제위기, 또 다른 신생 전염병과 같은 혹은 그와는 전혀 다른 새로운 유령들이 계속 인류의 공간과 시간에 출몰할 것이다. 유령들이 나타날 때마다 인류는 유령과 유사하게 닮은 것들을 혼동할 것이다. 이때 철학은 이들에게 닮았지만 동일하지 않은 진실을 일깨워 주어야 한다. 다시 유령들이 현실을 횡행하는 시대가 예고 없이 닥칠 때, 유령들과 함께 살아가지만 유령들에게 속지 않는 "학자"로서 사유할 때 철학자들은 새로운 시대의 호레이쇼로서 역할과 가치를 인정받게 될 것이다.

참고문헌

김재인, 《뉴노멀의 철학》, 동아시아, 2020.

리프킨, 제러미 외, 《오늘로부터의 세계》, 메디치, 2020.

지젝, 슬라보예, 《팬데믹 패닉》, 강우성 옮김, 북하우스, 2020.

진태원, 《을의 민주주의: 새로운 혁명을 위하여》, 그린비, 2017.

최윤식, 《빅체인지: 코로나19이후 미래 시나리오》, 김영사, 2020.

최재천 외, 《코로나 사피엔스》, 인플루엔셜, 2020.

휜스테런, 헤르만 R. 판, 《시민권의 이론: 동시대 민주정들에서 다원성 조직하기》, 장
진범 옮김, 그린비, 2020.

강선형, 〈푸코의 생명관리정치와 아감벤의 생명정치〉, 《철학논총》 78, 2014, 129~
148쪽.

김현미, 〈코로나19와 재난의 불평등: 자본과 남성 중심의 해법에 반대한다〉, 권김현
영 외, 김은실 엮음, 《코로나시대의 페미니즘》, 휴머니스트, 2020, 71~80쪽.

양창렬, 〈생명권력인가 생명정치적 주권권력인가 – 푸코와 아감벤〉, 《문학과사회》
19(3), 2006, 238~254쪽.

진태원, 〈생명정치의 탄생 – 미셸 푸코와 생명권력의 문제〉, 《문학과사회》 19(3),
2006, 216~237쪽.

홍성욱, 〈행위자네트워크 이론: 불확실하고 변화하는 수상한 사물에 주목하라〉, 부르
노 라투르 외, 홍성욱 엮음, 《인간 · 사물 · 동맹: 행위자네트워크 이론과 테크노
사이언스》, 이음, 2005.

Adorno, Theodor, Trans. E. B. Ashton, *Negative Dialectics*. London: Routledge,
2004.

Agamben, Giorgio, Trans. Daniel Heller-Roazen, *Homo Sacer: Sovereign Power and
Bare Life*, Stanford: Stanford UP, 1998.

Latour, Bruno, Trans. Catherine Porter, *An Inquiry into Modes of Existence: An
Anthropology of the Moderns*, Cambridge: Harvard UP, 2013.

_____, *Pandora's Hope: Essays on the Reality of Science Studies*. Cambridge: Harvard UP, 1999.

Nietzsche, Friedrich, Ed. Daniel Breazeale, Trans. R. J. Hollingdale, *Untimely Meditations*, Cambridge: Cambridge UP, 207.

Merleau-Ponty, Maurice, "Phenomenology and the Sciences of Man," Trans. John Wild, in *The Primacy of Perception: And Other Essays on Phenomenological Psychology, the Philosophy of Art, History and Politics*. Ed. James M. Edie. Evanston: Northwestern UP, 1964. pp. 43-95.

(인용한 순서대로)

https://edition.cnn.com/2020/05/14/health/coronavirus-endemic-who-mike-ryan-intl/index.html/ (2020년 9월 10일 최종접속).

https://www.bbc.com/news/uk-53875189/ (2020년 9월 10일 최종접속).

https://www.sedaily.com/NewsVIew/1VN220XFM1/ (2020년 9월 10일 최종접속).

https://biz.chosun.com/site/data/html_dir/2020/09/03/2020090303654.html/ (2020년 9월 10일 최종접속).

http://www.joongboo.com/news/articleView.html?idxno=363435512/ (2020년 9월 10일 최종접속).

https://www.worldpoliticsreview.com/articles/28893/what-the-coronavirus-pandemic-means-for-the-sharing-economy-business-model/ (2020년 9월 10일 최종접속).

https://www.theatlantic.com/international/archive/2020/03/feminism-womens-rights-coronavirus-covid19/608302/ (2020년 9월 10일 최종접속).

https://hrcessex.wordpress.com/2020/04/07/international-human-rights-news-focus-on-the-impact-of-coronavirus-on-vulnerable-groups/ (2020년 9월 10일 최종접속).

https://news.un.org/en/story/2020/04/1061052

https://www.journal-psychoanalysis.eu/coronavirus-and-philosophers/ (2020년 9월 10일 최종접속).

https://www.lacan.com/symptom/philosophy-the-coronavirus/ (2020년 9월 10

일 최종접속).

https://itself.blog/2020/03/17/giorgio-agamben-clarifications/ (2020년 9월 10일 최종접속).

https://www.nytimes.com/2020/08/21/opinion/sunday/giorgio-agamben-philosophy-coronavirus.html/ (2020년 9월 10일 최종접속).

https://antipodeonline.org/2020/06/16/interview-with-roberto-esposito/ (2020년 9월 10일 최종접속).

https://www.versobooks.com/blogs/4603-capitalism-has-its-limits?fbclid=IwAR29tPvGaYcQNgzSvLO99OfWQCRHD4cGJ7ushuTo74D99RKJo5ZiQzn0P4A/ (2020년 9월 10일 최종접속).

http://www.homomimeticus.eu/2020/05/27/allegories-of-contagion-jean-luc-nancy-on-newfascism-democracy-and-covid-19/ (2020년 9월 10일 최종접속).

http://www.hani.co.kr/arti/opinion/column/936708.html/ (2020년 9월 10일 최종접속).

http://www.ilemonde.com/news/articleView.html?idxno=2479/ (2020년 9월 10일 최종접속).

http://www.ilemonde.com/news/articleView.html?idxno=2494/ (2020년 9월 10일 최종접속).

http://criticallegalthinking.com/2020/03/14/against-agamben-is-a-democratic-biopolitics-possible/ (2020년 9월 10일 최종접속).

https://www.theguardian.com/world/2020/jun/06/bruno-latour-coronavirus-gaia-hypothesis-climate-crisis/ (2020년 9월 10일 최종접속).

바이러스와 인공지능이 만날때
: 팬데믹 시대의 기계적 노예화와 사회적 복종을 중심으로

백욱인

이 글은 《한국언론정보학보》 제106호(2021. 4.)에 게재된 원고를 수정 및 보완하여 재수록한 것이다.

팬데믹 시대의 기계적 노예화와 사회적 복종

확진자 7만 8,205명, 격리해제자 6만 7,878명, 사망자 1,420명. 2021년 1월 31일 현재 '코로나19 실시간 상황판' 현황이다. 코로나19 바이러스 팬데믹으로 우리는 날마다 증가하는 확진자와 사망자 수를 마주 대한다. 질병관리청은 확진자 수에 따라 통제 수준을 정해 놓고 규제 단계에 따른 생활 제한 수칙을 발표한다. 그들은 신용카드와 스마트폰을 추적하여 감염자의 동선을 확인하고, 해당 권역에서 확진자 발생 시 스마트폰으로 경고 문자나 감염 정보를 보낸다. 바이러스 감염 위험 속에서 사람들은 바이러스 시대의 '통치'에 익숙해지기도 했지만, 생명 보호를 명목으로 시행되는 통치에 대항하는 행동을 보여 주기도 했다. 마스크를 쓰고 사회적 거리를 두라는 경고에 불복하기도 하고, 영업제한을 어기고 비밀리에 영업을 재개하기도 한다. 이런 행위들은 사회적으로 지탄받거나 규율 위반으로 공권력의 규제 대상이 됐다. 팬데믹 시대는 감염병의 위험으로부터 주민의 생명을 보호한다는 '생명권력'의 모습을 드러내고 있다. 국가기구는 인구, 사망, 감염에 관한 지표를 매일 발표하고 각종 지원금이나 긴급구호를 시행함으로써 생명권력의 모습을 노골적으로 보여 준다.

팬데믹 시대는 정보와 물질을 결합하여 생명체 속에서 작동하는 생화학적 약물을 생산하는 생명체 관련 자본과 생명체에서 빠져나온 정보로 생명체를 통제하는 정보기업이 득세하는 시기이기도 하다. 생명체와 인공지능을 결합한 자동화체제는 감염의 네트워크를 감시하는 동시에, 바이러스에 취약한 인구를 배제하거나 통합하면서 인구의 유지를 위한 통제를 강화한다. 팬데믹 시대에 이루어지는 감염병의 확산은 사회구성원에 대한 통제 방식을 변화시키고 그것은 통치성의 변화로 이어진다. 코로나바이러스 시대의 정보기기를 활용한 통치성은 인공지능을 포함한 최근의 정보기술 확장과 깊은 관련이 있다. 이 과정에서 개인의 몸과 관련된 '개인적인 것'이 상품화되거나 '사회적인 것'으로 변형되기도 한다. 팬데믹 시대에 사회적인 통제의 변화가 갖는 특징은 무엇인가? 그리고 이에 대한 대안과 비판은 무엇인가? 이 글에서는 이러한 질문에 답하고자 한다. 이를 위해 코로나바이러스 확산에 따른 몸의 '수치화numeric'를 통한 '양화된 자아quantified self'와 '가분체화dividualization'의 동향을 살펴보고, 그것이 플랫폼 자본 및 생명관리 자본과 맺는 관계를 검토할 것이다. 그리고 국가기구를 중심으로 이루어지는 사회적 통제 방식이 갖는 특징과 문제점을 살펴볼 것이다. 이를 위해 본 글에서는 팬데믹 시대의 예속성, 통치성, 저항성이 어떻게 이루어지는지 검토한다. 현재 이루어지고 있는 의학의 공간화와 관련하여 디지털 수치화로 이루어지는 '4차 공간화' 과정과 그것이 가져온 결과인 '제4의 공간'이 갖는 특징을 살펴보고, 의료건강 데이터와 관련된 개인의 '기계적 노예화' 기제, 개인에 대한 규율과 인구에 관한 통제가 혼합되면서 나타나는 '규율생명권력'이라는 독특한 통치성을 검토할 것이다. 마지막으로 통치성과 예속성의 변화에 따른 새로운 저항성의 출현 문제를 살펴보고자 한다. 이를 통해 바이러스와 인공지능이 결합된 규율생명권력의 문제점과 새로운 저항성의 근거를 모색할 것이다.

4차 공간화와 질병의 수치화

바이러스에 대한 방역당국의 조치는 바이러스 사체를 관리함과 동시에 인간 개체를 예속화하고 인구와 사회를 통제하는 세 가지 차원에서 이루어진다. 정보기술의 확산은 인간의 인지활동을 수취하는 수준을 넘어 인간의 신체활동에서 비롯된 데이터를 수취하도록 만든다. 디지털 플랫폼은 인간 인지 체계의 움직임을 수취하여 '데이터세트'를 만든다. 인터넷 시대의 진료행위는 전자기록 체계를 통해 디지털 수치로 자동으로 축적된다.[1] 개인의 신체활동은 각종 스마트기기와 앱을 통해 디지털 수치로 전환되어 플랫폼 클라우드나 특정한 저장장치에 축적된다. 정보기술 관련 업체는 병원의 기록체제와 개인의 신체활동 데이터를 결합하고 스마트기기와 건강 관련 서비스를 보급하면서 사람들의 몸과 연관된 데이터를 '의료화'하고 '상업화'하기 시작한다. 이제 질병이 몸 위에 그려지던 시대, 질병의 장소를 몸 안의 기관에서 찾던 시대, 질병을 사회적인 공간에서 관리하던 시대를 넘어 질병의 움직임과 인간의 증세가 수치로 바뀌어 자동으로 축적되는 시대가 되었다. 의사와 환자, 의료기관과 정보 관련 사업체, 규제 관련 국가기구들이 중심이 되어 '데이터화된 몸'과 대중의 데이터세트를 둘러싸고 경쟁을 벌인다. 이런 과정에서 '신체의 규율정치'와 '생명의 통제정치'가 만나 개인의 신체를 순종화하고

---

[1] 전자기록체제에서는 측정을 위한 지표와 측정 방식이 마련되면 디지털 기록체계가 자동으로 이루어진다. 디지털 기록체계가 완성되려면 사회구성원이 측량metric 문화에 적응하면서 스스로 자기추적하는 습관이 만들어지고 이런 과정에 암묵적으로 동의해야 한다. 이런 과정이 순조롭게 이루어질 경우 멀러(Muller, 2018)가 지적한 '측량의 압제 tyranny of metrics'가 완성되어 몸의 수치화를 통한 디지털 의료산업과 사회적 통제를 위한 조건이 마련된다.

생명을 사회적으로 관리하는 '규율적 통제권력'이 생겨난다.

들뢰즈Gilles Deleuze[2]는 푸코Michel Foucault의 '규율사회disciplinary society' 개념을 현대로 확장하여 '통제사회control society' 개념을 제시하였다. 규율사회에서는 신체를 순종화하여 권력관계를 유지한다. 통제사회에서는 최종적으로는 신체에 대한 물리적 구속을 시행하지만, 그보다는 생명체에 대한 간접적 통제가 이루어진다. 통제사회에서는 생명체의 인지적 활동을 수취하고 신체 내부의 생리적 활동과 생화학적 성분의 변화를 측량하여 '수량화quantification'하고 관리한다. 규율과 통제의 방식이 '물질적analogical'인 것에서 디지털의 수치적인 것으로 넘어간다.[3] 정보기술과 의료 체계, 환자의 참여, 그리고 '독소virus'를 통해 물질적 신체가 아닌 '데이터화된 몸'이 만들어진다. 통제사회의 권력은 정보기술을 활용하여 데이터화된 몸을 관리하고 통제한다. 푸코[4]는 《임상의학의 탄생》에서 '질병의 공간화'가 변화하는 방식을 보여 주었다. 푸코는 '죽음과 언어, 공간의 문제'를 다루면서 18~19세기 간에 이루어진 의학적 시선의 변화를 추적한다. 그는 '질병의 공간화'가 제도적으로 이루어지는 과정에 대해 질병과 공간과의 관계를 18세기 분류의학의 '1차 공간화', 19세기 병리해부학의 '2차 공간화', 그리고 19세기 후반부터 진행된 사회의학의 '3차 공간화'[5]로 구분하였다. 질병의 공간화는 질병에 대한 '시선'이 어디를 대상으로 하는가에 따라 달라진다. 질병을 분류하는

2   Deleuze, G., "Postscript on the societies of control," *October* 59, 1992.

3   Deleuze, G., "Postscript on the societies of control," p.4.

4   Foucault, M., *The birth of the clinic: An archaeology of medical perception* (A. M. Sheridan-Smith, Trans.), New York, NY: Vintage Books, (Original work published 1963), 1994.

5   Foucault, M, *The birth of the clinic: An archaeology of medical perception*, pp. 15-16.

1차 공간화는 질병을 유사성에 따라 구분하는 분류의 공간화이다. 18세기의 의학적 시선은 병에 대한 관찰과 언명, 곧 '보는 것'과 '말하는 행위'를 통해 의학지식 체계를 형성하였다. 19세기 병리해부학의 임상의학 체계에서는 '개인'의 몸이 질병을 공간화하는 핵심적인 대상이 되었다. 2차 공간화는 의사가 환자의 몸 위에서 질병의 위치를 찾아내고 죽음의 장소인 환부와 질병을 일치시키는 공간화이다. 3차 공간화는 인구를 대상으로 전개되는 사회적 공간에서 질병이 사회적으로 구분되면서 이루어지는 공간화이다.

푸코[6]는 《감시와 처벌》에서 신체형을 위주로 하는 군주국가에서 규율의 내면화를 통한 규율권력으로의 이행, 그리고 사회구성원인 인구를 통제하는 생체권력의 차이를 논의하고 있다. 푸코는 계보학적 방법을 활용하여 의학적 시선의 변화를 분류의학, 임상의학, 사회의학에 따른 공간화로 구분하였다. 이는 의학적 시선 변화를 역사적 단계론으로 기술하고 있는 것처럼 보인다. 푸코는 18세기에서 19세기에 이르는 역사적 시기에 따라 질병의 공간화가 1차, 2차, 3차로 진행되었다고 보면서 각각의 특징을 설명하고 있다. 그러나 이러한 1차 공간화, 2차 공간화, 3차 공간화가 역사적인 발전 단계만을 의미하지는 않는다. 질병의 공간화는 의학적 시선의 단계적 발전이지만, 첫 번째 공간, 두 번째 공간, 세 번째 공간의 유형화된 틀로 이를 이해하면 질병의 세 가지 공간은 의학을 구성하는 요인이 된다. 곧, 푸코가 제시한 세 가지 공간화는 의학적 시선의 역사적 발전 과정으로 파악할 수도 있고, 의료가 이루어

---

6 Foucault, M, *Surveiller et punir: Naissance de la prison*, 1975. (오생근 옮김, 《감시와 처벌》, 나남, 2020)

지는 세 가지 공간에 대한 유형화로도 볼 수 있다. 실제 의학에서는 분류학, 임상의학, 사회의학이 종합적으로 이루어진다.[7]

감염병 시대의 의료 공간화는 개인의 신체를 순종화하는 '규율권력' 과 인구를 관리하는 '생명권력'[8]의 결합적 형태를 통해 진행된다. 질병 분류학, 환자의 몸에서 징후와 증세를 진단하는 임상의학, 사회적인 차원에서 인구를 관리하는 사회의학은 순차적인 발전을 겪어 왔으나 이들은 의학을 구성하는 요소들로 현대의학에서 분화된 영역을 구성하고 있다. 20세기에 들어서면서 새로운 의료기기와 정보기계의 활용을 통해 기존의 세 가지 공간화와 더불어 의료의 수치화라는 새로운 과정이 첨부된다. 의료의 수치화는 의료 공간의 특성에 큰 변화를 가져온다. 디지털 수치화를 통해 의료 공간의 재편성이 이루어지는 것이다. 20세기에 이루어진 다양한 영상진단기기의 발전은 현대의학의 공간화에 변화를 가져왔다. 현대의학의 시선에는 푸코가 유형화한 세 가지 공간화의 시선과 더불어 영상기기와 결합한 기계의 시선이라는 요소가 포함된다. 인간의 눈이 아닌 기계의 눈이 질병 분류에 활용되고, 임상의학에서의 진단은 물론 사회예방의학에서도 영상기술이 이용된다.

바이러스 감염이 빠르게 전파되면서 앞서 살펴본 세 공간에서 질병

---

7 1차 공간화primary spatialization, 2차 공간화secondary spatialization, 3차 공간화tertiary spatialization는 푸코의 논의에 따라 의학적 시선의 역사적 발전 단계를 순차적 발전 과정으로 보여 준다. 본 글에서는 1공간, 2공간, 3공간을 의학적 시선이 대상과 만나는 장소의 유형화를 드러내기 위해 사용하였다. 1공간, 2공간, 3공간은 각각 1차, 2차, 3차 공간화의 과정을 통해 만들어진 세 개의 의료 공간을 말한다. 푸코의 공간화와 공간 개념은 이 두 가지를 모두 함의하는 것으로 확장될 수 있다.

8 Rose, N, -The politics of life itself: Biomedicine, power, and subjectivity in the twenty-first century, Princeton, NJ: Princeton University Press, 2006.

에 대한 독특한 대처법이 시행되고 있다.[9] 감염병이 전 지구적 차원에서 확산되면서 사회적 통제는 세포와 병원체가 만나는 세포 수준의 생의학적 장소로 확장된다. 그런데 우리는 이 공간을 잘 알지 못한다. 의료 전문가들의 연구를 통해 이들이 잠시 드러나기는 하지만, 이 공간은 일반인의 일상생활과는 단절된 마이크로코즘의 세계이다. 개체의 몸의 특정 부위가 아니라 세포 수준으로 질병의 장소가 좁아지면 분류 작업도 매우 복잡해진다. 이 공간은 바이러스에 대한 과학자와 의사들의 연구 공간이기도 하다. 이와 더불어 감염자들의 증세와 징후를 연구하고 치료하는 임상의학도 활발하게 진행된다. 감염병이 더욱 확산되면 질병의 자리는 개인의 몸이 아니라 개인과 개인의 몸 사이, 그들의 만남 공간, 거래가 이루어지는 장소, 몸들이 만나고 교환하고 배출하는 사회적 공간으로 확장된다. 이때 사회적 공간은 감시와 규제의 대상이 된다. 광장은 통제되고 집회와 시위가 제한된다. 공공장소나 사설 영업장소도 통제된다. 그런 공간을 차지하는 개별 인간의 몸에 대한 통제와 감시를 통해 사회적 공간의 용도와 밀도가 제한되거나 조절된다. 이때 개체의 활동이나 공간과 연동된 움직임을 미시 데이터로 수집하고 통제하여 의심스러운 몸들을 추적하고 관리하는 디지털 정보기술의 개입이 이루어진다.

인터넷 보급이 일반화된 2000년부터 환자와 의사의 직접적 관계로 구성된 기존의 임상의료체제는 의료기록체제의 변화와 디지털 기술의 개입으로 과거와 달라지기 시작했다. 영상과 데이터를 기반으로 하

---

9 이민구 · 홍세연, 〈푸코의 질병의 공간화와 중동 호흡기 증후군〉, 《의철학연구》 20, 2015.

는 현대의학에서는 사람의 몸뿐만 아니라 직접 바이러스라는 대상을 추적하고 잡아내는 데 디지털 수치화를 활용하는 '4차 공간화quaternary spatialization'가 이루어지고 있다. 의료의 영역에 기계장치와 전자장비가 도입되고 진단과 시술을 비롯하여 의료기록체제 자체가 정보화되기 시작하면서 질병의 수량화로 전개되는 '제4의 공간the fourth space'[10]이 만들어지고 있는 것이다. 빅데이터와 인공지능, 그리고 환자가 갖고 있는 스마트폰과 건강기구health device의 결합은 의사의 시선이 갖고 있던 일방적 권력과 지식 체계를 허문다. 각종 영상장비와 측정 기구를 활용하여 개체의 데이터가 전체 환자의 데이터세트로 축적되면, 환자의 몸에서 이루어지는 질병의 장소를 실증적으로 바라보고 말하던 의사의 전문적 시선은 위력을 잃게 된다. 기계의 눈과 빅데이터, 그리고 인공지능의 알고리즘이 의사의 시선과 지식을 대체한다. 여기에 디지털 수치화를 활용한 빅데이터와 인공지능이 의료에 도입되면 앞서 푸코가 구분한 세 가지 공간과 더불어 수치화라는 제4의 공간이 등장한다. 영상의학의 기호화된 공간과 더불어 정보기기를 활용한 수치화된 공간이 나타나기 시작하는 것이다. 디지털 정보기술로 만들어지는 새로운 공간은 규율사회적 요인과 생체권력이 결합한 독특한 특징을 갖게 된다.

20세기의 영상의학에서 출현한 기계의 눈과 시선, 뒤를 이어 등장한 데이터의 시선은 이전의 분류의학이나 임상의학, 사회의학과 달리 공간화를 수치화로 바꾸어 놓는다. 4차 공간화는 양화된 수치를 중심으

---

10 '4차 공간화'와 수치화된 '제4의 공간'은 푸코가 분석하지 않은 19세기 말 이후부터 현재까지 진행된 의학적 시선이 변화하는 모습을 규정하기 위해 푸코의 개념에 이어 필자가 임의로 확장한 것이다.

로 몸과 질병의 시뮬레이션을 통한 기계적 재현으로 이루어진다. 그것은 2차 공간화의 개인적 공간화의 3차 공간화의 사회적 공간화 간의 구분을 걸어 내면서 집합화된 전체 인구의 공간화를 위한 데이터세트를 조성하고 관리한다. 측정을 통해 이루어진 몸의 수치화와 데이터세트를 만드는 수량화에 바탕을 둔 '4차 공간화'는 개체 하나하나씩을 대상으로 한 추적tracking과 모니터링을 시행하고, 예방적 차원에서 건강 데이터를 수집한다는 허락을 받아 내어 사회구성원에 대한 실시간 데이터를 구축하는 과정이다. 의사의 임상적 눈을 대체하는 기계적 시선은 환자의 몸과 증세 및 병소에 관한 종합적 데이터로 그려지는 지도와 다이어그램 안에 질병과 건강의 교차격자를 만들고 그 안에 개인의 좌표를 찍는다. 신체를 떠나 만들어지는 질병의 분포도와 개체들에서 떨어져 나온 데이터 집합체가 여러 용도의 데이터세트로 바뀌면서 개인과 인구집단의 디지털 건강지도가 만들어진다. 스마트폰 모니터 위에서 재현되는 맥박과 혈압과 혈액 수치들의 그래프들이 건강의 등급을 적시하면서 건강 위협의 경고를 내리고 코로나바이러스 예상 감염 확률에 따라 스마트폰이 경고음을 울리게 된다. 인간의 몸 안에서 일어나는 '증세sign'를 기반으로 하는 임상의학은 여전히 현대의료의 핵심적 위치를 차지하지만, 생명공학은 인간의 몸과 별개인 바이러스의 존재를 추적하고 그 구조를 드러내고 있다. 그 과정에서 바이러스와 빅데이터, 인공지능 간의 연결이 만들어진다. 한 시대의 건강의료체계는 의료계 바깥에서 이루어지는 기술의 변화와 사회관계의 변동에 의해 영향을 받는다. 데이터 수집과 처리 기술, 빅데이터와 인공지능, 영상기술과 로봇기술 등이 발전함에 따라 기존의 의사·환자 관계를 중심으로 하는 임상의료체제는 복잡한 이해관계의 망 속에서 재편된다.

의료-건강 데이터와 '기계적 노예화'

푸코는 규율권력이 개인에게 가하는 감시와 처벌은 개인의 '주체성'[11] 형성을 통해 이루어진다고 보았다. 들뢰즈와 가타리Félix Guattari[12]는 이러한 푸코의 예속화 개념을 '자본주의 체제'에서의 '기계적 노예화' 개념으로 확장하였다. 한편, 라차라토Maurizio Lazzarato[13]는 들뢰즈의 개념을 확장하여 현대 정보사회의 디지털 플랫폼에서 이루어지는 '기계적 노예화machinic enslavement'를 분석하면서 이것이 주체화에 미치는 영향을 비판하고 있다. 인지자본주의는 개인을 분할 가능한 '가분체'[14]로 만들고 개인의 활동에서 데이터를 자동으로 뽑아낸다. 이러한 과정을 통해 대중의 인지활동은 빅데이터로 전환되어 기계적 예속의 기반이 마련된다는 설명이다.

인구의 건강 관련 데이터와 환자의 질병 관련 데이터는 디지털 기록 체계의 완비 이후 자동적으로 관련 기관의 데이터베이스에 축적된

---

11 푸코의 주체성은 '예속화assujettissement'와 '주체화subjectivation'가 이루어지는 복합적인 과정을 통해 만들어진다. 예속화와 주체화는 순차적인 시간의 계기를 통해 인과적 관계에 따라 서로 전환할 수도 있고, 동시에 이루어지기도 한다. 통치성과 저항성은 서로 대립하면서 예속화와 주체화 사이에서 만들어진다.

12 Deleuse,G., & Guattari, F., *A thousand plateaus* (B. Massumi, Trans.), London, UK: University of Minnesota Press, (Original work published 1980), 1987, pp. 456-459.

13 Lazzarato, M., *Signs and machines: Capitalism and the production of subjectivity*, 2014. (신병현 옮김, 《기호와 기계》, 갈무리, 2017)

14 '가분체' 개념은 들뢰즈(1992)의 통제사회에 관한 논문 중 짧은 문장에서 제시되었다. "우리는 더 이상 대중/개인이라는 짝을 다루지 않는다. 분리 불가능한 개인individual들은 '분리 가능한 가분체들dividuals'이 되었고, 대중은 샘플이나 데이터, 시장 혹은 '저장고banks'가 되었다(p. 5). 라차라토(2014/2017)는 가분체 개념을 구체화하여 현대 플랫폼 자본주의 분석에 적용하였다.

다. 이와 더불어 각종 건강기구나 측정장치를 활용한 건강서비스 플랫폼에도 사람들의 건강 관련 데이터가 축적된다. 그런데 축적된 데이터를 배치하는 주체는 이용자들이 아니라 플랫폼 소유자이다. 플랫폼 기계장치는 자동으로 이용자의 활동결과물과 그들 간의 커뮤니케이션 데이터를 축적한 후 그들의 용도에 맞게 새로운 배열과 배치를 통해 서비스 상품으로 변형한다. 플랫폼으로 전유된 이용자들의 활동결과물은 다시 재배열되어 다른 이용자의 감각과 정서를 촉발하면서 특정한 플랫폼 기반 감응체계를 만들어 낸다. 이용자 활동결과물의 집합인 빅데이터를 이윤을 위한 데이터로 잘게 썰어 재배치하는 기술은 데이터 포획기계와 콘텐츠 생성기계가 통일된 거대 플랫폼기계를 통해 이루어진다. 디지털 자본주의의 플랫폼 기반 가분체화는 경제적 차원의 새로운 축적체제에만 머물지 않는다. 데이터의 시원적 축적과 활용이 이루어지는 과정에서 개인은 부단히 자기를 재현하고 그런 과정의 결과는 정치적 영역으로 이어진다. 거대 플랫폼은 이용자 서비스를 통해 한쪽으로는 기호계의 재현을 공급하고 다른 한쪽으로는 비기호계의 데이터를 수집하면서 기계적 예속을 자동화하였다. 플랫폼 기업들은 '비기호적 재현'[15]을 통해 개인을 가분체로 만들고 사회적 분업의 새로운 관계를 만든다. 플랫폼기계는 데이터의 축적을 이루고 그것을 활용하여 새로운 상품 및 이윤을 낳는 기반을 마련한다. 이런 지배구조는 사회적 복종의 계약관계를 통해 노동을 자본으로 포섭하는 것과는 다른 권력관

---

15 비기호적 재현은 언어적 재현이 아닌 그림, 수치, '좋아요' 등 정서와 특정 행동을 알고리즘으로 처리하여 소비자에게 최적화한 형태로 되먹임한다. 개인에게서 분리된 체온·심박수·혈압 등 신체 기능 '가분체들'과 혈당량·콜레스테롤 수치 등의 생화학적 '가분체', 그리고 특정한 신경반응 '가분체들'이 알고리즘에 의해 가공되어 통계적 최적치를 만든다.

계를 행사한다.

디지털 자본주의에서 자아는 '양화된 자아'[16]와 '질화된 자아'[17]가 공존한다. 플랫폼 서비스에서는 데이터로 이루어진 양적 자아와 질적 자아가 혼합되어 디지털 자아를 구성한다. 약관과 규약을 통해 맺어지는 플랫폼 관계는 정보자본주의에서 사회관계의 새로운 형태를 만들어 낸다. 기계에 부착되어 자신의 가분체를 자동으로 양도하는 규약 체계가 만들어지고, 이용자는 서비스를 무료로 이용하는 대가로 자신의 가분체와 활동결과물을 플랫폼 거대 자본에 양도한다. 이런 과정은 자본-노동관계에 내재되어 있는 사회적 복종이나 법과 강제를 동반한 권력의 개입 없이 이루어진다. 이러한 사회적 복종과 기술적 노예화의 혼합태는 이전과는 다른 지배체제를 만든다. 사람들의 계급의식이나 비판적 사회의식 또한 과거와 달라지고 자본-노동의 대립과 모순은 계급의식이 아니라 생활세계 안에서의 이용자 의식이나 소비자 의식과 결합된 주체성의 형태로 드러난다.

이러한 플랫폼 기반 서비스는 의료 분야에도 도입되고 있다. 이미 건

---

16 Humphreys, L., *The qualified self: Social media and the accounting of everyday life*, Cambridge, MA: The MIT Press, 2018; Lupton, D., *Digital health: Critical and cross-disciplinary perspectives*, London, UK: Routledge, 2017.

17 사회네트워크서비스SNS를 이용할 때 질적 자아는 양적 자아로 변경되어 플랫폼 안에서 빅데이터로 통합된다(Humphreys, L., *The qualified self: Social media and the accounting of everyday life*, Cambridge, MA: The MIT Press, 2018). 다른 이용자들은 해시태그나 SNS가 제공하는 인터페이스 디자인을 통해 다른 이용자들의 집합적 표현물을 본다. 알고리즘에 의해 분리되어 다시 클러스터를 이룬 데이터들이 새로운 시뮬라크르를 만든다. 그렇게 해서 사람들은 SNS가 준 눈으로 SNS에 나타나는 시뮬라크르를 본다. 내 눈으로 보는 것 같으나 그것은 플랫폼 알고리즘이 만든 눈으로 보는 것이다. 기계 눈은 통계로 회귀된 데이터를 집락화하여 새로운 경계와 의미를 만든다. 사실과 실재는 보이지 않고 통계로 구성된 물화된 대상들의 집합체가 모습을 드러낸다.

강과 관련된 데이터를 활용하기 위한 '표준화', 분류와 측정, 코딩, 소비 가능한 데이터세트로 만들기 위한 정보기술의 활용, 이를 관리하기 위한 의료정보화 등 빅데이터와 의료를 결합하려는 '데이터 기반 의료data-driven healthcare'를 구현하려는 다양한 시도가 이루어지고 있다.[18] 이런 시도는 의료기관에 축적되는 환자와 치료에 관한 데이터를 활용 가능한 형태로 관리하는 데 초점을 맞춘다. 한국은 2000년 초반부터 의료전자기록체계를 정비하여 의료정보의 표준화를 시도하였다. 건강의료보험공단에는 진료 과정에서 창출된 데이터가 자동으로 축적되고 있다. 그것을 사회적으로 축적된 다른 데이터세트와 연동하면서 의료 데이터를 활용하는 데이터 '생체자본주의'의 기반이 마련되고 있다. 한국은 다른 나라에 비해 건강의료 관련 데이터의 공적 축적이 잘 이루어져 있고 프라이버시에 대한 환자의 권리가 상대적으로 약하다. 이런 상황에서 정부는 '4차 산업혁명'의 묘판으로 환자 데이터의 상업적 활용을 위한 법안 개정 및 상업적 추진을 활성화하고 있다. 건강 관련 데이터는 진료 과정에서 부수적으로 만들어진 '외부효과externalities'인데 이것을 자본이 수취하여 상업화하는 정책이 추진되고 있으며, 의료 데이터 활용을 둘러싸고 환자·의사·의료 사업체·중간 브로커·의료 관련 사업체·정부기구·정보사업체의 합종연횡이 활발하게 진행되고 있다.

코로나바이러스에 대응하기 위한 정책으로 정부가 내놓은 '디지털

---

18   Madsen, L., *Data-driven healthcare: How analytics and bi are transforming the industry*, Hoboken, NJ: Wiley, 2014.

뉴딜정책'[19]과 '지능정보사회'[20]라는 용어는 물질과 생명의 정보화를 인공지능과 빅데이터로 포착하여 이를 새로운 산업으로 연결하기 위한 것이다. 인공지능과 빅데이터가 결합하는 현대 정보사회에서는 정보와 지식의 사회적 구성과 더불어 기계적 구성 또한 활발하게 전개되고 있다. 바이러스 감염과 관련된 보건의료 데이터는 환자의 몸에서 출발하여 의사의 손을 거쳐 기계에 저장된다. 환자의 신체에서 시작된 '물질-정보-생명의 복합체'는 의사의 진단과 처방을 거친 후 탈물질화된 데이터로 치환되어 국가의 의료관리기구로 전달된다. 의료의 진행 과정에서 발생한 데이터는 각 공정 단계마다 변형되어 각 주체별로 분산된다. 이 과정에서 환자의 자기 정보에 대한 통제권은 보장되지 않는다. 환자에 대한 의사의 치료 과정에서 발생하는 대부분의 데이터는 의료기관, 국민건강보험공단이라는 정부기관, 그리고 그 데이터세트를 구입하는 마케팅회사나 연구회사, 혹은 데이터회사 등으로 흘러간다.[21]

이 과정에서 개별 병원에서 분리 기록되던 환자의 데이터는 한 곳에 집중되거나 결합되면서, 개체의 몸에서 나온 데이터의 성격이 '사적인

---

[19] 정부는 코로나19 위기 극복을 위한 정책으로 디지털 뉴딜정책을 제시하고 있다. 과학기술정보통신부는 코로나19로 외부화되기 시작한 학교교육, 의료, 작업장, 유통 영역을 4대 비대면 서비스로 설정하고 이에 대한 보완을 내재화하는 시범 작업을 추진한다고 발표하였다. 이러한 정책은 학교, 병원, 작업장 등의 사회 영역으로 기업의 사업 영역을 확대하고 수치화를 통한 통제를 강화하는 결과를 가져올 것이다(과학기술정보통신부, 〈코로나19 위기 극복을 위한 디지털뉴딜은 4대 비대면 서비스의 보안 내재화에서 출발〉, 세종: 과학기술정보통신부, 2021. 1. 28).

[20] 이원태 · 문정욱 · 류현숙,《지능정보사회의 공공정보화 패러다임 변화와 미래정책 연구》, 정보통신정책연구원, 2017.

[21] Goodman, K, *Ethics, medicine, and information technology*, Cambridge, UK: Cambridge University Press, 2016.

것'에서 '사회적인 것'으로 변용된다. '사회적인 것'으로서의 보건의료 데이터는 '공동의 것'으로 활용될 수도 있고 국가기관의 통제수단, 혹은 사업체의 독점물이나 상품이 될 수도 있다. 의료 관련 기업들은 환자에게 편리함을 제공하는 대가로 환자들이 프라이버시를 포기하기 바란다. 의료 데이터에 관한 프라이버시와 상업화 문제는 한 사회의 수준을 반영한다. 의료 데이터의 상품성에 눈을 뜨기 시작한 거대 병원과 데이터 사업체들은 익명화나 비식별화를 빌미로 의료 데이터의 사회화와 상업화를 주장한다. 의료 데이터는 개인 가분체에서 나오지만 다른 개인의 가분체들과 결합하여 질병과 환자 및 의료서비스의 패턴과 동향을 알려주는 원재료로 활용된다. 가분체로서의 개별 의료 데이터가 데이터세트를 이룬 후에 생명체인 개체와 다시 결합하는 방식은 매우 다양하다. 가분체인 의료 데이터가 불가분체인 식별 가능한 개체와 다시 만날 때 생명체는 다시 한 번 대상화된다. 코로나바이러스는 빅데이터와 인공지능, 그리고 이런 일을 벌이고 있는 정부기관과 의료 관련 기구 및 단체, 사기업 등의 동향과 그것이 갖는 문제점과 위상을 비판적인 차원에서 바라보도록 만들었다.

팬데믹 시대의 규율생명적 통치성

앞서 살펴본 의료의 '4차 공간화'와 디지털 수치화 과정을 통해 개인에 대한 규율과 인구에 관한 통제가 혼합되면서 '규율권력'과 '생명권력'이 통합된 '규율생명권력'이라는 독특한 통치성이 나타나기 시작했다.[22] 플랫폼을 통해 모여진 개인적 데이터는 바이러스 감염자에 대한 사회적 추적의 실마리를 제공한다. 개인의 행위와 관련된 사적 데이터는 권력기구가 원할 때 언제라도 압수하거나 들여다볼 수 있다. 특히 감염병의 위기에서 국가기구는 사회구성원을 보호한다는 명목으로 개인의 몸과 관련된 데이터들을 서로 연결하여 추적을 강화하고 예상되는 미래의 행위를 차단하거나 통제할 수 있다. 방역당국은 개인이 방문한 장소와 시간을 역추적하고 그의 병력과 관련 자료들을 조회한다. 개인에 대한 추적은 디지털 기기를 통해 자동화된다. 그러한 데이터의 통합은 개인을 유형화하여 감염병 지표 관리의 대상으로 만들어 버린다. 팬데믹 이후 바이러스 확산을 막기 위한 명목으로 신체에 대한 제한과 구속이 합리화되고 개인의 행동을 처벌하고 규제하는 규율권력이 다시 강화되었다.

이런 과정에서 인구(국민) 전체를 대상으로 감염병 확산으로부터 '살게 만들고, 죽게 내버려 두는' 생명권력의 통치성[23]이 동반된다. 코로나바이러스 확산을 맞아 개인의 신체 규율 강화와 인구의 안전 확보라는

---

22 푸코의 권력에 대한 논의는 시대별 실제 권력의 역사적 단계로서 해석할 여지를 지닌 동시에 권력의 유형에 대한 논의로도 읽힐 수 있다. 역사적 단계나 유형적 구분 모두 연속보다는 단절에 의미를 두고 있다. 이러한 푸코의 권력론은 절대왕정의 신체적 형벌, 근대국가의 규율적 형법과 감시를 다루는《감시와 처벌》이나 의학의 공간화를 다루는《임상의학의 탄생》등 그의 저술에서 공통적으로 드러난다. 푸코의 권력론을 역사적 단계로 파악할 경우 이행적 의미가 더 중시되는 반면, 이를 유형론적으로 받아들일 경우에는 현존하는 실제 권력의 성격을 파악하는 데 유용한 시사점을 던져 준다. 본 글에서는 역사적 단계론보다는 유형론적 틀을 활용하여 팬데믹 시대의 권력이 지닌 성격을 파악하려고 시도하였다. 그래서 규율권력과 생명권력의 결합으로서의 '규율생명권력'이라는 개념적 설정을 하였다. 이는 팬데믹 상황에서 권력의 통치 성격을 드러내고 그에 따른 예속성과 저항성의 향방을 확인하기 위한 방안이다.

23 강미라, 〈빅데이터 시대의 통치성〉,《현대유럽철학연구》46, 2016.

서로 모순되는 목적이 하나로 통합되었다. 바이러스에 대한 생명공학적 접근은 바이러스의 유전자맵을 만들고 그에 대항하는 '중화체' 구조를 찾아내 백신을 개발하였다. 인구를 '살게 만들기' 위해 다양한 백신의 개발과 물리적 규율의 확대 및 사회적 통제가 확산되었다. 그와 동시에 '죽게 내버려 두기'도 동반되었다. 코호트 격리라는 틀로 요양병원의 인구를 죽게 내버려 두거나, 크루즈선을 통째로 봉쇄하는 일이 벌어졌다. 도시와 지역 자체를 공간적으로 봉쇄하는 사례는 전체 인구를 '살게 만들기' 위해 특정 지역 인구를 '죽게 내버려 두는' 방식으로 보인다. 이처럼 바이러스 팬데믹 시대에는 생명권력과 규율권력이 결합한 새로운 통치성의 기반이 마련된다.

이를 위해 개인 차원에서는 규율의 내면화를 통한 통치성이 강화되고, 다른 한편으로 통제사회의 새로운 감시 체계도 작동된다. '손 씻기', '마스크 쓰기'라는 개인적 규율이 확산되고, '활동 제한', '거리두기' 등의 사회적 규율 또한 강화된다. 방역당국은 '사회적 거리두기'와 집합금지 등에 대한 규율 위반 행위에 대해 벌금이나 법적 제재를 가해 규율권력의 통치성을 강화한다. 이와 더불어 방역당국은 역학분석이라는 명목으로 감염자의 이동경로를 추적하고 감염네트워크를 추적하는 한편, 수시로 스마트폰을 통해 해당 지역 주민에게 감염자 발생 현황을 긴급문자로 전송한다. 한편으로는 규율사회적 통치 행태가 강화되는 동시에 다른 한편으로는 첨단 정보기계의 기술을 이와 결합하여 생명정치와 생명권력의 효과를 발휘하는 독특한 통치가 진행된다.

이러한 통치성의 변화는 개인에 대한 '예속화'를 동반하며 이루어진다. 사회네트워크서비스 플랫폼을 통해 일상적으로 강화되던 '기계적 노예화'의 기제가 보건의료와 방역의 영역과 긴밀하게 연결되기 시작하였다. 사회구성원에 대한 기계적 노예화와 더불어 의료 데이터의 상품화 구상이 '원격진료 활성화'나 '데이터 3법'[24]으로 추진되고 있다. 이 과정에서 자신에 대한 반성적 사유가 아니라 데이터로 측정된 항목들의 지표를 통해 자신의 정체성을 만드는 새로운 주체화의 기제가 나타나고 있다. 이와 함께 디지털 기기를 통해 이루어지는 수치화된 주체를 활용하는 새로운 통치성이 갖추어진다. 방역당국은 수치화로 측정된 특정 지표를 활용하여 사회구성원을 항목화하고 분류한다. 그들은 사회구성원을 바이러스에 걸린 자와 걸리지 않은 자, 회복된 자, 바깥에서 들어온 자와 안에 있는 자, 감금된 자 등으로 분류한다. 방역을 위해 만들어진 새로운 분류 방식은 새로운 사회적 복종의 기제를 위한 기반이 된다. 직업적 분류나 사회계층적 분류는 이들 분류의 하위 항목에 머물고 보조적인 역할만을 감당한다. 감염병과 정보기기를 결합하여 인구 구성을 분류하는 방식은 질병 분류를 통한 1차적 공간화를 수치화에 바탕을 둔 4차적 공간화의 분류 방식으로 바꾸고 있다. 사회구성원은 질병 분류 체계의 틀에 걸리지 않은 건강한 인간으로 살아남기 위해 미리 검사받고 예방에 필요한 생활 반경 제한, 집합 통제, 백신 접종 등의 사회적 조치에 복종한다.

국가권력은 통제의 권한을 쥐고 과학기술과 정보를 제어한다. 국가

---

24 데이터 3법은 이른바 「개인정보보호법」, 「정보통신망법」, 「신용정보법」 등 3개 법률을 총칭하는 것으로서 개인정보 활용에 중점을 두고 있다. 정부는 이런 법 개정을 통해 국민건강 관련 빅데이터와 인공지능을 결합하거나 플랫폼을 통해 수집한 데이터 및 건강보조기계들이 수집한 데이터를 상업적 목적으로 활용하는 길을 터 주고자 한다. 데이터 3법 개정의 주요 내용에 대해서는 강달천(2020) 참조. 팬데믹 시기에 제출된 데이터 3법 개정이 의료산업 활성화에 집중되고 있는 이유와 관련 이슈에 대해서는 한국인터넷진흥원(2020) 참조.

는 인간 개체의 정동과 심리를 정치공학적으로 이용하면서 사회적 복종의 기제를 만들고, 질서와 안전 유지라는 명목으로 사회관계와 사회적 행위를 제어하며, 질병 퇴치라는 틀로 바이러스의 움직임에 개입한다. 이렇게 확보된 개인의 몸과 관련된 데이터는 바이러스 감염 통제와 인공지능을 결합한 사회적 통제의 기반이 된다. 국가는 개인들의 연결과 만남을 통해 이루어지는 공공의 장소와 사회를 질병 관리라는 명목 아래 인공지능을 활용하여 기술적으로 통제한다. 집단적 몸, 혹은 사회적 몸이라는 공중보건 영역이 중요하게 대두하고 이를 지켜 내기 위한 국가의 통제와 간섭이 합리화된다. 질병관리본부라는 제도화된 강제력을 갖는 체계가 만들어지고, 그들이 사회구성원의 몸에 대하여 일괄적인 통제력을 발휘한다. 사회적 몸의 건강을 유지하기 위해 그들은 감시와 조기 통제체제를 만든다. 그리고 기존의 치료 체계를 조절하고 통제한다. 국가기구는 감염병에 대한 사회적 안전 확보를 명목으로 기존 의료 자원의 재구성과 분배를 통해 사회적 몸의 건강을 돌보거나 관리한다.

규율생명적 통치는 규율사회의 물리적 힘과 통제사회의 수치화를 통한 간접화된 통치[25]를 결합한다. 이러한 통치는 디지털로 소독된 건강한 시민을 보호하기 위해 규율을 강화하고 인구를 보호한다. 팬데믹 시대의 권력은 바이러스 확산을 막기 위해 시민들의 행동을 통제하고 사람들이 모이는 공간을 물리적인 힘으로 통제한다. 이를 성공적으로 수행하려면 공간적 장소에 대한 직접적 통제와 더불어 시민 개개인의 동작과 활동 범위를 간접적으로 감시하고 제어해야 한다. 방역당국은 발

---

25 Deleuze, G., "Postscript on the societies of control," *October* 59, 1992, p.4.

병 장소를 소독하여 바이러스를 죽이고 사회구성원이 바이러스에 걸리지 않았음을 증명하고 바이러스에 감염될 확률에 맞춰 차별적인 맞춤형 통제를 시행한다. 방역당국이 시민을 디지털로 소독하려면 그들의 데이터를 수집해야 한다. 국가기구는 개인과 집단의 병원체에 대한 감수성과 현재의 질병 여부 및 인구학적인 관련 통계치를 확보하고 특정한 알고리즘에 따라 인구를 분류한다. 이를 통해 바이러스로부터 '보안된 인구'를 유지하기 위한 통제사회의 수치화된 데이터세트 활용 정책이 마련된다.

팬데믹과 새로운 저항성

바이러스 감염 시대에 이루어지는 주체화 과정은 몸의 수치화와 질병에 대한 사회적 감시를 통해 구체화된다.[26] 인공지능 시대의 기계적 예속은 신체적·신경적·인지적 차원에서 이루어진다. 바이러스와 인공지능은 '개인적인 것'의 작동 방식에 변화를 가져온다. 정보기계는 기계적 예속을 통해 개인의 신체와 정신 공간을 장악한다. 바이러스 시대의 면역학은 자기와 자기가 아닌 것을 개체의 수준에서 나눈다. 나의 신체 바깥에 존재하는 타자와 환경은 나의 몸과 타자의 몸을 구분한다.

---

26 팬데믹 시대의 저항성은 규율생명통치에 의하여 조성되는 예속적 주체성과 연관되어 있다. 통치성의 변화는 예속성의 성격과 그것이 이루어지는 방식에 영향을 미친다. 통치성과 예속성은 서로 긴밀하게 연관되어 있다. 통치성과 예속성의 변화는 새로운 저항성이 출현하는 조건이자 환경이 된다. 통치성, 예속성, 저항성의 관계를 분명하게 지적하는 논의에 대해서는 김예란, 《마음의 말: 정동의 사회적 삶》. 서울: 컬처룩, 2020, 221쪽 참조.

다른 동물과 식물, 사람, 미생물은 나의 안전과 건강을 파괴할 가능성이 있는 불온하고 위협적인 타자이다. 감염병이 만연하는 환경에서는 개인의 건강과 '건강배려health care'가 중요한 미덕으로 확산된다. 병원 안에 있는 환자의 질병과 병원 바깥 일상생활 공간에서 이루어지는 건강한 사람의 생활이 분리된다. 그래서 병원에서의 질병 치료나 사회적 공간에서의 예방 못지않게 개인의 건강관리가 중요하게 부각된다.

이런 상황에서는 질병의 자리를 찾아내는 의사의 눈보다 수치화된 데이터에서 병의 패턴을 찾아내는 인공지능 진단이 도입될 여지가 커진다. 이러한 변화는 병원만이 아니라 사회로 확장되는 정보기술을 활용한 건강서비스산업을 촉진한다. 다양한 섭생과 몸에 좋은 음식 섭취, 활력을 이끄는 약물, 건강한 생활을 보장하는 환경, 좋은 물, 상쾌한 공기, 병 없이 건강한 몸을 만드는 습관 배양을 통한 자기배려가 건강과 '웰빙well-being'이라는 주체성을 형성한다. 이런 변화에 발맞추어 자본은 개인 건강 시장에 주목한다. 섭생과 관련된 각종 건강식품이 생산된다. 몸의 건강을 배려하는 주체성은 개인의 적극적인 자기관심에서 나온다. 그것은 예속적일 수도 있고 새로운 삶의 방식에 대한 모색일 수도 있다.

안전과 개인의 건강은 외부 환경이 악화될수록 중요한 요소로 등장한다. 아울러 내분비와 신경증이라는 현대병에 발맞추어 개인의 건강정보는 자동으로 거대 플랫폼에 축적된다. 자본은 디지털 양화 과정을 거쳐 건강을 유지하는 데 도움이 되는 실시간 맞춤 건강서비스라는 새로운 영역을 상품화 경제 분야로 끌어들인다. 몸 데이터의 상업화는 건강의료데이터의 '외부성'의 수취를 둘러싸고 이루어진다. 의료기관에 축적되는 빅데이터는 의료기록체제의 디지털화를 통해 이루어지기 시작했다. 한편, 개인용 스마트머신이나 건강 관련 앱은 개인의 몸 정보를 추출하여 '양화된 자기'[27]를 만들기 시작한다. 의료기관의 빅데이터와 양화된 자기의 개인 데이터가 결합할 경우 프라이버시 및 사회적 차별, 감시와 통제 등 과거에는 볼 수 없었던 새로운 의료 문제가 사회적 논란거리로 나타나게 된다.

우리는 푸코가 《임상의학의 탄생》에서 18세기의 분류의학에서 19세기 임상의학으로의 체제 변화를 탐구하고, 키틀러Friedrich A. Kittler[28]가 '기록체제의 변화'를 연구하듯이 바이러스 유행 국면에서 이루어지고 있는 의료기록체제의 변화를 탐색할 필요가 있다. 환자의 몸과 관련된 데이터는 의료기록체제에 의해 표준화되어 디지털화된다. 디지털화된 환자의 신체정보와 행정정보는 매일매일 실시간으로 변동하는 생명정보와 결합하여 환자와 '환자될 사람'을 장악한다. 건강 데이터의 디지털화와 의료서비스와 인공지능의 결합이 질병의 공간을 이제까지와는 다른 모습으로 만들고 있다. 개인 환자에 대한 의학적-기술적 권력과 지식은 의학의 범위를 넘어서고 임상이 이루어지는 병원을 벗어나기 시작한다. 이런 과정에서 빅데이터-인공지능-생체 데이터 결합을 통한 새로운 사업 분야가 등장하고 있다.[29] 의사의 탈전문화, 병원 바깥의 새

---

27 이 개념은 2007년에 케빈 켈리Kevin Kelly와 게리 울프Gary Wolf가 처음 만들었다. 그들은 자신의 건강 관련 인체활동을 수치화하여 측정할 수 있는 기계를 공유하고 그것을 웹으로 연결하여 서로 신체활동 관련 정보를 공유하였다. 자기 몸에 관한 데이터와 정보, 지식을 자기추적장치를 통해서 수집하고, 그 통계치를 서로 나누는 모임을 'quantified self'라고 불렀다.

28 Kittler, F, *Aufschreibesysteme 1800/1900*, 1985. (윤원화 옮김, 《기록시스템 1800 · 1900》, 문학동네, 2015)

29 Tanner, A., *Our bodies, our data: How companies make billions selling our medical records*, Boston, MA: Beacon Press, 2018.

로운 의료기관 형성, 환자의 일상 생명정보를 기반으로 하는 건강산업 등으로 빅데이터 시대의 의료가 모습을 드러내고 있는 것이다.

코로나바이러스의 일상화와 더불어 추적과 감시의 정치가 일상적으로 이루어지면서 통치의 새로운 틀을 갖추고, 플랫폼 배달 사업이 기존의 유통업체를 대체하고, 작업장과 집을 오가는 이동성이 계층에 따라 분화되는 한편, 이동계층과 피난계층의 격차가 확대된다.[30] 노동분업과 협업이 밀집 · 밀폐 · 밀접한 장소에서 이루어지는 생산체제와 상호 접촉 없이 이루어지는 인공지능 기반 생산체제가 교묘하게 결합하면서 코로나바이러스 시대의 새로운 국제분업체제가 만들어지고 있다. 바이러스와 인공지능의 결합은 지구적 차원의 경제 불평등을 강화하고 지역 내 불평등을 더욱 심화시키고 있다. 바이러스는 인간의 사회적 표식을 가리지 않는다. 바이러스의 공략 단위가 인간 개체가 아니기 때문이다. 바이러스는 세포 단위 안에서 활동하는 존재다. 하나의 인간을 드러내는 계급, 지위, 위신, 생김새, 부의 정도 따위는 바이러스의 단백질 눈에 보이지 않는다. 오직 세포 단위에서 그를 인지할 수 있는 물질들(백혈구, 항체 등)만 바이러스를 보고 제어하거나 다른 물질들과의 새로운 배열을 통해 그것을 제어할 수 있다. 그러나 바이러스 감염으로 조성되는 인간의 사회 환경 및 인간이 바이러스 감염에 대처하는 방식이 가져오는 결과는 계급적이다. 바이러스의 비계급적 성격과 바이러스가

---

30 라이히(Reich, 2020. 4. 26)는 코로나바이러스 확산에 따른 미국 사회계층의 구도를 묘사적으로 분류하고 있다. 그에 따르면 팬데믹 시기 미국 인구는 전문경영직과 기술노동자층으로 이루어진 '원격 작업자the remotes'층 35퍼센트, 감염 시기의 핵심 서비스와 말단 노동을 담당하는 '필수 작업자the essentials'층 30퍼센트, 그리고 '실업 무급자the unpaid' 25퍼센트, 마지막으로 10퍼센트의 '잊혀진 자들the forgotten'로 구성된다.

가져오는 사회계급적 결과 사이에 모순이 존재한다.

바이러스와 질병에 대한 공포와 혐오를 끌어내고 그것을 이용하여 원하는 바를 이루려는 새로운 통치술이 나타난다. 바이러스 시대의 정동은 프로파간다에 매우 취약하다. 규율생명통치는 인간 본능과 감정의 깊은 곳으로 내려가서 공포와 욕망을 읽어 내고 그것을 조작하여 정치적 목적을 도모한다. 사람들의 정동을 이용하는 통제는 바이러스가 걸린 사람을 바이러스와 등치하면서 사람들이 그들을 격리하고 무서워하고 혐오하도록 만든다. 바이러스에 걸린 사람은 정상 인간으로 대접받지 못한다. 바이러스에 감염된 사람은 확진자로 호명되는 동시에 익명의 환자가 된다. 주민번호로 익명화되었던 시민은 확진자 ○○번으로 익명화된다. 확진자는 추적하고 격리하고 퇴치해야 할 대상일 뿐이다. 어쩔 수 없이 십이나 식상에 머물러야만 하는 사와 안전한 곳으로 피난하는 자가 분리되고, 회개하는 자와 향락하는 자가 갈라진다. 그 와중에 감염에 대한 공포를 타인에게 투사하는 사람들이 늘어나고, 정부는 방역을 빌미로 새로운 감시체제를 확대하고 기계적 노예화를 촉진한다.

바이러스 감염에 대응하여 마스크 쓰기와 거리두기 등 자기방어적 예방과 개인 위생이 사회적으로 강제되고 있다. 이러한 사회적 강제는 규율생명적인 통치를 통해 이루어진다. 사회구성원은 팬데믹 감염의 통치성 속에서 예속화되는 동시에 주체화된다. 바이러스는 국가로 하여금 '예속적 주체화assujettissement'의 새로운 방식으로 통치성의 실현을 시도하도록 만들었다. 그런데 이상하게도 이에 대한 새로운 저항은 엉뚱한 방식으로 엉뚱한 주체들에 의해 표출된다. 팬데믹 시대에는 바이러스가 몰고 오는 한파에 취약한 계층이 가장 빨리 얼어 죽는다. 인간이 재난을 당할 때 수천 년 전부터 행하는 방식이 있다. 임박한 고통에 분노를 담아 욕할 집단을 만들어 내는 희생양 법칙이다. 바이러스의 활동 또한 제물로 바쳐질 희생양 집단을 만들어 낸다. 바이러스는 그냥 움직일 뿐이고 인간 사회의 구조와 모순이 드러날 뿐인데, 사람들은 특정한 타자를 제물로 만들어 그들에게 비난을 퍼붓는다. 배달노동자, 신천지, 태극기부대, 기저질환 노인, 장기 요양병자는 모두 사회의 주변부에 처한 집단이다.

네그리Antonio Negri와 하트Michael Hardt[31]는 '빚진 사람들', '미디어된 사람들', '보안된 사람들', '대의된 사람'들의 실태를 보고 '공통적인 것'을 확보하자고 선언하였다.[32] 정보자본주의의 '빚진 사람들', '미디어된 사람들', '보안된 사람들', '대의된 사람들'이라는 현상 형태는 새롭게 만들어진 사회적 복종과 기계적 노예화의 결과이다. 바이러스 감염 시대 '보안된 사람들'의 이데올로기가 주체화로 전환되는 과정과 의미를 밝히는 동시에 국가와 정부, 국가적인 것의 변화 또한 살펴봐야 한다. 네그리와 하트가 말하는 '보안된 사람들'[33]은 디지털 자본주의의 사회적 통제와 복종체제에 갇힌 이용자들이다. 그런데 어떤 사람들에게는 오히려 바이러스로부터의 보호 부재가 고통일 것이다. 그들에게는 역설적으로 바이러스 보안을 위해서도 정치가 필요하다. 이와 반대로 스마

---

31 Negri, A., & Hardt, M., Declaration, 2012. (조정환 옮김,《선언》, 갈무리, 2012).

32 이러한 말들의 뜻이 분명하게 다가오지 않는데, 그 일부는 번역어 선택 때문으로 보인다. '빚진 사람들'의 뜻은 분명하게 들어온다. 그러나 '미디어된 사람들'은 애매하다. 미디어로 매개된 사람들, 혹은 매개된 사람들 정도가 뜻이 통한다. '보안된 사람들'은 뜻이 안 통한다. 보호된 사람들, 잡힌 사람들, 갇힌 사람들 정도가 어떨지 모르겠다. 그리고 '대의된 사람들'은 대리되는, 그래서 자기가 아닌 사람들로 파악할 필요가 있다.

33 Negri, A., & Hardt, M., *Declaration*, pp. 61-67.

트폰을 꺼 버리고 잠적하거나 마스크를 벗고 거리두기를 지키지 않고 모임과 활동을 지속하는 사람들은 스스로 '보안된 사람'이 되기를 거부한다. 이러한 모순과 불합리성 속에서 기계적 노예화에서 벗어나는 주체화의 새로운 방식을 모색하고 사회적 통제에 대항하기는 쉽지 않다.

그들이 정치하는 사람으로 변용되려면 개인적인 것을 정치적인 것과 만나게 하는 접속의 방법이 필요하다. 기술적인 것을 활용하여 사회적인 것과 개인적인 것을 만나게 하고 이것을 정치적인 것으로 이동할 수 있는 통로를 모색해야 한다. 정치적인 것을 문화적인 것으로 만드는 대중문화와 디지털 문화의 프레임 안에서 저항과 반란의 지점들을 포착하여 그것들이 항시적으로 켜지고 꺼지는 단락점들을 다시 이으며 정치적인 것의 새로운 구성과 모색에 노력해야 한다. 지금 여기의 현장에서 벌어지고 있는 작은 계기들에서 그런 지짐을 만들어 내고 찾고 바꾸는 작업이 필요할 것이다.

참고문헌

김예란, 《마음의 말: 정동의 사회적 삶》, 컬처룩, 2020.

이원태·문정욱·류현숙, 《지능정보사회의 공공정보화 패러다임 변화와 미래정책 연구》, 정보통신정책연구원, 2017.

한국인터넷진흥원, 《KISA Report》 2, 2020.

강달천, 〈데이터 3법 개정의 주요 내용과 전망〉, 《KISA Report》 2, 2020, 14~19쪽.

강미라, 〈빅데이터 시대의 통치성〉, 《현대유럽철학연구》 46, 2016, 221~256쪽.

과학기술정보통신부, 〈(보도자료) 코로나19 위기 극복을 위한 디지털뉴딜은 4대 비대면 서비스의 보안 내재화에서 출발〉, 과학기술정보통신부, 2021.

이민구·홍세연, 〈푸코의 질병의 공간화와 중동 호흡기 증후군〉, 《의철학연구》 20, 2015, 65~85쪽.

Deleuse, G., & Guattari, F., *A thousand plateaus* (B. Massumi, Trans.), London, UK: University of Minnesota Press, (Original work published 1980), 1987.

Foucault, M., *The birth of the clinic: An archaeology of medical perception* (A. M. Sheridan-Smith, Trans.), New York, NY: Vintage Books, (Original work published 1963), 1994.

Foucault, M., *Surveiller et punir: Naissance de la prison*, 1975. (오생근 옮김. 《감시와 처벌》. 나남, 2020)

Goodman, K., *Ethics, medicine, and information technology*, Cambridge, UK: Cambridge University Press, 2016.

Humphreys, L., *The qualified self: Social media and the accounting of everyday life*, Cambridge, MA: The MIT Press, 2018.

Kittler, F., *Aufschreibesysteme 1800/1900*, 1985. (윤원화 옮김. 《기록시스템 1800·1900》. 문학동네, 2015).

Lazzarato, M., *Signs and machines: Capitalism and the production of subjectivity*, 2014. (신병현 옮김. 《기호와 기계》. 갈무리, 2017)

Lupton, D., *Digital health: Critical and cross-disciplinary perspectives*, London, UK: Routledge, 2017.

Madsen, L., *Data-driven healthcare: How analytics and bi are transforming the industry*, Hoboken, NJ: Wiley, 2014.

Muller, J., *The tyranny of metrics*, Princeton, NJ: Princeton University Press, 2018.

Negri, A., & Hardt, M., *Declaration*, 2012. (조정환 옮김, 《선언》, 갈무리, 2012)

Rose, N, *The politics of life itself: Biomedicine, power, and subjectivity in the twenty-first century*, Princeton, NJ: Princeton University Press, 2006.

Tanner, A. *Our bodies, our data: How companies make billions selling our medical records*, Boston, MA: Beacon Press, 2018.

Deleuze, G., "Postscript on the societies of control," *October* 59, 1992, pp. 3-7.

Reich, R., "Covid-19 pandemic shines a light on a new kind of class divide and its inequalities," *Guardian*, 2020. 4. 26. Retrieved from https://www.theguardian.com/commentisfree/2020/apr/25/covid-19-pandemic-shines-a-light-on-a-new-kind-of-class-divide-and-its-inequalities

팬데믹 포스트휴먼 시대의 취약성

노대원 · 황임경

이 글은 《국어국문학》 제193호(2020. 12.)에 게재된 원고를 수정 및 보완하여 재수록한 것이다.

지금 현재, 지구는 피난처도 없이
난민(인간이든 아니든)으로 가득 차 있다.[1]

포스트휴먼의 멋진 신세계, 혹은 인류세의 팬데믹 묵시록

"어디로 할까? 평창 메밀꽃밭? 제주 유채꽃? 성남 장미꽃? 여의도 벚꽃?"
연오가 묻자 성주가 말했다.

"벚꽃은 싫어. 나머지 셋 중에서 어떤 게 진짜야?"

"유채꽃."

"사용료 차이가 많이 나?"

연오가 스마트폰을 몇 페이지 넘겨 보고 대답했다.

"단체는 10인 기준이야. 메밀하고 장미꽃밭은 녹화와 3D 그래픽을 조합해서 한 시간에 3만 원. 유채는 드론 생중계라서 7만 원이고."[2]

인용한 소설의 한 장면은 다름 아닌 결혼식을 준비하는 연인들의 풍경이다. 다만, 코로나19 팬데믹이라는 최근 현실 세계 상황을 '외삽外揷 extrapolation'[3]한 SF 장편掌篇의 한 대목이란 점이 특기할 만하다. 비대면

1 도나 해러웨이, 〈인류세, 자본세, 대농장세, 툴루세〉, 김상민 옮김, 《문화/과학》 97, 2019, 165쪽.

2 김창규 · 박상준, 〈영원한 전쟁〉, 《SF가 세계를 읽는 방법》, 에디토리얼, 2020, 171쪽.

3 외삽법이란 기존의 경험 및 실험 데이터를 기반으로 아직 경험과 실험이 이루어지지 않은 경우를 예측하는 기법이다. 외삽법은 과학소설 장르의 중요한 문학기법이다. 노대원, 〈SF의 장르 특성과 융합적 문학교육〉, 《영주어문》 42, 2019, 230쪽.

· 비접촉 사회관계가 일상화된 팬데믹의 근미래 상황을 상상한 것이다. 더 구체적으로는 코로나19 바이러스 감염증이 확산되는 상황에서 거행된 온라인 생중계 결혼식과 확진자 관광객의 방문을 우려하여 제주도의 유채꽃밭을 갈아엎어 버린 일[4]에서 창작 동기motive를 얻은 것으로 보인다.

소설 속 결혼식은 "다중현실 인터페이스"(175쪽)로 지칭하는 일종의 사이버스페이스cyber space[5]에서 실제 인간이 아닌 아바타avatar[6]들이 참석하여 진행되지만, 그 디지털 무대 배경으로 "라이브 꽃밭"(171쪽), 즉 진짜/살아 있는 꽃들을 찾는 아이러니가 인상적이다. 가상과 실재, 타나토스(바이러스와 죽음)과 에로스(결혼과 살아 있는 꽃들)의 만남이 이 짧은 소설 안에 함축되어 있다. 생물학적으로 살아 있지도 죽어 있지도 않은 존재인 바이러스를 두고 자신이 좋아하는 용어인 '산 주검living dead'이라고 이름 붙였던 슬라보예 지젝Slavoj Žižek의 표현을 따라, 팬데믹의 일상은 삶과 죽음이 공존하는, 그리고 우리의 현실을 인정할 수 없어 꿈(가상)이 아닌지 되묻게 되는, 일상 아닌 일상(예외상황)의 끝없는 연장과 같을 것이다. 실제로 이 소설의 주인공은 "바이러스와 사람의 전쟁은 끝나지 않을 테고, 두 번 다시 옛날로 돌아갈 순 없었다"[7]고 진술한다.

---

4 허호준, 〈코로나19에도 발길 이어지니…제주 최대 유채꽃밭 갈아엎어〉, 《한겨레》 2020년 4월 8일자. http://www.hani.co.kr/arti/area/jeju/936114.html#csidx61776266e8cf759bed0f2889c91f102

5 사이버스페이스는 윌리엄 깁슨William Gibson의 SF 《뉴로맨서Neuromancer》(1984)에서 컴퓨터의 세계와 컴퓨터를 둘러싼 사회를 설명하기 위해 창안한 용어다.

6 아바타는 닐 스티븐슨Neal Stephenson의 SF 《스노 크래시Snow Crash》(1992)에서 가상디지털 세계인 '메타버스Metaverse'에서 활동하기 위한 가상신체로 제시됐다.

7 김창규·박상준, 〈영원한 전쟁〉, 《SF가 세계를 읽는 방법》, 174쪽.

메리 셸리Mary Shelley는 아마도 가장 유명한 포스트휴먼posthuman의 문화적 아이콘 가운데 하나일 프랑켄슈타인의 괴물을 낳은 작가이자, 동시에 21세기 후반을 배경으로 역병에 의한 인류 멸종을 다룬 소설《최후의 인간The Last Man》(1826)의 저자이다. 이 소설 이래로 팬데믹을 현대적으로 다루는 문학은 대부분 SF의 하위장르인 바이러스-좀비 서사로, 대부분 (포스트)아포칼립스 소설apocalyptic and post-apocalyptic fiction의 형식을 빌려 출현하는 것이 일반적이다. 그러나 재앙과 재난이 지속화 · 일상화되면, 그것은 예외상태라기보다는 또 다른 뉴노멀the new normal에 가깝다. 그래서 〈영원한 전쟁〉이란 짧은 소설의 약간 우울하면서도 담담한 서술 태도에 담긴 체념과 수용, 그리고 아주 희미한 희망과 기대를 오가는 정념의 흐름이 팬데믹 시대 마음의 표정, 즉 '세계감世界感'[8]을 이룬다고 해도 과언은 아니다.

이처럼 코로나19 팬데믹은 인류의 일상적 삶을 중지시키면서 이른바 '포스트코로나' 시대를 열었다. 전염병이 문명사적 전환의 계기가 되었던 다수의 역사적 사례를 돌이켜 볼 때, 이 시기 역시 문명사적 전환기로 볼 수 있을 것이다. 특히, 이 시기는 본격적인 포스트휴먼 시대의 출발점과 겹치는 시기로 기록되어, 인류의 역사는 포스트휴먼 시대의 진정한 서막이 코로나19 팬데믹과 함께 열렸다고 기억할 것이다. 포스트휴먼에 관한 사상과 담론인 포스트휴머니즘posthumanism은 '포스트휴먼'에 관한 담론인 '포스트휴먼-이즘posthuman-ism'과 탈脫휴머니즘 담론

8　세계감世界感은 문화사회학자 김홍중의 용어로, 특정 시대가 세계를 이해하는 선험적 인식의 틀Logos Mundi인 세계관과 달리, 세계에 대한 감정의 틀Pathos Mundi이다. 김홍중, 《마음의 사회학》, 문학동네, 2009, 246쪽.

인 '포스트–휴머니즘post-humanism'의 두 가지 경향으로 설명할 수 있다.[9] 이 두 담론은 모두 팬데믹을 계기로 더욱 확산될 전망이다.

첫째, 무엇보다 **포스트–휴머니즘**, 즉, 이성적 주체로서 인간 개념을 기초로 하는 근대 휴머니즘에 대한 비판 담론은 코로나19 바이러스를 만나 탈–인간중심주의적post-anthropocentric 사유를 전염시키고 있다. 눈에 보이지 않는 바이러스가 인간 삶의 전환과 단절의 시기를 가속시켰다는 점에서, 호모 사피엔스는 자존심에 큰 상처를 입은 것처럼 보인다. 지구 행성의 기후와 생태계를 변화시킬 정도의 막강한 기술과학적 위력을 지닌 인간(그리고 포스트휴먼)의 지위는 역설적으로 인류세人類世Anthropocene[10]라는 진단명이 증명하듯이 몇 겹의 위기에 도달했다. '환경전염병ecodemic'으로도 명명된 신종 바이러스들은 이 인류세적 위기와 더불어 근대적 인간과 그것을 가능하게 한 모든 가치관들을 향해 총제적 반성을 촉구하기 때문이다. 도나 해러웨이Donna Haraway의 말대로 인류세를 '경계 사건boundary event'으로 볼 수 있고, 인류세라는 지질학적 시간대 이후 심각한 불연속을 거치며 지구 행성의 인간 삶이 전적으로 달라질 것이라면,[11] 코로나19 팬데믹과 그 이후 다시 도래할 잦은 팬데믹들의 가능성 역시 정확히 그러한 경계 사건으로 작동할 것이다.

둘째, 팬데믹에 대한 대응 과정과 결과는 주로 **포스트휴먼–이즘**과 관련된다. 인공지능 기술을 활용한 방역과 바이러스 백신, 치료제 등 의료

---

9 이수진, 《사이언스픽션, 인간과 기술의 가능성》, 커뮤니케이션북스, 2017, 32~37쪽; 신상규, 〈포스트휴먼의 조건과 인간 - 기계의 공존〉, 《쉼》 8, 문학실험실, 2019, 52~58쪽.

10 인류세란 인류가 지구 기후와 생태계에 막대한 영향을 미쳐 지질학적 시대 구분이 필요해진 시기다.

11 도나 해러웨이, 〈인류세, 자본세, 대농장세, 툴루세〉, 165쪽.

기술에 대한 의존도가 높아지는 사실은 트랜스휴머니즘transhumanism의 촉진 조건이 된다. 팬데믹 상황에서 전 세계가 동참한 사회적 거리두기는 온라인 비대면 기술(이른바 '언택트' 또는 '온택트')을 일상까지 침투시키면서 '포스트릴레이션post-relation', 즉 새로운 인간관계의 사회를 가속화시켰다.[12] 선생님과 학생들이, 직장인과 사업가들이, 그리고 연구자들 또한 줌zoom과 같은 원격회의 애플리케이션에 접속해 만나는 지금의 풍경은 사이버펑크 SF에 등장하는 유료 디지털 세계, 메타버스Metaverse를 예견하는 것처럼 보인다. 조만간 비물질적 디지털 가상세계에서 아바타와 같은 가상 인격들과 인간적인 관계를 맺는 사회가 도래할 것이다. 요컨대, 바이러스가 이미 진행 중이던 디지털 전환과 포스트휴먼 시대를 더욱 가속화하는 것이다. 그런 시각으로 본다면, 지금 우리는 인간과 바이러스의 기묘한 (기술) 공진화의 현장에 동참하는 것일 터.

마지막으로, 학계 역시 팬데믹과 더불어 '**포스트휴먼 대학**'으로 변화하고 있다. 비대면이 강제되는 상황에서 온라인강의는 불가피한 측면이 있었으나 향후 불가역적인 표준으로 자리 잡을 가능성이 높다. 또한 바이러스가 사회와 문화 전반에 큰 충격을 가져온 사태에 대한 사유에서 자연과 문화 간의 구분은 무의미하다. 브뤼노 라투르Bruno Latour의 '자연-문화nature-culture'나 해러웨이의 '자연문화natureculture'라는 용어처럼 자연과 문화의 혼성, 혹은 자연이 이미 문화이며 그 역도 마찬가지라는 관점이 힘을 얻어 간다. 따라서 팬데믹-포스트휴먼 시대는 생물-문화적 접근bicultural approach이나 초학제적 연구의 필요성을 점점 더 요구하

---

12 포스트릴레이션에 관해서는 도미니크 바뱅, 《포스트휴먼과의 만남》, 양영란 옮김, 궁리, 2007, 4장 참고.

며, 자연과학과 인문사회과학 두 문화의 경계를 더욱 붕괴시킬 것이다. 미래의 인문학 역시 슈테판 헤어브레히터Stefan Herbrechter가 말하는 "포스트인문학"[13]처럼 간학제적 학문과 디지털 인문학이나 로지 브라이도티Rosi Braidotti가 말하는 "포스트휴먼 인문학"[14]으로 변모해 갈 것이다.

팬데믹 시대, 왜 취약성 연구vulnerability studies인가?

학계로 침투한 코로나19 바이러스는 포스트휴머니즘에만 머물지 않을 것이다. 팬데믹 시대에 인류는 눈부신 기술과학적 성취에도 불구하고 육체적 취약성은 극복되지 않는다는 사실을 실감하고 있으며, 이는 '취약성vulnerability'(상처 입을 가능성) 개념은 물론이고 그 실제적 소선에 대한 다층적인 분석과 성찰을 촉발한다. '취약성 연구vulnerability studies'는 최근 부상하여 그 중요성을 전 세계 인문·사회과학자들이 공유하고 있는 연구 분야이다.[15] 취약성은 인간의 근본적인 조건인 동시에 세계화, 기후변화, 양극화, 사회적 갈등, 의료기술 발전과 다양한 생명윤리 문제의 부상 등 최근의 포스트휴먼 조건의 변화에 따라 연구 필요성이 더욱

---

13 슈테판 헤어브레히터, 《포스트휴머니즘: 인간 이후의 인간에 관한 문화철학적 담론》, 김연순·김응준 옮김, 성균관대학교 출판부, 2012, 252쪽.

14 로지 브라이도티, 《포스트휴먼》, 이경란 옮김, 아카넷, 2015, 186~236쪽.

15 1973년부터 2012년까지 발행된 취약성에 관한 200편의 논문을 분석한 메타연구에 의하면 최근에는 환경의학, 지구적 환경변화, 역학epidemiology, 기후변화, 사회과학 분야 저널에 주로 발표되고 있다. A. T. Fuller and Stephanie Pincetl, "Vulnerability studies: A bibliometric review," *The Professional Geographer* 67(3), 2015, p. 7.

제기되고 있다. 또한 취약성은 인문학,[16] 사회과학, 의학 및 생명과학 등과 더불어 논의할 수 있는 초학제적 연구 주제다. 즉, 변함 없는 인간의 유한성과 필멸성, 한계 조건의 포스트휴먼 조건 속에서 신종 바이러스 팬데믹과 지구온난화처럼 새롭게 등장하여 전 인류·전 지구적 규모로 번지는 위협과 위기들이 이 주제로 우리를 이끈다.

취약성은 본래 '상처wound'를 뜻하는 라틴어 *vulnus*, '상처 입히다', '손상을 입히다'라는 뜻의 *vulnerare*에서 기원한다. 그 어원은 외부 세계에 항시 노출되어 있고 그로 인해 육체적 손상을 경험할 가능성을 의미한다. 현대 영어에서 취약성은 대개 세 가지 의미로 쓰인다. 첫째는 손상을 받기 쉬움, 둘째는 공격이나 부상에 쉽게 노출됨, 셋째는 육체적 혹은 정서적으로 상처 입을 가능성이 그것이다.[17] 특히 처음 두 정의는 의학 및 군사적인 맥락에서 많이 쓰이며, 취약성 개념에 대한 기술적인 descriptive 접근에 기반한다. 예를 들어, 암 환자의 면역 기능이 약화되어 특정한 병원균에 감염되기 쉬운vulnerable to infections 상태나, 미사일 방어 체계가 사이버 공격에 쉽게 노출된vulnerable to cyberattacks 상태를 일컬을 때 취약성이 쓰인다.

---

16 최근 인문학계에서 취약성(상처 입을 가능성) 개념은 주로 윤리(특히, 레비나스의 타자 윤리학)와 여성주의 관점에서 언급되곤 했으나, 더 폭넓은 주제와 분야에 걸쳐 연구 가능성이 열려 있다. 예를 들어, 2014년 MLA(Modern Language Association) 국제대회는 '취약한 시대Vulnerable Times'를 주제로 열렸으며, 다음과 같은 내용과 관련될 수 있다고 제안했다. 사회적 차이 및 일회용 삶; 트라우마, 기억 및 증언; 전쟁, 대량학살 및 폭력; 정복, 제국 및 세계화의 효과; 망명 및 이주; 종, 기후 및 환경; 상호주체성, 상호육체성, 신체화 및 장애; 정서와 감각; 친밀감, 협력 및 연대성; 저항과 행동주의; 정의, 개선 및 보상; 공공예술과 인문학; 그리고 소멸 위기에 놓인 언어.

17 Henk ten Have, *Vulnerability: Challenging Bioethics*, Routledge, 2016, p. 3. 황임경, 〈상처 입을 가능성과 의학에서의 주체화〉, 《의철학연구》 25, 2018, 52쪽에서 재인용.

반면에 세 번째 정의는 취약성 개념이 육체적 차원을 넘어서 심리적 위해나 도덕적 손상 혹은 영적 위협까지 포괄하여 인간의 상처 입을 가능성으로 확장되고 있음을 보여 주며, 이것은 취약성이 규범적normative 차원을 내포하고 있음을 의미한다.

많은 연구자들이 취약성의 규범적 차원을 포착하면서 최근 들어 여러 인문사회과학 영역에서 취약성이 논의되고 있는데, 이는 크게 세 가지 방향으로 나눌 수 있다.

첫째, 취약성을 인간의 본질적인 존재 조건으로 탐색하는 철학적 논의.

둘째, 생명의료윤리 영역에서 연구참여자의 취약성과 그 보호에 관한 논의.

셋째, 취약성을 생산하는 사회문화적 조건과 불평등을 탐색하고 실천적 해결책을 모색하는 여성주의적, 사회정치철학적, 법적 논의.

이처럼 여러 방향으로 취약성 연구가 진행되는 것은 무엇보다도 취약성이 중층적인 차원을 내포하고 있기 때문이다. 철학자 카트리오나 매켄지Catriona Mackenzie는 취약성을 세 가지로 분류하고 있다.[18] 우선, 생물학적 존재인 인간이라는 조건 자체에 내재해 있는 취약성이 있다. 이를 존재론적ontological 혹은 선천적inherent 취약성이라고 부를 수 있다. 이런 종류의 취약성은 신체성, 타인에 대한 의존성, 감정적이고 사회적인 존재라는 인간의 근본 조건에서 기인하며 따라서 인간종에 속한 누구라도 공유하는 속성이다.

둘째, 특수한 맥락에서 발생하는 취약성이 있다. 이는 상황적situational

---

[18] Catriona Mackenzie, Wendy Rogers, Susan Dods, *Vulnerability: New Essays in Ehtics and Feminist Philosophy*, Oxford University Press, 2014, pp. 7-9.

취약성이라고 할 수 있다. 개인이나 집단이 처해 있는 특정한 개인적, 사회적, 경제적, 정치적, 환경적 상황에 따라 발현되는 취약성이다. 예를 들어 태풍으로 인해 가옥이 침수되거나 가족을 잃은 사람들은 상황적 취약성에 노출되어 있다. 임시 거처에 의탁한 사람들은 의료적 문제가 발생하기 쉽고 경제적으로도 위험에 빠지기 쉬운 상태가 된다. 이처럼 상황적 취약성은 복잡한 환경적, 사회적 관계망 속에서 발현된다.

셋째, 도덕적으로 문제가 되는 취약성이 있다. 이것은 병리적pathogenic 취약성이라고 부르는데, 정치적 억압이나 사회적 부정의, 착취, 부도덕한 관계 등에 의해 발현되는 취약성이다. 어찌 보면 상황적 취약성의 한 종류라고도 할 수 있다. 예를 들어 고문을 당하는 양심수는 병리적 취약성에 놓여 있다.

물론 현실에서 이런 분류가 항상 분명한 것은 아니다. 존재론적, 상황적, 병리적 취약성이 동시에 복합적으로 발현되는 경우가 굉장히 많기 때문이다. 자연재해를 겪은 제3세계 사람들이 정부의 부정부패로 인해 생존에 필수적인 식량이나 주거, 의료적 도움을 못 받는 경우를 생각해 보면 이는 더욱 분명해진다.

결국, 취약성은 '인간은 누구나 취약하다'라는 존재론적 영역과 '그럼에도 누군가는 더 취약하다'라는 사회정치적 조건이 결합된 중층적 개념임을 알 수 있다. 그리고 코로나19 팬데믹과 같은 위기 국면에서 이런 취약성의 발현이 극대화된다는 점에서 취약성 연구는 이 어려운 시기의 의미를 이해하고 그것을 함께 이겨 내는 실천적 단초를 제공할 수 있을지 모른다.

코로나19가 팬데믹으로 발전한 데에는 세계화와 디지털 네트워크 기술로 각 국가 및 지역 간의 상호 연결성이 급격히 확장된 전 지구적 포스트휴먼 조건이 결정적인 역할을 하였다. 로지 브라이도티는 프랭클린, 루리, 스테이시의 포스트휴먼 이론에 쓰인 용어를 따라 오늘날 기술적으로 매개된 세계를 '범인류panhumanity'로 부른다. 즉, "모든 인간뿐 아니라 인간과 (도시, 사회, 정치를 포함한) 인간-아닌 환경 사이의 복잡한 상호 의존 관계망을 창조하는 지구적 상호 연계"[19]는 신종 바이러스가 동물과 인간·비인간 환경의 연결망을 매개해 급속도로, 그리고 말 그대로 '범인류'적으로 전염될 기반을 마련했던 것이다.[20]

게다가 코로나19가 발생한 데에는 기술의 발전으로 인한 산업공해와 그것이 유발하는 기후변화가 큰 축을 담당하며, 이에 더해 거대한 산업이 된 공장식 축산업과 패스트푸드 산업의 확장, 보건의료 인프라의 부족으로 인한 건강 불평등 현상, 백신 생산 유통 기업의 과도한 이윤 추구, 부패한 정부, 빈민가의 확대 등, 전 세계적인 생명정치와 생명경제 국면이 떼려야 뗄 수 없는 관계로 연결되어 있다. 사회학자 울리히 벡Ulrich Beck은 이미 '위험사회risk society' 개념을 통해 현대사회의 기술적 변화와 더불어 인간의 취약성과 사회적 불안정이 증가하고 있음을 요약한 바 있다.

그런 점에서 코로나19 팬데믹은 인간의 취약성을 극적으로 드러내는 사건이다. 생물학적·신체적 존재이자 사회적 존재인 인간은 신종

---

19 로지 브라이도티, 《포스트휴먼》, 56쪽.

20 브라이도티와 유사하게 지젝은 브뤼노 라투르를 비롯한 신유물론new materialism의 관점을 따라 코로나바이러스 팬데믹 상황을 집합체assemblage 개념으로 설명한다. "코로나바이러스 감염증은 (잠재적으로) 병원체가 될 수 있는 바이러스 메커니즘, 산업화된 농업, 전 지구적 경제의 급속한 발전, 문화적 관습들, 국제적 소통의 폭발적 증가 등의 집합체로 볼 수 있다. 감염병은 자연적, 경제적, 문화적 과정들이 복잡다단하게 서로 묶여 있는 하나의 혼합체다." 슬라보예 지젝, 《팬데믹 패닉》, 강우성 옮김, 북하우스, 2020, 142쪽.

감염병에 늘 취약했다. 중세의 페스트와 매독, 19세기에 콜레라가 처음 서구에 등장했을 때, 심각한 증세와 그로 인한 죽음은 개별 인간에게는 실존적 위기감을 불러일으켰고 서구 사회에는 구조적인 충격을 안겨 주었다. 감염병 통제가 어느 정도 가능해진 20세기 이후에도 신종 감염병은 늘 우리 곁에 잠재되어 있었다. 메르스 사태 때 우리는 현대의학의 총아인 대형 종합병원이 신종 감염병에 속수무책으로 뚫리는 상황을 목도하였다. 그리고 온갖 제도적, 정치적, 윤리적 문제들이 신종 감염병과 혼란스럽게 뒤섞이면서 취약성은 더욱 부각되었다. 또한 신종 감염병에 대항하는 인간적·제도적 노력의 중요성을 통해 우리는 타인에게 근본적으로 의존하며, 타인과 사회와의 연결이 인간 삶에 얼마나 중요한 조건인지도 새삼 깨달았다. 타인과 사회와의 연결은 위험인 동시에 보호 장치이기도 한 것이다.

게다가 우리가 공통의 존재론적 취약성을 지니고 있다고 해서 그 취약성이 똑같이 발현되는 것도 아니다. 코로나 발생 초기에 지역의 폐쇄 병동에 입원해 있던 정신장애인들이 집단감염된 사태는 사회에서 배제된 취약한 집단에 속한 사람들이 공중보건 위기 상황에서 그 위험에 가장 쉽게 노출되고 가장 큰 피해를 입을 수 있다는 사실을 증명했다. 최첨단 의학의 본산이지만 한편으로는 의료 자원의 불평등이 극심한 미국에서 코로나 감염자와 사망자가 급속히 증가한 것을 보더라도, 사회경제적 조건이 취약성의 발현에 얼마나 큰 영향을 끼치는지를 알 수 있다.

코로나19 팬데믹에 대한 대응 역시 마찬가지이다. 스웨덴 같은 나라가 채택한 전략인 집단면역herd immunity은 과연 윤리적으로 허용할 수 있는 것인가? 노약자들을 희생시켜 사회를 보호하려는 생명정치의 발동은 아닌가? 가장 유력한 해결책으로 여겨지는 백신은 누구에게 먼저 접종할 것인가? 가장 사망 위험이 높은 노약자인가? 환자를 돌보는 보건의료인인가? 아니면 감염 위험이 제일 높은 집단인가? 감염 위험이 높은 취약 집단을 선정하는 것이 혹시 사회적 낙인과 차별을 조장하지 않을까?

결국, 코로나19 팬데믹은 바이러스라는 비인간행위자의 침투에 의해 인간의 존재론적 취약성이 더욱 분명해진 사건이다. 또한 로컬 혹은 글로벌 차원에서 구조적 불평등에 의한 취약성의 차등적 발현과 이에 따른 자원 분배의 문제, 곧 정의의 문제를 핵심적인 사회적 의제로 다시금 요청하고 있다.[21] 코로나19 팬데믹으로 인한 개인과 사회의 취약성을 인식하고 그 해결책을 모색하는 일이 무엇보다 시급한 과제로 떠오른 것이다.

감염된 사이보그: 팬데믹-포스트휴먼 시대의 취약성

그러면 팬데믹 시대를 넘어 포스트휴먼 시대 전반에 있어서 취약성은 어떤 확장된 의미를 갖는가? 앞서 코로나19 바이러스가 인간의 (변함없는) 유한성과 필멸성, 그리고 근본적인 취약성을 강력하게 증거한다고 했다. 지젝은 바이러스성 감염병은 우리에게 우리 삶의 궁극적 우연성과 무의미를 상기시켜 주기도 한다며, 생태학적 가르침을 따라 인

---

21 황임경, 〈코로나 19와 의료인문학〉, 인천작가회의 편집부, 《작가들》 74, 다인아트, 2020, 193~194쪽.

류가 이 종말에 이바지할 가능성을 경고한다.[22] 그렇지만 인류가 멸종을 맞이하기 전에 출시될 바이러스 백신이나 첨단의 의료기술이 우리를 지켜 주지 않을까?

박민규의 단편소설 〈굿모닝 존 웨인〉에서 미래의 인류는 인간냉동기술cryonics을 활용하고 암까지 정복할 정도로 고도로 발전한 의학기술을 보유하고 있다. 그들은 생물학·의학기술로 신체를 개량하고 강화하는 포스트보디post-body를 넘어 마침내 포스트데스post-death의 경지를 꿈꿀 정도로,[23] 상처 입을 수 없는invulnerable 인간의 완전함perfectibility을 달성하려는 것처럼 보인다.

> 의학은 눈부신 성장을 했다. 21세기의 불치병이 정복된 건 까마득한 옛날의 일이다. 물론 암이 신형, 변종의 형태로 명맥을 유지하긴 했지만 중세처럼 치명적이고 위협적인 대상은 아니었다. 24세기 이후의 신탁자들은 대개가 정신질환이었다. 바이러스도 점차 신경계를 공격하는 성향이 강해졌다. 문명의 발달과 함께 인류는 현저히 '정신적인' 개체로 변해 갔고, 마치 약속처럼 인류의 질병도 '정신적인' 것으로 변해 왔다.[24]

하지만 이 포스트휴먼들 역시 외계에서 도착한 바이러스 'BL7bio safety level 7'의 육체적 위협에는 여전히 취약한 주체vulnerable subject로 남

---

22 슬라보예 지젝, 《팬데믹 패닉》, 71쪽.
23 이 소설에 대한 자세한 해석은 노대원, 〈한국 문학의 포스트휴먼적 상상력 – 2000년대 이후 사이언스 픽션 단편소설을 중심으로〉, 《Comparative Korean Studies》 23(2), 2015, 346~349쪽 참고.
24 박민규, 〈굿모닝 존 웨인〉, 《더블》 side A, 창비, 2010, 223쪽.

는다. 이 서사는 H. G. 웰스의 고전적인 과학소설《우주 전쟁The War of the Worlds》(1898)을 뒤집은 것이다. 웰스의 SF에서 화성인의 침공으로부터 인류를 구한 것이 미미한 박테리아였다면, 박민규의 소설에서 무적invulnerability을 추구하던 인류를 절멸의 위기로 몰아넣는 것은 외계에서 도착한 바이러스다. 그러나 공통점이 있다면, 두 소설 모두에서 우리는 인간과 포스트휴먼의 위기를 통해 과학과 지식의 무력함을, 다시 말해서 변함없는 인간의 유한성과 취약성을 확인한다는 점이다. 앤 발사모Ann Balsamo는 디지털 기술이 촉진하는 불멸성이라는 꿈에는 역설적으로 항생물질 바이러스, 무작위적인 오염, 식육 박테리아 등 통제 불가능하고 신체를 크게 위협하는 죽음과 멸종에 대한 두려움이 관련된다고 지적한다.[25] 포스트휴먼 조건 속에서, 그리고 기술과학적 발전에도 불구하고 취약성은 점차 커져만 간다. 이 인식은 사실 과학소설에서 상당히 전형적인 플롯인데, 이 장르가 기본적으로 "기술적으로 포화한 사회의 문학"[26]으로서, 근대 과학에 대한 비판과 성찰을 포함하는 "완벽한 포스트휴먼의 장르"[27]로 호출하기에 적합하다는 것을 보여 준다.

기술철학자 마크 쿠켈베그Mark Coeckelbergh는 더욱 명료한 방식으로, 그리고 이러한 바이러스에 대한 인간의 육체적 취약성physical vulnerability이 포스트휴먼 조건에서도 예외는 아님을 분명히 강조했다.

---

25 이경란,《로지 브라이도티, 포스트휴먼》, 커뮤니케이션북스, 2017, 79~80쪽.

26 셰릴 빈트,《에스에프 에스프리: SF를 읽을 때 우리가 생각할 것들》, 전행선 옮김, 아르테, 2019, 33쪽.

27 슈테판 헤어브레히터,《포스트휴머니즘: 인간 이후의 인간에 관한 문화철학적 담론》, 161쪽.

인간 향상은 우리를 현재의 바이러스에 면역이 될 수 있을 뿐만 아니라, 넓게 이해되는 다른 "면역"을 제공할 수도 있다. 예를 들어, 우리는 감정적 안녕well-being에 대한 위협을 더 잘 처리할 수 있는 변화를 생각할 수 있다. 그러나 전체 취약성 프로젝트 또는 취약성 전체 감소는 실패할 수밖에 없다. 만약 의료기술의 역사를 살펴보면, 모든 질병에 대해 새로운 기술이 예방하거나 치료하는 데 도움이 된다는 것을 알 수 있지만, 기술-과학적 통제를 벗어나는 적어도 하나의 새로운 질병이 있다. 우리는 한 번의 전투에서 이길 수는 있지만, 결코 전쟁에서 이길 수는 없다. **항상 새로운 질병, 새로운 바이러스, 그리고 더 일반적으로는 육체적 취약성에 대한 새로운 위협이 있을 것이다.**[28]

자칫 일부 포스트휴먼 담론, 특히 인간 향상human enhancement 기술이나 생명연장술처럼 의료기술에 대한 전적인 낙관론을 펼치는 트랜스휴머니즘은 존재론적/선천적 취약성을 완전하게 제거하려는 목표를 가지기 쉽다. 그러나 상처 입을 수 없음이나 불멸의 미래 비전은 '아킬레스의 우화'에 나오는 아킬레스건의 약점처럼 결코 우리가 달성할 수 없는 프로젝트다. 오히려 과학과 의학의 발전을 통해 인간의 근본적인 취약성을 일부 완화하고, 다양한 상황적 취약성의 조건을 개선하는 것이 목표가 되어야 한다. 취약성이 연대와 사회적 상호 의존의 윤리로 나아가는 계기로 작용할 수 있도록 해야 한다. 한편 정반대의 경우, 즉 취약

---

28 Mark Coeckelbergh, "Vulnerable cyborgs: Learning to live with our dragons," *Journal of evolution and technology* 22(1), 2011, p. 3. 강조는 인용자. 원문을 약간 수정.

성에 대한 극단적 순응이나 체념 역시 거부되어야 한다.[29] 이것이 포스트휴먼 조건의 팬데믹을 극복하고 성찰하려는 노력에 취약성에 관한 사유가 기여하는 점이다.

한편, 바이러스 연구소나 (글로벌) 제약회사에서 새로운 가공할 만한 바이러스가 전 세계로 (거의 언제나 고의로) 유출되는 사태는, 바이러스 SF의 오래된 클리셰 또는 장르 메가텍스트megatext의 일부이다. 이러한 대중매체의 장르 서사의 수사학적 힘은 전염병 확진자를 '좀비'로 빗대며 다양한 혐오를 확산하고 표출시키는 방식처럼 부정적으로 영향을 미치기도 했다. 그런데 인위적인 바이러스 유출과 확산은 단지 대중문화나 정치적 음모론만으로 그치지 않을 수 있다. 내셔널지오그래픽의 다큐멘터리 〈인류멸망 시나리오〉 10개 가운데 1위는 "새로운 바이러스 생산의 위험, 합성 생물학"이다. 이 다큐에 출현한 트랜스휴머니스트 닉 보스트롬Nick Bostrom은 "DNA 합성 장비와 같은 다양한 기술이 발달하면서 누구든 몇 천 달러만 있으면 온라인으로 손쉽게 필요한 재료를 구할 수 있는 시대가 되었습니다. 이걸 막지 않으면 10년, 20년 후에 누구든 새로운 천연두나 에볼라를 만들어 낼 수 있게 될 겁니다"[30]라고 경고한다.

우리가 두려워하는 것은 앞으로도 신종 바이러스로 인한 미지의 질병, 즉 WHO가 예견한 '질병 Xdisease X'[31]가 출현하는 팬데믹 현상이 더

---

29 노대원, 〈미래의 인간은 고통에서 해방될까?〉, 《르몽드 디플로마티크》 2019년 10월 31일자; 노대원, 〈한국 포스트휴먼 SF의 인간 향상과 취약성〉, 《한국문학이론과 비평》 86, 2020.

30 〈인류멸망 시나리오] 1위: 새로운 바이러스 생산의 위험, 합성 생물학〉, https://youtu. be/E7AG2G5oXrY 참고로 〈인류멸망 시나리오〉 6위는 '스스로 진화하는 변종 바이러스의 전파'이다. https://youtu.be/xCqVEgiNygQ

31 이정아, 〈코로나19는 WHO가 2년전 경고한 '질병X'인가〉, 《동아사이언스》 2020년 2월 24일자.

욱 자주 발생할 것이라는 과학자들의 예견이다. 기후변화나 생태계 파괴, 인간의 자연 침범, 공장식 축산업 등 다양한 복합적 원인에 의한 새로운 바이러스의 출현은 물론, 합성 생물학이나 생화학무기 연구실에서 일어날 수 있는 변종 바이러스 유출 위협마저 존재한다. 두 가지 바이러스 위협은, 아주 넓은 시각에서 보자면 근본적으로 근대 휴머니즘과 계몽주의적 이상에 기반한 과학적·기술적 진전과 깊은 관련이 있다. 쿠켈베그의 정확한 지적처럼, "역설적으로 취약성을 줄이기 위한 기술은 종종 새로운 위험을 창조한다."[32] 인간은 과학을 통해 자연에 대한 의존성을 낮추고 자연을 지배하려고 했지만, 바로 그 지식과 기술 덕분에 인간 존재의 기반인 자연환경을 파괴하기에 이르렀다. 그런 이유로 지금의 팬데믹 상황을 성찰하자는 이들이 인간에게 착취당하고 파괴당한 '가이아의 복수'(지구 생태계의 반격)나 신에 도전했던 인간들이 징벌당하는 구약성서의 '바벨탑 이야기'로 교훈을 삼는 것은 어쩌면 자연스러운 일일지도 모른다.

'공생의 포스트휴머니즘'에 대한 비판적 성찰

코로나19 팬데믹 상황에서 우리가 일상에서 직접 체험하는 것은 거시적인 관점의 교훈보다는 직접적으로 겪게 되는 구체적인 차원의 다양한 취약성들이다. 어느 때보다 인간의 생물학적-심리적-실존적 취

---

[32] Mark Coeckelbergh, "Vulnerable cyborgs: Learning to live with our dragons," p. 3.

약성을 실감하며 바이러스에 대한 공포와 불안에 휩싸였다. 하지만 바이러스나 세균을 인간에게 무조건 해로운 적으로 보긴 어렵다. 이를테면, 때로 적의 적은 친구라는 옛말처럼, "헤르페스 바이러스는 인간 숙주에게 예르시니아 페스티스 박테리아에 대한 저항성을 선사한다(다시 말해 흑사병에 대한 저항성이 생긴다는 뜻이다)."[33]

또한, 인간의 몸 안팎에 수많은 미생물이 살고 있다는 점을 상기해 보자. 인체 내부와 표면에는 10~100조 마리의 박테리아가 살고 있다고 추정된다.[34] 특히 대장을 포함한 위장관에 100조 마리 이상의 미생물이 살고 있다고 한다. 적혈구까지 포함하면 인간의 몸을 이루는 세포 전체의 수와 비슷한 정도이다. 놀랍게도 인간의 몸에서 단지 10퍼센트의 세포만이 실제 인간의 세포이다. 또한 치매와 같은 정신질환과 관련해서 인간에 대한 미생물의 영향력은 간과할 수 없다. 그렇다면 인간은 미생물의 거주지이거나 숙주에 불과한 것은 아닌가?[35] 인체를 구성하는 요소나 영향력이 주로 외부에 있다고 할 때, 인간이란 도대체 어떤 존재라고 말할 수 있는가? 인체와 관련된 미생물에 대한 과학적 사실은 자연과학 연구로 그치지 않고 기존 인간 개념에 충격을 가하며 철학적 논쟁을 불러온다.

장내 미생물군을 연구하는 신과학에 따르면 우리 인간은 진정한 의미의 초유기체supraorganism다. 밀접하게 상호 연결된 인간과 미생물은 분리

33 아일사 와일드 · 제레미 바(글), 벤 허칭스(그림), 《미생물 전쟁》, 강승희 옮김, 반니, 2019, 104쪽.

34 아일사 와일드, 《미생물 전쟁》, 99쪽.

35 에머런 메이어, 《더 커넥션》, 김보은 옮김, 브레인월드, 2018, 33~35쪽.

될 수 없으며, 생존을 위해 서로에게 의존한다. 가장 중요한 점은 이 초유기체를 구성하는 데 있어서 장내 미생물군이 인간보다 훨씬 더 거대한 구성 요소라는 사실이다. 장내 미생물군은 토양, 대기, 바다에 사는 다른 모든 미생물이나 다른 생물체와 공생하는 미생물과 생물적 의사전달체계를 공유하며 서로 밀접하게 연결되어 있다. 따라서 인간은 이 끊을 수 없는 지구 생명체의 그물에 촘촘하게 엮여 있는 것이다. 그리고 인간과 미생물의 초유기체라는 이 새로운 개념은 지구에서 인간의 역할과 인간의 건강, 질병에 관한 지식에도 깊은 영향을 미치고 있다.[36]

이러한 견해는 인간 역시 생태계의 한 구성원이라며 '공생symbiosis'의 중요성을 강조하는 포스트휴머니즘 생태학posthumanist ecology과 공명한다. 이 논의들은 팬데믹의 기원과 근본적인 해법을 다루는 성찰에서 중요한 목소리를 내고 있다. 그렇다고 해서 환경생태 윤리와 접속하는 포스트휴머니즘의 담론을 팬데믹 상황에 무작정 포괄적으로 적용해서는 곤란하다. 현재 상황에서 우리는 코로나19 바이러스와는 공존할 수 없기 때문이다. 기나긴 진화의 과정을 거치며 숙주의 면역 기제와 공생, 협력할 수 있는 길을 찾은 장내 미생물의 생존 논리를 코로나19 바이러스에 단순히 대입하는 것은 오류다.

그러므로 탈인간중심주의 생태론의 의의를 적극적으로 인정하면서도 지식인의 공허한 담론이 아닌 실천 가능성이 높은 현실적인 담론이 되기 위해서는 더욱 섬세한 논의가 필요하다. 바이러스와의 공생은 인

36　에머런 메이어, 《더 커넥션》, 36쪽.

간이 그에 대한 적절한 면역을 획득한 상태에서야 가능하다. 면역력이 너무 약하면 바이러스에 대한 방어는 불가능하다. 반면에 면역력이 너무 강하면 바이러스를 공격하는 것에 그치지 않고 자기 세포를 파괴하는 데 이르기도 한다. 바이러스를 억제하면서도 자기를 보호할 수 있는 적절한 수준에서 면역을 유지하는 것이 개체는 물론이고 사회 전체의 목표가 되어야 하며, 이것은 정태적이 아니라 매우 역동적인 과정이 될 것이다. 포스트휴먼 담론은 비인간과 인간, 생태 환경의 이상적인 공생을 상정하는 것에 그쳐서는 안 되며, 그것을 유지하기 위해 벌어지는 경쟁과 타협, 갈등의 역동성을 놓치지 말아야 할 것이다.

코로나19 팬데믹은 생물과 무생물의 경계 영역에 있는 바이러스라는 비인간행위자가 보건의료의 위기와 변화를 추동하고 있다는 점에서, 기존의 인간중심주의로는 해결하기 어려운 다양한 문제를 제기한다. 인간을 중심에 두고 바이러스를 예방하고 치료하려는 전략은 인수공통감염병과 같이 종 사이를 넘나들고 환경의 변화와 직접적으로 연관된 신종 감염병에 대처하기에는 한계가 있다.

예를 들어, 보건의료에 수의학과 생태학 등이 결합한 '원헬스One Health 운동'은 이런 문제의식에서 탄생했다. 원헬스 운동은 의학과 수의학이 결합된 것으로 그 기원은 근대 병리학의 아버지로 불리는 루돌프 피르호Rudolf Virchow에까지 이른다. 피르호는 동물의학과 인간의학의 대상이 다르다 해도 거기서 얻은 경험은 결국 모든 의학의 기반이 된다는 점을 피력했다.[37] 피르호의 정신을 이어받은 현대의 원헬스 운동은 "인

---

37 바버라 내터슨-호러위츠 · 캐스린 바워스, 《의사와 수의사가 만나다》, 이순영 옮김, 모멘토, 2017, 18쪽.

간 - 동물 - 환경을 아우르는 건강은 하나"라는 모토 아래 인간중심의
건강 관점에서 탈피하여 동물뿐만 아니라 생태계 전체의 균형 잡힌 건
강과 안녕well-being을 추구하는 학제적 분야로 발전하였다.[38] 종의 경계
를 뛰어넘는 신종 감염병은 인간과 동물 그리고 생태 환경이 복잡하게
얽혀 있는 맥락에서 출현하기 때문에 어느 한 전문 분야만으로 대응하
기엔 한계가 있기 때문이다. 이처럼 인간중심의 질병관을 넘어서 의학,
수의학 및 환경 전문가들의 경계를 넘는 협력이 요구된다는 점에서, 브
라이도티는 원헬스 운동이야말로 완벽한 탈인간중심적 개념에 입각한
포스트휴먼 과학의 입장을 잘 드러낸다고 평가하기도 한다.[39]

하지만 보건의료와 수의학, 생태학 등 자연과학이 중심이 된 원헬스
운동은 신종 인수공통전염병이 발생할 수밖에 없는 사회정치적 조건을
외면한다는 점에서 비판의 소지가 있다. 조류독감이나 코로나19 같은
신종 감염병 발생에는 중국이나 미국, 그리고 동남아시아의 대규모 공
장식 축산기업과 그 주변에 기생하는 비위생적인 축산농가에서 바이러
스의 종간 이동이 용이해지면서 바이러스의 유전적 변이가 활발히 일
어나는 환경이 큰 역할을 하고 있다.[40]

결국, 코로나19 팬데믹은 생태계의 문제면서 동시에 자본주의의 문
제이고, 생물학적 · 의학적 현상이면서 동시에 사회정치적 문제이다.
중국에서 코로나19 바이러스가 전 세계로 확산하고 미국에서 수많은

38 공혜정, 〈새로운 변화 - 기후변화와 원헬스(One Health) 패러다임 고찰〉,《생태 환경과
    역사》5, 2019, 83쪽.
39 로지 브라이도티,《포스트휴먼》, 207~209쪽.
40 황임경, 〈코로나 19와 의료인문학〉, 195쪽.

감염자가 발생하게 된 이면에는, 언론 통제와 "험악한 개인주의rugged individualism"[41]라는 정치 이념과 같이, 각기 다른 정치적 문제들이 존재했다. 그런 점에서 장내 미생물종과 세포 내 미토콘드리아 등의 생물학/의학 연구에서 추출된 공존과 공생 담론이나 탈인간 포스트휴먼 담론이 자칫 현실에서 유리된 이상적이고 평화로운 '공생의 포스트휴머니즘'으로 탈정치화할 수도 있음을 잊지 말아야 한다.

비판적 포스트휴머니즘과 면역공동체의 서사와 윤리

과학적 상상력과 묵시록적 상상력의 접점에 위치하는 많은 SFscience/speculative fiction에서는 바이러스나 환경오염으로 인한 재앙과 파국의 이야기들을 만들어 왔다. 인류세 서사를 중심으로 한 이러한 파국의 서사들은 이미 당면하고 임박한 지구 행성과 생태계의 위기라는 과학적 사실science fact과 결코 무관하지 않다.[42] 그 점에서, SF는 우리 시대의 리얼리즘 문학이며 해러웨이의 지적 그대로 과학과 사회적 현실의 경계야말로 착시일 것이다. 그는 "나의 크툴루세(쑬루세-인용자)는 필멸의 구성체가 서로에 대해, 서로와 함께 위태로운 관계에 있는 시대입니다"[43]

---

41 James S. Baumlin, "From Postmodernism to Posthumanism: Theorizing Ethos in an Age of Pandemic," *Humanities* 9(46), 2020, p. 18.

42 해밀턴은 인류세를 하나의 "메타서사"로 위기의 기원, 대응 방식을 이야기하여 욕망과 상처에 의미를 부여하는 이야기 구조의 역할을 수행한다고 본다. 김홍중, 〈인류세의 사회이론 1 – 파국과 페이션시(patiency)〉, 《과학기술학연구》 19(3), 2019, 12쪽.

43 도나 해러웨이·캐리 울프 대담, 〈반려자들의 대화〉, 도나 해러웨이, 《해러웨이 선언문》, 황희선 옮김, 책세상, 2019, 363쪽. 크툴루Cthulu는 SF 작가 H. P. 러브크래프트H.

라고 말했다.

브라이도티 역시 취약성을 공유하는 인간, 비-인간 환경의 전 지구적 연결과 통일성(범인류)을 언급하며. 더 나아가 긍정의 유대affirmative bond, 혹은 포스트휴먼 윤리학을 제안한다.[44] 팬데믹-포스트휴먼의 시대에 이르러 윤리 역시 가이아 가설처럼 '행성의 윤리planetary ethos'[45] 규모로 확장되기에 이른다. 그런가 하면, 페터 슬로터다이크Peter Sloterdijk는 코뮤니즘communism이 아니라 '코-이뮤니즘co-immunism', 즉 공동면역주의를 발전시키자고 제안한다. 이는 면역체 동맹으로, 치명적인 것에 대응하는 지구적인 규모의 연대 공동체로서 상호 안전과 상호 보장을 제공하는 것이다.[46] 물론 자본세Capitalocene 담론의 주장처럼 모두가 지구적 위기에 동일한 책임을 짊어져야 하는 것은 아니며, 전 지구적 위기와 재앙에 더 피해를 입는 취약한 존재들이 있음을 강조해야 한다.

이러한 비판적 포스트휴머니즘의 공동체 윤리는 이 위기와 재난의 시대의 의미 있는 대안서사이자 대항서사counter narrative로서 '서사적 행위능력narrative agency'을 발휘할 수 있다. 해러웨이 같은 논자들은 포스트휴먼(비판적 포스트휴머니즘)의 서사들, 즉 어슐러 르 귄Ursula K. Le Guin의

P. Lovecraft의 소설에 등장하는 인간 이전에 살던 신적인 사악한 괴물로, 해러웨이는 이 "여성혐오적이고 인종차별적인 괴물"(도나 해러웨이, 〈인류세, 자본세, 대농장세, 툴루세〉, 166쪽)의 이름에서 인류세의 다른 명명인 '쑬루세'(툴루세, Chthulucene)로 전유하고 있다.

44 로지 브라이도티, 《포스트휴먼》, 68쪽.

45 James S. Baumlin, "From Postmodernism to Posthumanism: Theorizing Ethos in an Age of Pandemic," p. 8.

46 〈코뮤니즘이 아니라 코-이뮤니즘을: 페터 슬로터다이크와의 대담〉, 제이슨 바커 엮음, 《맑스 재장전》, 은혜 · 정남영 옮김, 난장, 2013, 172~173쪽.

SF나 미야자키 하야오宮崎 駿의 애니메이션 〈바람계곡의 나우시카〉, 이누이트족과 북극여우가 주인공인 게임 〈네버 얼론〉 같은 서사에서 그 가능성을 확인한다. 이러한 인류세의 환경위기 담론을 확산하는 대중서사와 생태주의적인 행성의 서사 윤리는 우리 안에 이미 있는 오래된 미래인, 동양의 비이원론적이고 탈인간중심주의적인 다양한 전통 생태사상과 서사문학에서 더 많은 영감을 얻을 수 있을 것이기에 기대가 크다.

코로나19 팬데믹은 완전함과 불멸이라는 신적인 목표를 향해 달리던 근대 계몽주의, 인간중심주의의 궤도를 꺾어 놓았다. 근대의 진보, 발전 서사에 대한 총체적인 성찰과 새로운 서사가 요청되는 상황이다. 이미 기술과학과 한 몸을 이루는 포스트휴먼으로서, 우리는 취약한 주체임을 분명하게 인정하지 않을 수 없게 되었다. "생명체의 필수적인 개방성, 즉 자기 삶의 지속이 환경과의 교환에 달려 있다는 사실은 생명체를 불안정한 존재로 어려움에 처하게 하고, 항상 (도덕적 결과가 있는) 질병과 죽음의 문턱에 놓는다."[47] 한 마디로 입이 있어 외부 세계와 연결된 우리는 먹고 살아갈 수 있고, 또 동시에 그 구멍 뚫린 입에 독소가 들어올 수 있듯이 상처 입을 수 있다. 다시 말해, 취약성/상처 입을 수 있음의 어원처럼, 말 그대로 구멍 뚫릴 수 있다. 우리가 생명체이길 포기하지 않는 이상 취약성은 제거되지 않는다.

그렇다면, 트랜스휴머니스트 영지주의자들이 거추장스럽고 '상처 입을 수 있는' 몸을 버리고 마인드 업로딩mind uploading과 같은 새로운 기술을 통해 디지털 불멸을 꿈꾼다고 한다면? 우리는 오늘날이 바이러스

---

[47] Alfredo Marcos, "Vulnerability as a Part of Human Nature," *Human Dignity of the Vulnerable in the Age of Rights*, Springer, 2016, p. 36.

와 디지털 바이러스가 동시에 창궐하는 팬데믹의 시대임을 안다. 그 자체로 온전한 생명체라고 보기 어려운 바이러스는 유전학적 정보 코드의 배열이며, 디지털 바이러스 역시 정보 코드의 배열이다. 해러웨이의 지적처럼 버추얼virtual 팬데믹과 바이러스 팬데믹 사이에는 동질성이 존재한다. 그것이 우리가 바이러스와 더불어 살아가는/죽어가는 팬데믹의 시대, "살아 있는 것과 살아 있지 않은 것, 인간과 비인간, 생물학적·공학적인 것 사이의 경계가 해체"[48]된 포스트휴먼 조건이다. 그러니 방대한 디지털 네트워크와 사이버스페이스와 접속된 인포그inforg가 되어 디지털 영생을 꿈꾸는 이들의 유토피아적 몽상 역시 깨질 것이며, 우리의 취약성 또한 결코 제거되지 못한다.

근본적인 취약성을 성찰하도록 강제하는 팬데믹 현실에서, 그리고 생명과학과 의학기술의 급격한 발전과 SF문화의 범람하는 서사와 이미지 속에서, 마인드 업로딩 류의 탈신체화된disembodied 서사는 취약성과 신체화된embodied 서사와 서로 길항하며 경쟁한다. 데카르트적(근대적) 휴머니즘의 강화 버전인 트랜스휴머니즘의 탈신체화 담론과 서사는 취약성을 거부하고 배제하면서 동시에 사회적·신체적으로 취약한 계층과 소수자, 약자, 여성, 동식물과 자연, 비인간 존재를 차별하거나 억압할 가능성이 있다. 팬데믹 상황에서 목격한 다양한 혐오 현상도 이와 무관하지 않을 것이다. 여기서 취약성과 유한성을 긍정하는 신체화된 포스트휴머니즘의 정치적 함의를 찾아볼 수 있다.

취약한 주체의 특성을 김홍중은 '페이션시patiency'(감수능력)라고 명

---

48 James S. Baumlin, "From Postmodernism to Posthumanism: Theorizing Ethos in an Age of Pandemic," p. 16.

명한다. 즉, 고통과 상처의 감수자感受者는 단순한 수동적 존재자가 아니라 체험의 주체이다. 그러므로 행위/체험, 행위자/감수자, 행위력/감수력 등의 협소한 이분법을 넘어 '행위형성적 감수력agentializing patiency'이란 독특한 힘을 지닌다.[49] 이 역설적인 힘을 통해서 취약한 주체 혹은 감수자는 외부의 작용을 견뎌 내면서 동시에 세계를 점차 변화해 나갈 수 있는 역량을 지닌다. 흔히 코로나19 팬데믹이 인류사적 위기와 파국으로 인식되지만, 그 취약성의 체험을 통해 우리가 긍정적 변혁과 연대의 가능성을 찾는다면 새로운 희망의 서사를 쓸 수 있을 것이다.

---

[49] 김홍중, 〈인류세의 사회이론 1 – 파국과 페이션시(patiency)〉, 26~28쪽.

참고문헌

김창규 · 박상준,《SF가 세계를 읽는 방법》, 에디토리얼, 2020.

김홍중,《마음의 사회학》, 문학동네, 2009.

내터슨-호러위츠, 바버라 · 바워스, 캐스린,《의사와 수의사가 만나다》, 이순영 옮김, 모멘토, 2017.

메이어, 에머런,《더 커넥션》, 김보은 옮김, 브레인월드, 2018.

바뱅, 도미니크,《포스트휴먼과의 만남》, 양영란 옮김, 궁리, 2007.

바커, 제이슨,《맑스 재장전》, 은혜 · 정남영 옮김, 난장, 2013.

박민규,《더블》, 창비, 2010.

브라이도티, 로지,《포스트휴먼》, 이경란 옮김, 아카넷, 2015.

빈트, 셰릴,《에스에프 에스프리: SF를 읽을 때 우리가 생각할 것들》, 전행선 옮김, 아르테, 2019.

와일드, 아일사 · 바, 제레미(글), 허칭스, 벤(그림),《미생물 전쟁》, 강승희 옮김, 반니, 2019.

이경란,《로지 브라이도티, 포스트휴먼》, 커뮤니케이션북스, 2017.

이수진,《사이언스픽션, 인간과 기술의 가능성》, 커뮤니케이션북스, 2017.

지젝, 슬라보예,《팬데믹 패닉》, 강우성 옮김, 북하우스, 2020.

해러웨이, 도나,《해러웨이 선언문》, 황희선 옮김, 책세상, 2019.

헤어브레히터, 슈테판,《포스트휴머니즘: 인간 이후의 인간에 관한 문화철학적 담론》, 김연순 · 김응준, 옮김, 성균관대학교 출판부, 2012.

공혜정,〈새로운 변화 - 기후변화와 원헬스(One Health) 패러다임 고찰〉,《생태 환경과 역사》5, 2019, 69~104쪽.

김홍중,〈인류세의 사회이론 1 - 파국과 페이션시(patiency)〉,《과학기술학연구》19(3), 2019, 1~49쪽.

노대원,〈한국 문학의 포스트휴먼적 상상력 - 2000년대 이후 사이언스 픽션 단편소설을 중심으로〉,《Comparative Korean Studies》23(2), 2015, 333~360쪽.

_____,〈한국 포스트휴먼 SF의 인간 향상과 취약성〉,《한국문학이론과 비평》86,

2020, 151~174쪽.

_____, 〈SF의 장르 특성과 융합적 문학교육〉, 《영주어문》 42, 2019, 221~245쪽.

황임경, 〈상처 입을 가능성과 의학에서의 주체화〉, 《의철학연구》 25, 2018, 51~86쪽.

노대원, 〈미래의 인간은 고통에서 해방될까?〉, 《르몽드 디플로마티크》 2019년 10월
31일자.

신상규, 〈포스트휴먼의 조건과 인간 - 기계의 공존〉, 《쓺》 8, 문학실험실, 2019, 40~
60쪽.

해러웨이, 도나, 〈인류세, 자본세, 대농장세, 툴루세〉, 김상민 옮김, 《문화/과학》 97,
문화과학사, 2019.

황임경, 〈코로나 19와 의료인문학〉, 인천작가회의 편집부, 《작가들》 74, 다인아트,
2020, 184~196쪽.

이정아, 〈코로나19는 WHO가 2년전 경고한 '질병X'인가〉, 《동아사이언스》 2020년
2월 24일자.

허호준, 〈코로나19에도 발길 이어지니…제주 최대 유채꽃밭 갈아엎어〉, 《한겨레》
2020년 4월 8일자. http://www.hani.co.kr/arti/area/jeju/936114.html#csidx61
776266e8cf759bed0f2889c91f102

Have, Henk ten, *Vulnerability: Challenging Bioethics*, Routledge, 2016.

Mackenzie, Catriona · Rogers, Wendy · Dods, Susan, *Vulnerability: New Essays in
Ehtics and Feminist Philosophy*, Oxford University Press, 2014.

Marcos, Alfredo, "Vulnerability as a Part of Human Nature," *Human Dignity of the
Vulnerable in the Age of Rights*, Springer, 2016.

Fuller, A. T. and Pincetl, Stephanie, "Vulnerability studies: A bibliometric review,"
The Professional Geographer 67(3), 2015, pp. 1-11.

Baumlin, James S., "From Postmodernism to Posthumanism: Theorizing Ethos in
an Age of Pandemic," *Humanities* 9(46), 2020, pp. 1-25.

Coeckelbergh, Mark. "Vulnerable cyborgs: Learning to live with our dragons,"
Journal of evolution and technology 22(1), 2011, pp. 1-9.

〈[인류멸망 시나리오] 1위: 새로운 바이러스 생산의 위험, 합성 생물학〉,《내셔널지오그래픽》. https://youtu.be/E7AG2G5oXrY

〈[인류멸망 시나리오] 6위: 스스로 진화하는 변종 바이러스의 전파〉,《내셔널지오그래픽》. https://youtu.be/xCqVEgiNygQ

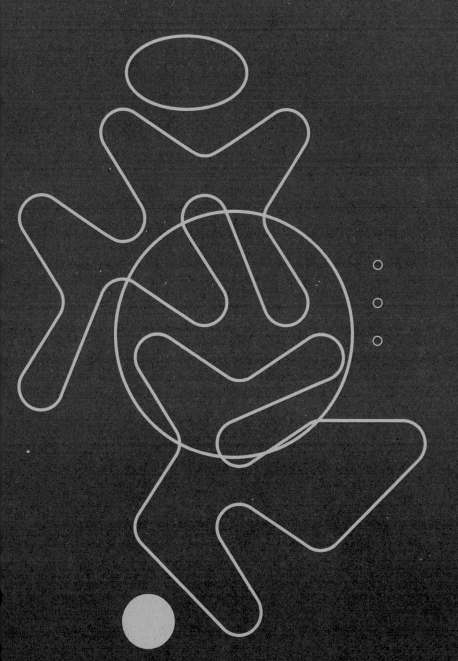

인류세의 (한국)문학 서설

복도훈

이 글은 《한국문예창작》 제50호(2020. 12)에 게재된 원고를 수정 및 보완하여 재수록한 것이다.

디더링dithering

우리의 후손은 전 지구적 기후변화 속에서 21세기를 살다 간 조상을 어떻게 바라볼까. 이러한 미래를 상상하는데 SF만큼 유용한 장르도 없을 것이다. SF 작가 새뮤얼 R. 딜레이니Samuel R. Delany의 정의에 따르면, SF는 "아직 발생하지 않은 상황을 그런 소설로, 발생할지도 모르는, 발생하지 않을지도 모르는, 아직은 발생하지 않은, 과거에 발생했거나 그렇지 않을 수도 있는 상황을 포함하는" 문학 장르이다.[1] SF에 대한 이러한 정의에 기후변화를 외삽하면 어떻게 될까. 그런데 기후변화로 인해 발생할 미래를 상상하는 일은 아무래도 발생할지도, 발생하지 않을지도 모르는 잠재성보다는 발생해서는 안 될 상황이 발생하는 필연성에 귀속될 것만 같다. 딜레이니의 정의를 변경해 보자면, SF는 또한 기후변화로 인해 '발생해서는 안 될 상황'을 재현하는 장르라고 할 수 있다. 그러면 발생해서는 안 될 상황이 발생한 이후를 살아가는 후손은 자신의 조상을 어떻게 생각하고 있을까.

킴 스탠리 로빈슨Kim Stanley Robinson의 SF 《2312》에서 2312년을 살아가는 인류는 황폐화된 지구를 테라포밍terra forming하기 전에 조상의 역사를 돌이켜 보는데, 거기에는 우리가 살다 갈 시기에 대한 언급도 나온다. 2312년의 인류는 대략 2005년에서 2060년의 시기를 살았던 조상을 '디더링dithering(우유부단한 동요)의 세대'로 부른다. 2312년 미래의 지구에서는 "해수면이 11미터 상승함으로써 고지대에 집중된 건축

---

1 셰릴 빈트, 《에스에프 에스프리》, 전행선 옮김, 아르테, 2019, 98쪽에서 인용.

이 전 세계에 수용되었다. 그러나 그로 인해 인간이 겪는 고통의 비용은 엄청났으며, 그 누구도 다시 고통을 겪고 싶어 하지 않았다. 사람들은 해수면 상승에 신물이 났다. 그들은 어떻게 디더링의 세대를 경멸했던가. 이 세대는 메탄 포접화합물 방출과 영구동토층의 해빙으로 가능한 한 최대 규모로 가장 큰 세 번째 온실가스의 거대한 파도를 배출하기 시작함으로써, 현재뿐만 아니라 앞으로 수세기 동안 계속해서 막을 수 없는 가속도로 기후를 변화 속으로 경솔하게 밀어 넣었다."[2] 소설에서 2132년의 후손은 디더링의 시기를 '낭비된 해'로 기억한다. 디더링은 인류가 재앙적인 기후변화에 능숙하게 대처하지 못하고 우유부단한 동요만을 거듭하는 상황과 심리를 포괄적으로 일컫는 어휘이다. 그런데 후손들만 이렇게 우리를 평가할까?

브뤼노 라투르Bruno Ratour는 코로나19 팬데믹에 대항한 국가의 총동원 공격을 인정하면서도, 그것이 생태적인 변화 차원에서는 다른 의미를 띤다고 말한다. "끔찍한 독성을 가진 병원체가 이 행성의 모든 거주자들의 생존 조건을 변화시켰으니, 그 병원체의 이름은 인간이로다."[3] 전 지구적 규모로 일어난 2018년 여름의 대대적인 혹서, 2019년 겨울의 오스트레일리아 산불, 지금까지도 계속되는 팬데믹과 각종 기후변화의 재난 등을 보라. 우리는 국지적인 "생태계적 교란"을 넘어 "지구

2 Kim Stanley Robinson, *2312*, Orbit Books, 2012, p. 316; Jase Short, "Dream Worlds Here and There," 2013. 11. 12에서 인용. https://www.marxists.org/history/etol/newspape/atc/4030.html.

3 Bruno Ratour, "Is This a Dress Rehearsal?," https://critinq.wordpress.com/2020/03/26/

시스템의 균열을 초래하는"[4] '지질적 행위자로서의 인간'[5] 행위로 인해 발생한 막대한 부산물이라는 진단을 거스르기가 도저히 불가능한 상황을 실감으로 맞이한 것 같다. 만일 지질적 행위자인 인간이 지구에 초래한 새로운 지질학적 시간인 인류세Anthropocene라는 기표를 진지하게 수용해야 한다면, 그것은 인류세가 우리에게 적어도 세 개의 낯설게하기를 요구하는 한에서 그러하다. 첫째, 후손의 관점에서 조상이 되는 우리의 상황을 진단하기. 둘째, 비인간 존재의 견지에서 인간 존재와 비인간 존재의 얽힘을 사유하기. 셋째, 인류세로 기존의 문학(예술), 특히 소설novel, fiction의 의의와 역할을 비평적으로 재고하기. 이 글은 인류세의 개막이자 증상인 팬데믹과 기후변화 속에서 어떠한 상상력의 변이와 진화가 문학에서 어떻게 가능한지를 탐색하고자 한다.[6]

인류세: 문제 많은 문제틀

지질학적 시간으로 1만 년에서 1만 2천 년의 후빙하기 시대에 해당하는 홀로세Holocene의 끝 무렵인 대략 18세기 중후반, 인류는 화석연료를 기반으로 한 증기기관의 발명(1784) 전후로 지구의 자연력과 비견될

---

4   클라이브 해밀턴, 《인류세》, 정서진 옮김, 이상북스, 2018, 32쪽.
5   디페시 차크라바르티, 〈역사의 기후: 네 가지 테제〉, 《지구사의 도전》, 조지형 · 김용우 엮고 옮김, 서해문집, 2010.
6   인류세와 문학과 관련지어 재현의 위기와 방법의 문제를 다룬 글로는 송은주, 〈인류세와 문학〉, 건국대 인류세인문학단, 《우리는 가장 빠르고 확실하게 죽어가고 있다》, 들녘, 2020.

정도의 위력을 갖추게 되었다. 자본주의 기술혁명의 발전과 가속화로 인한 인공적인 재해와 그 결과들 또한 빠르게 축적되고 확산되었다. 인구 증가와 밀집도시화, 공장 축산업을 위한 삼림 벌목에 따른 이산화탄소 발생, 가축의 메탄가스와 오존층을 파괴하는 독성물질의 방출, 기계화된 어업에 따른 대륙붕 붕괴와 어종의 멸종 등은 지구 생태계의 국지적인 상실이 아닌 예측 불가능한 기후변화에 따른 생태계적 파국을 낳고 가리키는 임계점tipping point에 다다랐다.

대기화학자 파울 크뤼천Paul Crutzen과 생태생물학자 유진 스토머Eugene Stoermer는 실험과 관측, 현장답사 등을 통해 공인되고 축적된 과학적 데이터를 염두에 두고 다음과 같이 쓰고 있다. 이어지는 인용문에서 '인간의 지질적 힘'의 세기로 요약되는 기표인 '인류세'가 향후에 상당수 학문 분야에서 공식적으로 알려지고 널리 쓰이게 된다. "인간 행위가 전 지구적인 규모 안에서 지구와 대기에 미치는 여러 중요하고도 증가하는 영향을 고려해 보건대, 우리가 현재의 지질시대에 '인류세'라는 용어를 사용하자고 제안함으로써 지질학과 환경학에서 인간의 중심적 역할을 강조하는 것은 꽤 적절해 보인다."[7]

실제로 현재 매년의 이산화탄소 배출 수준으로 놓고 보면, 만일 인간이 기후변화와 관련된 별다른 조치를 취하지 않는 상태, 앞서 킴 스탠리 로빈슨이 '디더링'으로 명명한 상황에서 지구의 온도가 현재보다 섭씨 4.8도 오르게 되면, 대기와 해양·지표의 생태적 순환이 전면적으로 붕괴될 것이라고 한다. 이미 지구의 온도는 산업혁명 시작 이래로 섭

7 Paul J. Crutzen and Eugene F. Stoermer, "The 'Anthropocene'", *The International Geosphere-Biosphere Programme (IGBP) Newsletter* 41, 2000, pp. 17-18.

씨 1도 이상 상승했으며, 탈脫탄소화를 국제적으로 논의한 파리기후협약(2015)의 기준에 따라 전 세계 국가와 기업이 결정적인 합의를 도출해 이산화탄소 배출을 2030년까지 지금의 절반으로 줄이는 데 성공하고 또 2050년에 0퍼센트로 만든다고 해도, 2100년의 온도는 지금보다 섭씨 3도 가량 상승할 것으로 예측된다.[8] 압도적인 수치와 통계를 보며 좌절감을 느끼다가도 곧 망각의 일상으로 되돌아가는 우리의 행위는 '인류세'를 어떻게 받아들일까와 관련하여 문제적이다. 그것은 기후변화가 우리의 상상력에 어떤 공백을 만드는 것은 아닌지 추정하도록 한다. 게다가 인류세의 문제틀에 대한 문제 제기도 적지 않다. 우선 이 글이 전제하는 언표 '우리'와 인류세의 핵심어인 '인간anthropos'과의 연접에 대해 비판적으로 검토할 필요를 느낀다.

일단 '우리'와 '인간'이라고 말할 때, '우리'는 "불균등하게 분배된 고통의 책임을 일반화"할 소지가 높은 대명사이다. 단적인 예로 한국은 온실가스 배출량이 2020년을 기준으로 전 세계 10위 안팎을 오르락내리락하는 기후악당인 반면에, 기후변화로 인한 해수면 상승으로 가장 큰 피해가 예상되는 방글라데시는 1인당 가장 적은 온실가스를 배출하는 나라이다. 기후변화의 근미래를 제3세계 주변부의 인민들이 제일 먼저 겪고 있는 것이다. 인류세라는 명명도 문제이다. 그것은 "제 머리에 왕관을 씌우는 신화 창조의 행위이자 현재의 위기를 생산한 테크노크라시의 나르시시즘을 반영"하는 측면이 있다.[9] 실제로 크뤼천과 스토머가 "인류는 수천 년, 어쩌면 다가올 몇 백만 년 동안 주요 지질적 힘"

---

8 사이토 고헤이, 《마르크스의 생태사회주의》, 추선영 옮김, 두번째테제, 2020, 9쪽에서 인용.
9 로버트 맥팔레인, 《언더랜드: 심원의 시간 여행》, 조은영 옮김, 소소의 책, 2020, 88쪽.

으로 기능할 것이라고 경고한 다음 "인류를 전 지구적으로 지속가능한 환경경영으로 인도하는 흥미진진하지만 어렵고도 벅찬 과제"가 인류세에 놓여 있다고 말할 때,[10] '인류'는 인간이 초래한 막대한 재앙을 수습하는 인류세 서사시의 테크노크라트 영웅으로 슬그머니 격상되는 것 같다. 이와 관련하여 인류세가 "'인간의 사업'이 '거대한 자연력'에 대항하도록 설정된 서사"이며, 자본주의적 불평등과 소외 · 폭력에 대한 문제 제기를 방치하는 "환경결정론과 기술결정론"의 산물이라는 마르크스주의적 비판이 있다.[11] 슬라보예 지젝Slavoj Žižek은 디페시 차크라바르티Dipesh Chakrabarty가 말한 '부정적 보편사', 인간과 자연의 지질적 얽힘 속에서 種으로서의 인간이 '공동의 우리'(인류)를 구성하는 순간에 이의를 제기한다. "보편적 적대(생명의 조건에 위협이 되는 변수)와 특수한 적대(자본주의적 교착상태)의 관계에서 중요한 투쟁은, 인간 보편(인간종의 생존)의 문제는 자본주의적 생산양식의 특수한 교착상태를 우선 해결함으로써만 해결할 수 있다는 역설"을 받아들여야 한다는 것이다.[12] 인류세는 자본주의에서 비롯되었지만 자본주의는 인류세의 문제를 해결할 방법이 없으며, 자본의 교착상태에 대한 특수한 문제 제기 없이 인류세의 인류는 공허한 보편자에 불과하다. '인류세'는 전 지구적

---

10 Paul J. Crutzen and Eugene F. Stoermer, ""The "Anthropocene"", p. 18.

11 제이슨 W. 무어, 《생명의 그물 속 자본주의》, 김효진 옮김, 갈무리, 2020, 275 · 279쪽. 관련하여 제이슨 무어는 자본세capitalocene를 주장한다. 그 밖에도 인류세 개념에 대한 비판적, 대안적 명칭(플랜테이션세Plantationocene, 올리간트로포세 Oliganthropocene, 쏠루세Chthulucene)의 의의에 대해서는 다음 글이 상세하다. Pieter Vermeulen, "Introduction: Naming, Telling, Writing – The Anthropocene," *Literature and the Anthropocene*, Routledge: London and New York, 2020, p. 11-17.

12 Slavoj Žižek, "Welcome to the Anthropocene," *Living in the End Times*, London & New York: Verso, 2010, p. 334.

자본주의가 대대적으로 초래하는 지구적 파괴와 약탈을 은폐하는 '가짜 문제'로 기능할 수 있다는 것이다.[13]

이처럼 인류세는 말 많고 탈 많은 기표이자 서사이다. 게다가 인류세는 붕괴된 빙하나 북극곰과 같은 이미지, 도표, 숫자 등 기후변화에 대한 스테레오타입의 지각과 감성적 충격효과로만 받아들여지는 측면도 없지 않다.[14] 아마도 인류세 담론과 서사의 어두운 면과 관련하여 그에 가장 근접한 기존의 서사를 고르라면 그것은 아포칼립스일 것이다. 그렇다면 인류세 서사는 새로운 파국서사 또는 아포칼립스의 변종인가?

새로운 아포칼립스인가

2020년 벽두에 시작된 팬데믹, 그리고 갈수록 전 지구적 재앙으로 급증하는 숱한 기후변화의 사태는 새로운 아포칼립스를 알리는 불길한 서막일까? 그렇기도 하고 아니기도 하다. 아포칼립스가 '마지막 시간', '시간의 끝'[15]에 대한 담론이자 서사임을 염두에 두면, 우리는 우선 '기이한weird' 시간을 살아가고 있다고 말해도 좋겠다. 여기서 기이함은 바이러스와 같은 비인간적 존재자와 인간 존재자, 비생명과 생명의 기이

13　가브리엘 헥트, 〈아프리카 인류세〉, 조승희 옮김, 《에피》 8, 2019년 여름호. 이 글은 탈식민주의적인 관점에서 '인류세' 담론을 날카롭게 비판하면서도 인간을 비롯한 생태적 종을 위험에 빠뜨리는 문제의 심각성을 공유할 수 있는 분석적 잠재력을 지닌 어휘로 승인한다.

14　이와 관련되어 더욱 심화된 분석으로는 T. J. 데모스, 〈인류세에 반대하며 – 오늘날 시각문화와 환경〉, 《디어 아마존 – 인류세에 관하여》, 박성환 외 옮김, 일민미술관, 2021.

15　야콥 타우베스, 《서구종말론》, 문순표 옮김, 그린비, 2019, 10쪽.

한 얽힘과 섬뜩한 공생에서 중첩되고 파생된 몽타주적인 시간 감각이다. 무언가 잘못되었고, 무언가는 새로우며, 기존의 감각과 개념의 구조가 이제는 별 쓸모없어졌다는 시간 감각.[16]

비유하자면, 바이러스의 시간과 인간의 시간도 다르다. 인간은 자신의 의지와 수단을 통해 계획하고 분배하고 배치함으로써 시간을 자신의 편으로 끌어들이는 데 탁월한 행위자이다. 그러나 2019년 12월에 처음 발생한 코로나19 팬데믹은 바이러스를 연구하는 과학자들조차 바이러스의 시간, 그 종결의 시간을 예측하는 데 지금까지 실패하고 있는 재앙이다. 인간의 시간은 바이러스의 시간의 끝을 상상하고 있지만, 바이러스의 예측 불가능한 시간은 인간의 시간 감각을 초과하고 그것을 교란한다. 바이러스는 인간 의지와 행위의 결과이지만, 바이러스의 시간의 종결은 인간 의지와 행위의 결과가 아닐 수도 있다. 생명체에 기생하는 가장 원시적 형태의 RNA 유전자 덩어리인 코로나19바이러스는 비생명체이기에 격퇴나 퇴치 등 적과 동지라는 인식에 기반한 기존의 인간중심적 면역학의 관점에서는 접근할 수 없다.[17] 확실한 것은 코로나19바이러스로 인해 인간과 비인간 존재가 뒤얽히는 데서 오는 기이한 시간 감각이, 개별적·찰나적으로 경험한 것 이상의 공통의 체감이라는 진실이다. 이러한 감각의 유례 없음과 보편성은 새삼 강조

---

16 마크 피셔, 《기이한 것과 으스스한 것》, 안현주 옮김, 구픽, 2019, 15쪽.

17 서보경, 〈서둘러 떠나지 않는다면: 코로나19와 아직 도래하지 않은 돌봄의 생명정치〉, 《문학과사회 하이픈—코로나 어펙트》, 2020년 가을호. 이 글은 코로나19 사태의 두 가지 측면, 코로나19바이러스의 생태적 특징과 그로 인해 발생하는 사회적 변화의 양태 두 측면을 공히 아우른다. 이 글이 실린 특집의 다른 글들은 전자보다는 후자, 사회문화적 담론과 효과의 제한된 특정에서 코로나19 사태를 다루고 있다.

할 필요가 있다.

그럼에도 바이러스의 시간은 기약 없이 종결될 것이다. 코로나19 팬데믹 사태가 언젠가는 종결될, 그리고 불길하게 반복될 기후변화의 특정한 시간적 국면이라면, 홍수와 산불, 해수면 상승, 영구동토층의 붕괴 등과 같은 사태는 기후변화의 보다 장기지속적인 국면이다.[18] 확실히 인류세적인 경고 가운데 하나인 여섯 번째 대멸종은 팬데믹과 기후변화를 아포칼립스적인 멸종과 파국에 대한 이미지로 확산시키는 데 기여하고 있다. 아포칼립스가 '마지막 시간'과 '시간의 끝'이라는 역사의 종착점을 향해 가는 서사라면, 대멸종에 대한 인류세적인 상상은 분명히 아포칼립스적이다. 적어도 그것은 인간이 주재하던 역사의 끝이기에 인간의 종말이며, 우리가 알고 있던 세계가 더는 작동하지 않기에 세계의 종말이기도 하다. 그러나 당장 우리가 행동하지 않는 한 대멸종, 세계의 종말을 피할 수 없다는 식으로 공포를 조장하는 피상적인 아포칼립스 담론과 서사에 대해서는 어떻게 생각해야 할까? 그것들은 "역설적으로 지구에서의 생태적 공존에 대한 우리의 전적인 참여를 억제하는 가장 강력한 요소들 가운데 하나"[19]로 기능할 수도 있다. 반대로 세계를 끝내는 꿈에서 깨어나려는 움직임이 기후변화를 진지하게 받아들이고 살아가야 할 우리의 과제이다.

한편으로, 아포칼립스에 담긴 다른 뜻에도 주목할 필요가 있다. 아포칼립스apocalypse는 그리스어 apokálypsis에서 온 것으로, 숨겨진 것을 드

---

18 안드레아스 말름, 《코로나, 기후, 오래된 비상사태》, 우석영 · 장석준 옮김, 마농지, 2021, 27쪽.

19 Timothy Morton, *Hyperobjects: Philosophy and Ecology after the End of the World*, University of Minnesota Press, 2013, p. 6.

러낸다는 의미이다. 코로나19 사태 이후에 제출된 여러 진단과 분석이 일러 주는 것처럼, 팬데믹으로 인해 은폐되고 감춰진 것들이 일상, 주거환경, 노동 등에서 얼마나 많이 드러나고 가시화되고 있는가. 코로나19로 인한 고령의 희생자 대부분이 이주와 거동이 쉽지 않은 폐쇄병동에서 발생했다는 사실은 무엇을 말해 주는가. 감염자들이 폐쇄병동 병자들을 돌보면서 생겨났다는 것은 무엇을 말해 주는가. 비대면의 일상화로 인한 가정 내 돌봄노동의 증가, 물리적 대면과 접촉이 불가피한 노동조건의 악화와 실업, 바이러스처럼 확산되는 혐오와 낙인 등은 코로나19로 인한 젠더와 노동의 불평등, 사회적 배제를 가시화하고 있지 않은가.[20] 이런 면에서 코로나19 사태는 자본주의적 삶과 노동의 감추어진 면을 적나라하게 드러냈다는 점에서 또한 아포칼립스적이다.

그렇다면 코로나19로 인해 우리가 새로이 써 내려갈 수 있는 서사는 무엇일까. 세계 종말의 이미지에 집착하는 일이 아니라면, 인류세 아포칼립스 서사는 코로나19로 인한 시공간의 뒤틀림과 깨어짐, 파국破局 catastrophe[21]이 주는 착란적인 감각을 계발하면서 무엇이 비로소 소중했으며, 또 무엇이 사소한 것이었는지를 깨닫는 성찰적인 서사를 우선적으로 필요로 하지 않을까 싶다.

---

20 김종철, 〈코로나 시즌, 12개의 단상〉,《녹색평론》173, 2020년 7/8월호; 추지현 엮음,《마스크가 말해주는 것들: 코로나19와 일상의 사회학》, 돌베개, 2020 참조.

21 코로나19 팬데믹은 시공간의 판이 깨지는(아래로 뒤집히는) 국면을 뜻하는 파국 catastrophe의 측면에서 접근할 필요도 있다. 파국의 의미론에 대해서는 문강형준,《파국의 지형학》, 자음과모음, 2012, 11쪽. 한편으로 김홍중은 파국의 재귀적·성찰적 측면에서 인류세의 언표, 정동, 행위, 제도, 운동, 사유, 가치, 규범, 욕망, 물질, 이미지의 어셈블리지를 발터 벤야민의 역사철학에 근거해 상세하고도 포괄적으로 고찰한다. 김홍중, 〈인류세의 사회이론 1: 파국과 페이션시〉,《과학기술학연구》19(3), 한국과학기술학회, 2019.

기후변화의 문학적 시나리오

코로나19 팬데믹, 기후변화의 심각성, 인류세적 문제틀에 대한 점증하는 공감과 이해에도 불구하고 소설가 조너선 사프란 포어Jonathan Safran Foer가 털어놓는 고민은 여전히 인류세로 통칭되는 기후변화를 상상하는 데 따르는 난경과 곤란을 잘 요약하고 있다. "극단적인 기후, 홍수와 산불, 이주와 자원 부족 등 기후변화에 따르는 재난들 중 상당수는 생생하고 개인적이며 상황이 악화되어 가고 있음을 암시하지만, 이들을 다 합쳐 놓으면 영 다르게 느껴진다. 점점 강력해지는 서사라기보다는 추상적이고, 멀고, 고립된 현상으로 보인다."[22] 기후변화와 관련된 수많은 이미지와 데이터, 경고를 접하더라도 우리의 감각은 일시적인 전율과 공포로 각성될 뿐이다. 또 그러한 각성이 감각과 상상력의 지속적인 확장으로 이어지기를 기대하기도 쉽지 않다. 조너선 사프란 포어는 "무슨 짓을 해도 저기 멀리서 일어난 일로만 생각할 파국을 바로 여기, 우리 가슴속으로 끌어올 수는 없을 것 같다"[23]고 토로한다. 이러한 '무관심 편향'은 문학을 비롯한 예술에서도 예외가 아니다. 조너선 사프란 포어는 행동주의와 예술은 사람의 마음을 사로잡아 변화시키는 능력이 있지만, 과소평가된 진실에 민감하다고 자부하는 작가들조차도 기후변화에 대해서만큼은 그렇지 못하다고 말한다. 당장 팬데믹 사태가 불러온 충격과 파장에 대한 글은 쓸 수 있을 것이다. 그러나 행성적인 위기에 대한 담론을 공통 의제로 올려놓고 새로운 서사를 개발하는 일은 그

---

22 조너선 사프란 포어, 《우리가 날씨다》, 송은주 옮김, 민음사, 2020, 32쪽.
23 조너선 사프란 포어, 《우리가 날씨다》, 27쪽.

리 쉬워 보이지 않는다.

2050년 지구 행성의 양태를 현재의 과학적 실험과 관측의 외삽으로 제시하는 《2050 거주불능 지구The Uninhabitable Earth: Life After Warming》에서 데이비드 월러스 웰즈David Wallace-Wells는 기후변화로 인해 문학과 영화 등 예술에서 일어날 시나리오를 제시했다. 그는 1815년 동인도 화산 폭발로 북반구가 '여름 없는 해'를 겪을 당시에 조지 G. 바이런George G. Byron이 쓴 종말론적 시 〈암흑Darkness〉(1816)과 같은 '죽어 가는 지구Dying Earth'에 대한 장르의 부활, 멸종에 대한 탄식과 비탄의 기후실존주의climate existentialism, 기후소설climate fiction, cli-fi 등을 예로 들고 있다. 2050년쯤 기후변화가 "삶 전체를 감싸는 배경"이 되어 먼 미래의 일 또는 먼 나라의 일이 아니게 되면 "우리의 상상은 '기후변화에 대해서'가 아니라 '기후변화 안에서' 이루어질 것이다."[24] 그러나 멀리 갈 것도 없이 미래에 대한 상상 이전에 우리 현재의 삶이 이미 기후변화의 자장 안에 있다. 현재의 (한국)문학도 기후변화 안에 있지만, 그에 대한 상상과 숙고는 아직까지는 많지 않으며, 또 기대하기도 쉽지 않아 보인다.[25] 웰즈는 기후변화 SF를 쓴 인도 소설가 아미타브 고시Amitav Ghosh의 글을 인용하면서 기후변화가 왜 현대문학의 주요한 관심사가 되지 못하는지, 전 지구적 기후변화에 대한 문학적인 상상이 왜 그리 충분하지 못한지에 대해 질문을 던진다. 고시가 실제로 뭐라고 말했는지 들어 보자.

24 　데이비드 월러스 웰스, 《2050 거주불능 지구》, 김재경 옮김, 추수밭, 2020, 221쪽.

25 　이 글을 처음 발표하고 나서 얼마 후에 김기창의 단편집 《기후변화 시대의 사랑》(민음사, 2021)이 출간되었다. 기후변화를 문학의 본격적인 테마로 다룬 이 단편집이 갖는 의의에 대해서는 복도훈, 〈"대홍수여, 나 죽은 뒤에나 오라!"〉, 《크로스로드》, 2021. http://crossroads.apctp.org/myboard/read.php?Board=n9998&id=1739

기후변화가 심지어 공적 영역보다 문학소설 세계에 훨씬 더 옅은 그림자를 드리운다는 사실은 쉽게 확인할 수 있다. 이들 출판물에서 기후변화 주제를 다룰 때면 그것은 거의 언제나 논픽션과 관련이 있다. 장편소설이나 단편소설은 이 영역에서 도통 찾아보기 어렵다. 실제로 기후변화를 다루는 소설은 거의 그 정의상 순수문학 저널이 관심 있게 다루는 그런 유의 소설이 아니라고까지 말할 수 있다. 어떤 장편소설이나 단편소설이 그 주제를 언급하기만 해도 그 작품은 흔히 SF 장르로 치부되기 십상이다. 문학 창작 영역에서 기후변화는 마치 외계인이나 행성 간 여행 비슷한 어떤 것으로 간주되고 있는 듯하다.[26]

고시는 상상력의 근본적 전환을 문화에 촉구한다. "인류세가 예술과 인문학뿐 아니라 우리의 상식적 이해와 그를 넘어선 오늘날의 문화 전반에도 도전을 제기한다고 덧붙이려 한다."[27] 곧 살펴보겠지만, 고시의 진단은 설득력 있게 들린다. 몸소 겪은 기후변화 현상을 기록하는 인도 출신의 고시는 날씨와 지질적 힘이 우리의 삶과 관계 없었던 적은 없지만, 이것들이 그토록 가차 없는 직접성으로 압박한 적도 달리 없다고 말한다. 그는 근대문학, 특히 소설novel이 모종의 형식적 규범, 곧 인간이 막강한 행위력을 발휘하고 여타 행위소의 중심으로 부상하던 시기가 공교롭게도 기후변화의 심각성이 시작된 시기라는 점에 주목한다. 고시는 "인류세가 소설과 대단히 흡사한 기법들에 대해 제기하는" 저항이

---

26 아미타브 고시, 《대혼란의 시대》, 김홍옥 옮김, 에코리브르, 2021, 16~17쪽의 내용을 축약하고 일부 어휘를 수정했다.
27 아미타브 고시, 《대혼란의 시대》, 19쪽.

있으며, 그것은 "오래전 소설이라는 영역에서 배제된 현상들", 곧 "시공에 걸친 방대한 간극을 더없이 긴밀하게 이어 주는 '생각할 수 없는' 규모의 힘들"로 구성되어 있다고 말한다.[28] 그는 인도의 서사시, 호메로스의 《일리아스》와 《오디세이아》, 그리고 히브리성서에 그토록 많은 비인간 행위소들, 신들과 동물들의 개입이 있음에 주목한다. 고시는 비인간 존재자의 힘들이 근대소설에서 어떻게 억압되었는지를 분석하는 한편으로, 메리 셸리Mary Shelley의 《프랑켄슈타인》(1818) 같은 SF 장르가 근대성의 출발점에 서 있다가 갑자기 축소되고 주류문학에 밀려 주변화되었는지에 대해서도 이야기한다. 예를 들면 근대소설은 기후변화와 같은 전례 없는 사건을 배경background으로 밀어내고, 일상을 전경foreground으로 끌어내면서 사실상 기후변화에 저항하는 근대문학과 예술의 주도적인 양식이 되었다. 이는 사동적으로 주류문학이라는 '대저택', 그리고 그로부터 밀려난 고딕소설·괴기소설·SF 등이 '변두리 주택'으로 취급되는 모종의 분할을 낳는다. 고시는, 라투르의 개념을 빌려 SF와 주류문학의 분할을 근대성의 본질을 이루는 분할에서 찾는다. 그것은 곧 자연과 문화, 상상력과 과학의 분할이다.

라투르의 설명을 빌리면, 근대성은 서로 다른 두 가지 프로젝트를 동시에 가동한다. 하나는 "번역translation"으로, 그것은 자연과 문화, 비인간 존재와 인간 존재의 하이브리드를 창출한다. 다른 하나는 "정화purification"로, 그것은 인간 존재와 비인간 존재의 분할선을 만드는 일이다. 그렇지만 라투르의 말은 근대성이 정화가 번역을 억압했다는 뜻이

---

28 아미타브 고시, 《대혼란의 시대》, 88~89쪽.

아니다. 라투르에 따르면, 오히려 우리가 근대(성)를 산다는 것은 번역과 정화의 분할선을 지속적으로 창출한다는 뜻이다. 정화 또한 자연과 문화, 비인간 존재자와 인간의 하이브리드적 번역을 가능하게 하지만, 그러한 번역의 결과를 다시금 정화와 구분 짓는 것이다.[29] 예를 들면, 근대소설과 SF의 분할은 자연이 문화의 영역으로 들어가지 못하고, 자연의 지식이 과학에 종속되는 것과 관련이 있다. 프랑켄슈타인의 괴물은 자연과 문화의 하이브리드적인 번역의 산물이다. 그러나 하이브리드인 괴물은 인간의 영역에서 명명 불가능한 존재로 추방됨으로써, 또한 과학적 발명의 소름 끼치는 예외의 산물로 내쳐짐으로써 정화된다(소설에서 괴물은 죽지 않고 사라진다. 그리고 그것은 대중문화에서 다양한 하이브리드로 부활한다).

그렇다면 인류세에 부합하는 새로운 서사를 위한 질문은 다음과 같다. '현대소설에서 비인간적인 것의 지위는 무엇인가?' 그것은 새로운 하이브리드 객체, 자연과 인공, 지질과 생명의 기이한 결합물을 발명하는 일이다. "인류세가 문학소설에 저항하는 최후의, 그러나 가장 비타협적인 방법은 궁극적으로 언어 자체에 대한 저항이다."[30] 그러한 저항은 하이브리드적인 새로운 문학 형식들을 모색하고 기존의 읽기 행위에 변화를 가져오는 방식으로 수행될 것이다. 아마타브 고시의 말처럼, 인류세는 기존의 문학예술이 기후변화에 저항해 왔음을 드러내는 데 유용한 비평 개념으로 적극적으로 활용할 수 있다. 예를 들면 한국 근

---

29 브뤼노 라투르, 《우리는 결코 근대인이었던 적이 없다》, 홍철기 옮김, 갈무리, 2009, 40~42쪽.
30 아미타브 고시, 《대혼란의 시대》, 117쪽.

대소설의 규범적인 양태는 비인간적인 존재자를 근대소설의 형성 과정 속에서 최종적으로 축출함으로써 성립할 수 있었다.[31] 그리고 이제는 기후변화가 문학예술에 저항하는 양상을 숙고해야 할 때이다. 이러한 숙고는 기후변화가 어떻게 문학예술 그리고 그에 의존한 비평에 생산적으로 기입되어 그것을 변형시키는지를 관찰하고 실험하는 행위를 동반한다.

비인간 객체와 얽힘

앞서 설명한 라투르의 근대성 분할 프로젝트는 한편으로 인류세 서사나 기후변화에 대한 비평직 사유를 어렵게 민드는 메키니즘으로도 작동한다. 말하자면 우리의 (문학)비평은 너무도 문화적인 것으로, 비인간 사물이 작동하는 방식에 주의를 기울이기보다는 그것의 담론적인 효과로 성급히 환원하기에 바빴다는 것이다. "기후변화를 생각하려면 생태적으로 생각해야 하고, 생태적으로 생각하려면 우리는 자신이 더 넓은 자연 세계에 묻어 들어가 있는 방식과 더불어 비인간 사물이 독자적인 역능과 효험을 갖추고 있는 방식도 생각해야 한다. 하지만 우리는 암묵적으로 아니면 명시적으로, 사물을 인간 담론성의 운반체로 환원하기로 선택했었기에 기후변화 같은 것을 설명할 수 없게 되었는데, 그

---

31 이와 관련한 선구적인 연구로는 서희원, 〈1918년 인플루엔자의 대재앙과 문학〉,《한국문학연구》47, 동국대학교 한국문학연구소, 2014.

이유는 오직 문화만이 우리의 작업 범주로 남게 되었기 때문이다."[32] 앞서 코로나19를 예로 들었지만, 이에 대한 사회문화비평의 상당수는 코로나19의 사회적인 효과effect와 그것이 유발하는 혐오, 분노와 같은 사회적 관계의 정동affect에 집중하고 있다. 물론 우리는 코로나19가 '무엇으로 이루어져 있는지'에 대해 과학적인 설명을 할 수 있다. 또한 코로나19가 인간 사회에서 '무엇을 행하는지', 즉 사회적 거리두기와 혐오 발화 등에 대해서도 말할 수 있다.[33] 그렇지만 무엇보다도 코로나19와 같은 비인간적 행위소(객체)가 어떻게 사회적 거리두기 등을 낳게 되었는지를, 그리고 코로나19가 인류세의 문제틀에서 인간 행위력(소)과 비인간적 행위력(소)의 어떠한 광범위한 물질적 얽힘과 깊은 관련을 맺고 있는지를 살피는 일은 그보다 등한시되는 것 같다.

　인류세적인 문제틀에서 코로나19는 사물들의 얽힘entanglement을 생각하게 하는 기이한 객체weird object이다. 그것은 우선 생명과 진화, 즉 탄생과 멸종의 심원한 시간deep time을, 비인간 존재와 인간 존재의 얽힘인 기나긴 공생symbiosis을 상상하도록 이끈다. 또한 코로나19의 이러한 공생과 그것의 치명적인 형태로의 변형은 인류세적 산물, 곧 인간과 가축 서식지의 확장과 밀집, 대규모 축산업, 산불로 인한 서식지 파괴와 생물다양성 축소, 파괴와 약탈의 자본주의경제, 밀집형 노동과 사회적 관계의 거미줄과 같은 얽힘을 고민하게 한다.[34] 코로나19는 여기에 있는

32　레비 브라이언트, 《존재의 지도》, 김효진 옮김, 갈무리, 2020, 21~22쪽.

33　그레이엄 하먼, 《비유물론》, 김효진 옮김, 갈무리, 2020, 21쪽.

34　두 책을 참고해 요약했다. 야마노우치 가즈야, 《조용한 공포로 다가온 바이러스》, 오시연 옮김, 하이픈, 2020; 롭 월러스, 《팬데믹의 현재적 기원》, 구정은·이지선 옮김, 너머북스, 2020.

가 하면 저기에 있고, 인간 이전과 인간 이후의 세계를 상상하도록 만드는가 하면, 낯선 존재와의 공생이라는 심원한 시간과 생사의 일분일초를 다투는 긴급한 시간을 함께 생각하도록 한다.

2020년의 팬데믹과 기후변화는 (한국)문학에서, 라투르의 표현을 빌리면 인간 행위소를 주인공으로, 비인간 행위소를 배경으로 삼거나 마찬가지로 주체(인간)/객체(바이러스)의 전형적인 구분으로 세계의 작동원리를 이해하던 기존 서사의 형식과 플롯에 대한 근본적인 재고를 요청한다. 인간과 사물(객체) 공동의 '지구이야기geostory'를 상상할 때가 왔다고 할 수 있을까? 여기에 어울리는 미학은 무엇일까? 라투르는 숭고와는 다른 기후변화의 경이로움(기이함) 가운데에 우리가 있음을 아래 인용문에서 재차 확인시킨다.

셸리가 노래한 "영속하는" 폭포들을 관찰하면서 어떻게 여러분은 여전히 숭고한 것을 느끼기를 바랄 수 있는가. 첫째, 여러분은 그것들이 사라질 것이라고 동시에 느끼고, 둘째, 여러분이 그것들의 소멸에 대해 책임이 있을지도 모르고, 반면에 셋째, 여러분은 책임감이 들지 않는 것에 대해 이중으로 죄책감을 느끼며, 그리고 "기후변화 논쟁"으로 불리는 것을 충분히 깊이 탐구하지 않았다는 점에 대해 네 번째 층위의 책임을 감지하는 시대에 말이다. 충분히 읽지도 않았고, 충분히 생각하지도 않았으며, 충분히 느끼지도 않았다.[35]

---

35 Bruno Latour, "Waiting for Gaia. Composing the common world through arts and politics," *A lecture at the French Institute*, London, November 2011 for the launching of SPEAP. 이 글의 번역으로는 김효진 옮김, 〈가이아를 기다리며〉. http://blog.daum.net/nanomat/137(블로그 〈사물의 풍경〉).

'숭고'는 시효를 다했다. 모더니즘에서 포스트모더니즘에 이르기까지 칸트의 숭고는, 심지어 그것이 인간 인식과 감성의 한계를 나타날 때조차도 인간주의 미학의 대표 주자로, 다음과 같은 이미지로 제시되었다. "기발하게 높이 솟아 마치 위협하는 것 같은 암석, 번개와 천둥소리와 함께 몰려오는 하늘 높이 솟아오른 먹구름, 온통 파괴력을 보이는 화산, 폐허를 남기고 가는 폭풍, 파도가 치솟는 끝없는 태양, 힘차게 흘러내리는 높은 폭포와 같은 것들."[36] 비인간의 위력을 묘사하는 것 같지만 칸트 미학은 그의 인식론만큼이나 인간중심적이다. 사변적 실재론의 관점에서 칸트의 인식론은 인간 '없는' 세계, 즉 인간 이전의 세계(인간 이후의 세계)를 사유의 영역 밖의 물 자체로 간주하거나 여하간 인간 사유를 거치지 않은 세계, 곧 실재는 그 자체로 존재할 수 없다는 상관주의correlationism의 철학적 대표이다. 상관주의는 이렇게 말한다. 운석으로 지구 연대를 측정하는 과학적 탐구는 인정할 수 있다. 그러나 이러한 탐구는 어디까지나 그에 대한 인간의 탐구를 거쳤기 때문에 가능하다. 지구의 기원이든 세계의 유래든 그것들은 그 자체로 사유 대상이 아니며, 어디까지나 인간의 사유가 '구성'한 것이다.[37]

그렇다면 칸트의 상관주의적인 사유와 그의 미학은 무관할까? 칸트의 숭고론은 하늘에 떠 있는 별과 그 별을 숭고하다고 바라보는 마음의 무한한 역량을, 즉 사유와 대상을 사유 쪽에서 한 쌍으로 묶는 미학이다. 숭고론에서는 대상(객체)이 숭고한 것이 아니다. 그것을 숭고하다고

---

36 이마누엘 칸트, 《판단력비판》, 백종현 옮김, 아카넷, 2009, 270~271쪽.

37 퀑탱 메이야수, 《유한성 이후: 우연성의 필연성에 관한 시론》, 정지은 옮김, 도서출판 b, 2010.

경탄하는 마음, 즉 존경이 대상을 숭고한 것으로 만든다. 여기서 활화산·폭풍·지진은 사유와 존재, 주체와 객체를 묶음으로써 숭고한 것이 된다. 물론 거기에는, 칸트의 말을 빌리면, 대상을 경탄하면서 바라보는 '안전한 거리'가 존재한다. 우리의 논의에서 이 안전한 거리는 상관주의적이다. 그러나 안전한 거리가 소멸되면 활화산·폭풍·지진은 비사유의 대상으로, 주체를 소멸시킬 공포의 존재, 전적인 객체로 변화할 것이다. 상관주의적인 거리에서 가능했던 미학과 사유는 더는 존속하기 어렵다. 그런데 만일 사유하고 느끼는 존재가 마주한 것이 기후변화의 자연이라면, 폭풍과 지진 안에 존재하기에 무효화되는 안전한 거리와 그로부터 비롯된 숭고 또한 사라질 것이다. 그럼 기후변화의 폭풍 안에서 무無로 소멸할 것 같은 위협을 느끼는 우리는 또 어떤 존재인가.

인류세 문학(픽션)의 가능성

계속해서 말해보면, 라투르는 셸리의 시에 묘사되는 폭포에서 느낄 수 있는 숭고가 기후변화 현실에서는 공포로 바뀐다고 말한다. 여기서 종교학자 루돌프 오토Rudolf Otto가 신성한 것(누멘Numen)에 대한 두려움이라고 부른 '피조물의 감정'이라는 개념을 빌리고 싶다. 피조물의 감정은 "모든 피조물을 초월하는 자를 대할 때 자신의 '무'無 속으로 함몰되고 사라져 버리는 피조물들이 느끼는 감정"[38]이다. 루돌프 오토는 신적

---

38 루돌프 오토, 《성스러움의 의미》, 길희성 옮김, 분도출판사, 1987, 43쪽.

인 것의 현현 앞에서 인간이 더는 인간 아닌 피조물의 지위에 있는 자신을 느끼는 공포를 분석한다. 이 공포는 그저 사유와 감각의 무화로 그치지 않는다. 루돌프 오토에 따르면, 피조물이 느끼는 공포는 공포를 불러일으키는 경험을 자신의 음조와 내용으로 옮기는 과정에 그러한 경험을 가능하게 한 신성한 존재에 대한 물음과 자신에 대한 성찰을 포함시킨다. 그렇다면 이러한 피조물적인 감정을 광대한 시공간에 걸쳐 일어나는 기후변화의 폭풍 속으로 들어가 무로 사라질 것 같은 하찮고도 무력한 느낌으로 번역할 수는 없을까. 피조물적인 공포는 기후변화가 무엇인지를, 그것의 자연적·인공적 특성의 하이브리드적인 혼합물의 정체가 도대체 무엇인지를 묻도록 이끌지 않을까.

기후변화는 인간이 생태계를 자신의 피조물로 만들면서 조물주로 올라서려는 사태이다. 그런데 그러한 사태는 거꾸로 인간을 초과하여 피조물을 신적인 지위로 끌어올려 미지의 공포를 불러일으킨다. 기후변화에서 피조물은 신적인 지위로, 조물주는 피조물의 지위로 전도된다. 물론 그러한 피조물을 신처럼 신성하다고 할 수는 없겠다. 그렇다고 그것을 기존의 인식과 상상의 범주 안으로 구겨 넣을 수도 없다. 지금 우리는 생명과 진화의 자연사적인 시초를 알리는 RNA 바이러스로 인해 "인간의 출현에 선행하는 사건들"과 인류세의 기후변화에 따른 "인간종의 소멸에 후행적인 가능한 사건들",[39] 곧 앞서 심원한 시간이라고 말했던 것과 연결되는 미학을 계속 고민하고 있다. 또한 심원한 시간은 충족 이유와 근거율이 더는 작동하지 않으며, 사물들의 "가장자리가 변덕스러

---

39 퀑탱 메이야수, 《유한성 이후》, 194쪽.

워지"고, "어떤 숨겨진 의도로도 환원되지 않는 변덕"이 지배하는 세계,[40] 인간의 편이 아닌, 인간 없는 세계와 함께 인류세 미학을 구성한다.

자연재해와 전 지구적인 팬데믹의 명백한 창궐을 보면 우리가 세계의 편에 있지 않고 세계가 우리에 맞선다는 것을 알 수 있다. 그러나 이마저도 너무 인간중심적인 견해이다. 마치 세계가 인간에 대한 어떤 인간혐오적인 복수를 한 것인 양. 어떤 의미에서 세계는 인간인 우리에게 무관심하다고 말하는 것이 더 정확하고 더 끔찍하리라. 실제로 기후변화 담론에서 문제의 핵심은 인간이 어느 정도까지 문제에 처해 있느냐는 것이다. 한편으로 인간인 우리가 문제이다. 다른 한편으로 지구의 심원한 시간의 행성적 차원에서 볼 때 인간보다 하찮은 것도 없다.[41]

우리는 인간과 무관한, 인간의 인식과 감각으로부터 독립된 실재 (심원한 시간, 인간 없는 세계)에 대한 미학의 가능성에 어느 정도 근접했다.[42] 인류세 미학은 예컨대 어떤 익숙한 사물(빗방울, 바람)에서 우리가 죽고 나서도 존재할 불가해하고 기이한 피조물적인 객체(플루토늄-239)를 감지하는 것이다.[43] 따라서 심원한 시간에 대한 미적 명상은

---

40 퀑탱 메이야수, 《형이상학과 과학 밖 소설》, 엄태연 옮김, 이학사, 2017, 61 · 69쪽.

41 Eugene Thacker, *In the Dust of This Planet: Horror of Philosophy, vol. 1*, Zero Books, 2011, p. 158.

42 '인류세 시학'의 성립과 관련하여 다음과 같은 진술을 참고할 수도 있을 것이다. "인류세의 가장 놀랍고 불안한 측면 중 하나는 우리의 현재가 사실 심원한 과거와 심원한 미래를 동반하고 있다는 새로운 가슴 아픈 감각이다." David Farrier, "Introduction: Life Enfolded in Deep Time," *Anthropocene Poetics: Deep Time, Sacrifice Zones, and Extinction*, University of Minnesota Press, 2019, p. 6.

43 필자는 〈행성 시학: 어떤 사변적 소묘〉, 《서정시학》(2020년 여름호)에서 이 문제를 다

우리에게 인간혐오적인 생각을 북돋우고, 세계에서 인간의 자리를 지우거나 대멸종을 기다리는 일과는 무관하다. 또한 인간 없는 세계에 대한 사변적 탐구는 행성적인 차원에 몰두하면서 현실에서의 일상, 돌봄, 노동, 불평등의 문제를 방기하거나 소홀히 하는 것과도 거리가 있다. 결론적으로, 인류세의 문제틀은 우리의 무지막지한 행위로 만들었지만 더는 우리가 간여하기 어려워진 세계, 우리가 살아갈 수 없는 이후의 세계에 대한 더욱 깊은 탐구와 무거운 책임을 지도록 유도하며, 우리 아닌 비인간 존재의 관점에서 우리와 세계를 근본적으로 재고하도록 이끌 수 있다.

다시 이 모든 것들을 인류세가 요구하는 서사, 특히 근대'소설novel'과 변별되는 픽션fiction과 관련지어 우리의 생각과 구상을 연접할 필요가 있다. 앞서 근대소설을 비롯한 주류문학이 기후변화와 같은 사건적 격변을 배경으로 처리하고 비인간 존재자를 추방시킴으로써 자신의 규범적 양태를 존속했는지를 언급했다. 이에 대해 인류세 픽션을 제안하는 애덤 트렉슬러Adam Trexler는 "기후변화는 어떻게 형식적이고도 서술적인 혁신을 강요하면서 픽션에 새로운 요구"[44]를 할 수 있을까라고 질문한다. 탐구할 것이 적지 않다. 인류세를 묘사하는 데 필요한 것은 무엇일까? 어떤 요소들이 인류세 픽션에서 서사적 선택을 결정하는가. 어떻게 픽션이 기후변화의 지역적·국가적·국제적 정치를 표현할 수 있을까. 인간 행위자와 비인간적 행위소의 얽힘, 인간과 사물의 얽힘, 우

론 바 있다.

[44] Adam Trexler, "Introduction," *Anthropocene Fictions: The Novel in a Time of Climate Change*, University of Virginia Press, 2015, p. 13.

리의 감각과 인식 능력을 초과하는 시공간의 광대한 분포와 그것이 빚어내는 심원한 시간과 인간 이후(이전)의 세계는 도대체 어떻게 탐구할 것인가 등등.

나아가 트렉슬러는 최근의 기후소설cli-fi을 포함한 새로운 양태의 픽션, 인류세 픽션이 기후변화 시대에 새로운 의미를 구성하는 데 필수적인 도구라고 생각한다. 인류세 픽션은 기후변화의 추상적인 예측을 장소, 정체성 및 문화의 구체적인 경험으로 바꾸면서 기후과학의 범위를 확장할 수 있다. 물론 인류세 픽션은 개인의 선택, 집단적 행동 및 더 큰 자연현상 시스템 사이의 새로운 경계에 적응해야 할 것이다. 그리고 아마도 가장 중요한 것으로는, 만일 인류세라는 전례 없는 과학적 합의가 실천으로 이어지지 않을 때 픽션이 그 공백을 채울 수 있어야 할 것이나. 인류세 픽션에 대한 이러한 제안을 고려한다면, 우리는 근대소설을 구성하는 가장 기초적이고도 규범적인 형태, 이상할 정도로 지금까지도 잘 변하지 않았던 저 관습적인 형태에 대한 잠정적 대안으로 인류세 픽션의 한 모델을 다음과 같이 제시해 볼 수 있을 것이다.

소설과 인류세 픽션

소설	인물	사건	배경
인류세 픽션	(비)인간 행위소 피조물의 감정	인간/비인간의 얽힘 파국/일상의 얽힘	배경과 전경의 얽힘 심원한 시간과 인간 없는(이후의) 세계

인류세 픽션은 비인간 존재자와 다른 세계의 비전을 제시하는 SF와 장르적 친연성이 깊지만, SF만을 특권화하지는 않는다. 또한 인류세 픽션에서 기존의 리얼리즘 소설과 그 개념에 대한 반성은 바로 리얼리즘 소설 장르에 대한 혁신과 맞물린다. 사실상 과거에서 현재, 미래까지

집요한 연속성으로 이어져 있는 기후변화의 긴 구름은 리얼리즘 소설의 서사적 연산을 새로이 재구성할 것이다. 물론 그러한 혁신과 재구성은 또한 인간/비인간, 파국/일상, 배경/전경에 대한 배치를 급진적으로 재조정하는 해석학을 픽션에 제안하기에 새로운 비평, 인류세 비평을 아울러 요구한다.

1816년, 여름 없는 여름의 약속

인류세와 문학(픽션)에 대한 지금까지의 논의는 우리에게 어떤 근본적인 감정, 세계는 도무지 알 수 없다는 공포와 비관, 자조와 아이러니에 자주 잦아들게 만든다. 앞서 말했듯이, 우리는 기후변화에 '대해' 이야기하는 것이 아니라, 기후변화 '안에서' 이야기하고 있기에. 누군가 말한 것처럼, 기후변화에 대한 화법은 범죄에 연루된 누아르 영화 주인공의 화법과 닮았다. 기후변화에 따른 돌이킬 수 없는 재앙에 대한 생태학적 논의들을 읽으면서 체감하는 생태적 파국의 인식에 자리한 '이미 늦었다'는 비관, 활동가 그레타 툰베리의 절규 속 행동의 긴급함에 대한 촉구 가운데에 또 다른 무기력, '반성적 무기력'이라는 절망의 자기충족적 예언과 부대 감정이 이러지도 저러지도 못한 채 끼어든다. 기후변화에 대한 서술은 주춤거리고, 망설이고, 어찌할 줄을 모른다. 그것은 미지의 것에 직면하는 누아르적인 감각의 문체와 어조를 계속적으로 요구할 것이다.

본문에서도 잠깐 언급한 사건이지만, 1815년 인도네시아의 탐보라 화산이 폭발했다. 이 화산 폭발은 매우 거대했으며, 10만 명에 이르는 사망자를 낳았고, 폭발의 여파는 저 멀리 유럽에까지 미쳤다. 1816년의 유럽은 '여름 없는 해'로 역사에 기록된다. 화산재를 머금은 구름이 1816년 여름 내내 하늘을 뒤덮었고, 햇빛을 받지 못한 농작물은 말라 죽었다. 그즈음 스위스의 산장에 모인 네 명의 젊고 야심찬 낭만주의 시인과 소설가가 있었다. 그들은 이 기후변화의 여파에 어찌할 줄 모르고 당혹해하면서 상상할 수 있는 가장 기괴한 작품을 쓰기로 약속한다. 그때는 문학적 상상력이 인간을 중심으로 급진적으로 재편되던 시기였으며, 인간의 활동이 지구의 대기를 서서히 변화시킬 무렵이었다. 비인간은 마치 존재하지 않는 것처럼, 근대문학의 대저택에 발 디딜 틈조차 없었다.

그해 여름 바이런이 처음 약속을 지켰다. 그는 '빛나던 태양은 빛을 잃었고, 별들은/빛도 없고 실도 없는, 끝없는 우주 공간의/어둠 속에서 방황하고 있었네'로 시작하는 장시 〈암흑〉을 썼으며, 존 윌리엄 폴리도리John William Polidori는 최초의 뱀파이어 단편 〈뱀파이어〉(1819)를 썼다. 그리고 메리 셸리는 앞의 약속을 가장 충실하게 이행한 작가였다. 그녀는 《프랑켄슈타인》을, 나중에는 팬데믹으로 인류가 절멸하는 아포칼립스 대작 《최후의 인간The Last Man》(1826)을 썼다. 빛을 잃은 태양, 차갑게 얼어붙은 지구와 행성을 감도는 엔트로피적인 냉기, 인간의 피를 빨아먹는 뱀파이어, 그 자신이 괴물인 과학의 발명품인 프랑켄슈타인의 괴물, 연인과 친구 그리고 가족 모두를 죽음으로 이르게 만든 팬데믹, 이 하이브리드적인 피조물들은 모두 기후변화의 문학적 산물이었다. 인류세의 문턱에서 우리는 지금 어떠한 (한국)문학의 하이브리드 변종을 꿈꾸고 있는가?

참고문헌

고시, 아미타브,《대혼란》, 김홍옥 옮김, 에코리브르, 2021.

김기창,《기후변화 시대의 사랑》, 민음사, 2021.

라투르, 브뤼노,《우리는 결코 근대인이었던 적이 없다》, 홍철기 옮김, 갈무리, 2009.

말름, 안드레아스,《코로나, 기후, 오래된 비상사태》, 우석영 · 장석준 옮김, 마농지,
    2021

맥팔레인, 로버트,《언더랜드: 심원의 시간 여행》, 조은영 옮김, 소소의 책, 2020.

메이야수, 퀭탱,《유한성 이후: 우연성의 필연성에 관한 시론》, 정지은 옮김, 도서출판
    b, 2010.

_____ ,《형이상학과 과학 밖 소설》, 엄태연 옮김, 이학사, 2017.

무어, 제이슨,《생명의 그물 속 자본주의》, 김효진 옮김, 갈무리, 2020.

문강형준,《파국의 지형학》, 자음과모음, 2012.

브라이언트, 레비,《존재의 지도》, 김효진 옮김, 갈무리, 2020.

빈트, 셰릴,《에스에프 에스프리》, 전행선 옮김, 아르테, 2019.

사이토 고헤이,《마르크스의 생태사회주의》, 추선영 옮김, 두번째테제, 2020.

야마노우치 가즈야,《조용한 공포로 다가온 바이러스》, 오시연 옮김, 하이픈, 2020.

오토, 루돌프,《성스러움의 의미》, 길희성 옮김, 분도출판사, 1987.

월러스, 롭,《팬데믹의 현재적 기원》, 구정은 · 이지선 옮김, 너머북스, 2020.

웰즈, 데이비드 월러스,《2050 거주불능 지구》, 김재경 옮김, 추수밭, 2020.

추지현 엮음,《마스크가 말해주는 것들: 코로나19와 일상의 사회학》, 돌베개, 2020.

칸트, 이마누엘,《판단력 비판》, 백종현 옮김, 아카넷, 2009.

타우베스, 야콥,《서구종말론》, 문순표 옮김, 그린비, 2019.

포어, 조너선 사프란,《우리가 날씨다》, 송은주 옮김, 민음사, 2020.

피셔, 마크,《기이한 것과 으스스한 것》, 안현주 옮김, 구픽, 2019.

하먼, 그레이엄,《비유물론》, 김효진 옮김, 갈무리, 2020.

해밀턴, 클라이브,《인류세》, 정서진 옮김, 이상북스, 2018.

김종철,〈코로나 시즌, 12개의 단상〉,《녹색평론》173, 2020년 7/8월호.

김홍중, 〈인류세의 사회이론 1: 파국과 페이션시〉, 《과학기술학연구》19(3), 한국과학기술학회, 2019. 11.

데모스, T. J., 〈인류세에 반대하며 - 오늘날 시각문화와 환경〉, 《디어 아마존 - 인류세에 관하여》, 박성환 외 옮김, 일민미술관, 2021.

복도훈, 〈행성 시학: 어떤 사변적 소묘〉, 《서정시학》, 2020년 여름호.

＿＿＿, 〈"대홍수여, 나 죽은 뒤에나 오라!"〉, 《크로스로드》, 2021. http://crossroads.apctp.org/myboard/read.php?Board=n9998&id=1739

서보경, 〈서둘러 떠나지 않는다면: 코로나19와 아직 도래하지 않은 돌봄의 생명정치〉, 《문학과사회 하이픈 - 코로나 어펙트》, 2020년 가을호.

서희원, 〈1918년 인플루엔자의 대재앙과 문학〉, 《한국문학연구》47, 동국대학교 한국문학연구소, 2014.

송은주, 〈인류세와 문학〉, 건국대 인류세인문학단, 《우리는 가장 빠르고 확실하게 죽어가고 있다》, 들녘, 2020.

차크라바르티, 디페시, 〈역사의 기후: 네 가지 테제〉, 《지구사의 도전》, 조지형·김용우 엮고 옮김, 서해문집, 2010.

헥트, 가브리엘, 〈아프리카 인류세〉, 조승희 옮김, 《에피》8, 2019년 여름호.

Morton, Timothy, *Hyperobjects: Philosophy and Ecology after the End of the World*, University of Minnesota Press, 2013.

Robinson, Kim Stanley, *2312*, Orbit Books, 2012.

Thacker, Eugene, *In the Dust of This Planet: Horror of Philosophy, vol. 1*, Zero Books, 2011.

Crutzen, Paul J. & Stoermer, Eugene F., The "Anthropocene", *The International Geosphere–Biosphere Programme (IGBP) Newsletter* 41, 2000.

Farrier, David, "Introduction: Life Enfolded in Deep Time," *Anthropocene Poetics: Deep Time, Sacrifice Zones, and Extinction*, University of Minnesota Press, 2019.

Latour, Bruno, "Waiting for Gaia. Composing the common world through arts and politics," *A lecture at the French Institute*, London, November 2011 for the launching of SPEAP. (김효진 옮김, 〈가이아를 기다리며〉, http://blog.daum.net/nanomat/137(《사물의 풍경》)

_____, "Is This a Dress Rehearsal?," https://critinq.wordpress.com/2020/03/26/

Short, Jase, "Dream Worlds Here and There," 2013. 11/12. https://www.marxists. org/history/etol/newspape/atc/4030.html.

Trexler, Adam, "Introduction," *Anthropocene Fictions: The Novel in a Time of Climate Change*, University of Virginia Press, 2015.

Vermeulen, Pieter, "Introduction: Naming, Telling, Writing – The Anthropocene," *Literature and the Anthropocene*, Routledge: London and New York, 2020.

Žižek, Slavoj, "Welcome to the Anthropocene," *Living in the End Times*, London & New York: Verso, 2010.

팬데믹 이후 사회에 대한 (여성)문학의 응답

: 젠더, 노동, 네트워크

김양선

이 글은 《비교한국학》 제29권 제1호(2021. 4.)에 게재된 원고를 수정 및 보완하여 재수록한 것이다.

팬데믹, 여성-노동의 장을 흔들다

2020년 코로나19 팬데믹은 일상을 정지시키고, 광장의 모임을 멈추게 했다. 무엇보다도 팬데믹이 어떤 계층과 성별, 어떤 지역과 세대에게 더 가혹하게 영향을 미치는지를 드러냄으로써 여성이 처한 상황을 가시화하고, 이 문제를 정책과 정치적 의제로 끌어올리는 결과를 가져왔다. 이 글은 코로나19로 인해 여성들이 사적·공적 영역에서 위기에 처한 상황을 특히 감정노동과 돌봄노동의 영역을 중심으로 개관하고, 최근 여성작가와 여성문학의 경향이 포스트코로나 시대 한국 사회의 재구조화에 어떤 상상력을 제공할 수 있을지 전망하고자 한다.

조남주 《82년생 김지영》으로 출발한 문학 출판 분야의 페미니즘 리부트reboot는 《현남오빠에게》, 《새벽의 방문자들》 같은 페미니즘 테마소설, 《지극히 문학적인 취향 – 한국문학의 정상성을 묻다》(오혜진), 《#문학은 위험하다 – 지금 여기의 페미니즘과 독자 시대의 한국문학》(소영현 외)과 같은 페미니즘 문학비평, 그리고 여성의 글쓰기에 대한 대중독자용 도서 출간으로 이어지고 있다. 《82년생 김지영》을 분기점으로 "문학장을 향해 직접 자신을 발화하고 욕망을 주장하기 원하는 새로운 독자들"이 기존의 문학적 '대의/재현'을 흔들고 있다고 보는 관점[1]은 문학의 미학성과 정치성을 둘러싼 논쟁을 재점화하였다. 현재 페미니즘 문학의 재부상은 민족·계급·성차의 교차성을 작품에서 톺아 냈던 80년대의 여성해방문학론, 여성의 욕망과 여성적 글쓰기를 발견하는 데 주

---

1   김미정, 〈흔들리는 대의/재현의 시간: 2017년 한국소설 안팎〉,《문학들》, 2017, 48쪽.

력했던 90년대의 여성주의 문학론, 2000년대 초반 탈근대 · 탈중심론 · 포스트페미니즘을 거쳐 페미니즘이 다시 정치성과 공공성 · 실천성을 회복해야 한다고 주장하는 듯하다. 그렇다면 코로나19 이후 여성문학은 어떤 쇄신과 실천, 그리고 문학의 공공성을 재현의 영역에서 구현할 것인가? 그리고 그 재현은 코로나19를 거치면서 사회 전반에 걸쳐더 격화된 혐오와 증오, 공정성을 둘러싼 논쟁들에 어떻게 응답할 것인가? 먼저 코로나19가 여성의 일상과 생존에 미친 영향부터 살피도록하자.

코로나19 종식이 계속 지연되고 있는 현재 '우리는 코로나 이전으로 돌아갈 수 없다'라는 명제를 받아들일 수밖에 없는 상황에 처해 있다. 많은 나라에서 코로나19 확산으로 인해 정치 · 경제 · 사회 · 환경차원에서 거대한 변화를 겪고 있고, 이런 상황이 수십 년 동안 지속될 것이라는 진단이 전 지구적 차원에서, 담론과 현실 장 전반에서 이루어져 왔다. 이와 함께 코로나19와 같은 전염병이나 재난에도 남녀가 있을까라는 질문에 대해, 팬데믹 상황은 여성을 비롯한 사회적 약자에게 더가혹하게 전개되고 있다는 진단도 이미 여러 통계나 조사를 통해 확인된 바 있다.

코로나19 이후 여성의 상황은 돌봄노동의 위기, 감정노동의 위기로요약할 수 있다. 먼저 사적 영역의 돌봄노동 비중이 증가하였다. 조사에 따르면 여성의 돌봄부담률이 코로나19 이전과 비교해서 40퍼센트에서 70퍼센트로 증가했다.[2] 봉쇄조치(셧다운)나 사회적 거리두기로 학

---

2 한국여성민우회, 〈돌봄 분담이요? 없어요, 그런 거-89명의 여성 인터뷰와 1,253건의 언론보도를 통해 본 코로나19와 돌봄위기〉, 《한국여성민우회》 2020년 10월 28일자.

교, 보육시설, 장애인, 고령인구를 위한 공공시설과 서비스가 중단되고 임금 가사노동자를 찾기도 어려워지면서 '돌봄경제'의 생태계가 무너지고, '돌봄 위기'가 심화된 것이다. 공적 영역의 대표적인 돌봄노동 현장 역시 위기에 처했다. 보건사회 분야 노동자의 70퍼센트를 차지하는 여성들은 의료 현장의 가장 앞에서 감염 위험에 노출되고 있다.[3] 돌봄노동자들의 일자리도 빠르게 사라졌다. 2020년 3월 한 달간 요양, 어린이집, 급식, 청소, 서비스 분야에 종사하고 있는 40~60대 중년여성의 해고가 50~60퍼센트 이상 급증했고 11만 5천여 명이 실직했다. 학교뿐만 아니라 사교육 시장도 위축되면서 교육서비스업에 종사하는 여성의 고용 감소율은 남성(31퍼센트)의 2배(70퍼센트)에 이르렀다. 돌봄과 관련된 공공서비스, 시장서비스가 작동하지 않는 상황은 집 밖과 집 안의 돌봄노동자 모두에게 불리하게 작용했다. 사적 영역에서의 무급 돌봄노동은 여성의 일로 간주되어 사회적 가치를 인정받지 못하면서 유급 돌봄노동의 저임금을 초래해 왔다. 돌봄경제의 가시화, 돌봄노동의 여성화, 탈가족화에도 불구하고 가치가 저평가되어 온 것이다. 이와 같은 남성=생계부양자, 여성=가사와 돌봄노동 전담자라는 전통적인 성별분업 구조가 코로나19의 와중에 되살아나고 있다.

여성-청년의 이중고는 더 심하다. 2020년 1월에서 8월 사이 자살을

---

3   채효정, 〈누가 이 세계를 돌보는가 – 코로나 이후 돌봄의 의미와 가치의 재구성을 위한 단상〉, 《오늘의 문예비평》, 2020, 32~50쪽. 서보경은 저임금과 성차별에 기반한 착취구조 속에서 환자들을 돌보아야 하는 사람이 코로나19라는 신종 감염병과 조우할 수밖에 없는 연결성은 우리 사회가 타자로 정의한 이들을 배제하고, 필수적인 돌봄노동을 헐값으로 후려치면서 간신히 정상성의 장막을 유지해 왔음을 폭로한다고 말한다.(서보경, 〈서둘러 떠나지 않는다면 – 코로나19와 아직 도래하지 않은 돌봄의 생명정치〉, 《문학과 사회》 33(3), 2020, 38쪽)

시도한 20대 여성은 전체 자살시도자의 32.1퍼센트로 이는 같은 연령대의 남성보다 약 2배 정도 높은 수치이다.[4] 20대 여성 56.7퍼센트, 30대 여성 50.5퍼센트, 60대 여성 57.9퍼센트 등 여성 대다수가 '코로나19'와 '우울blue'이 합쳐진 단어인 '코로나 블루'를 경험했다는 조사 결과도 있다.[5] 코로나19로 인한 실업률이 높은 직업에 여성들이 상대적으로 더 많이 분포되어 있고, 여성이 양육과 가사에 대한 부담도 상대적으로 더 높으며, 집 안에 있는 시간이 늘면서 가정폭력에 더 많이 노출되었기 때문이다. 같은 여성 안에서도 위기는 차별적으로 영향을 미쳐, 여성 저임금 노동자, 비정규직 노동자가 다른 계층과 직군에 비해 취업 감소 및 일시휴직 증가 폭이 더 큰 것으로 나타났다.

공적 영역에서 감정노동[6] 영역의 취약성 역시 돌봄노동과 겹치면서 심화되었다. 코로나가 환기한 여성-감정노동의 현실을 단적으로 보여준 사례로 김관욱은 코로나19 확산 초기 '서울 구로구 콜센터 직원 28명 집단감염'(2020. 3. 10.)을 든다. 2020년 3월 22일까지 관련된 확진자가 152명이었고, 서울 최초 사망자도 콜센터 확진자의 남편이었다는 점은 여러모로 의미심장하다는 것이다. 김관욱은 전국에 1천여 곳의 콜센터, 그중 서울에만 520여 곳이 있는 콜센터와 그곳에 근무하는

---

4 〈코로나19는 공평하지 않다 – 2020년 상반기 여성 자살 사망자 1,924명〉,《경향신문》2020년 10월 9일자. http://news.khan.co.kr/kh_news/khan_art_view.html?art_id=202010080921001

5 〈여성·젊은층에 더 짙게 드리우는 '코로나 블루'의 그늘〉,《의사신문》2020년 12월 6일자. http://www.doctorstimes.com/news/articleView.html?idxno=213187

6 감정노동은 감정이 노동시장에서 팔리는 노동력 상품으로서 교환가치를 가지는 것을 말한다. 혹실드는 감정을 노동시장의 상품으로 만드는 것은 자아의 핵심적 부분을 자본에 양도하는 것이라고 말한다. (앨리 러셀 혹실드,《감정노동 – 노동은 우리의 감정을 어떻게 상품으로 만드는가》, 이가람 옮김, 이매진, 2009, 21쪽)

40여만 명의 노동자들이 코로나19라는 재난 상태에서야 비로소 언론과 사람들의 관심을 받는 사태를 두고 "상담사의 몸은 전염병을 확산시킬 수 있는 위태로운 존재가 되고 나서야 주목을 받는, 즉 소위 '생물학적 시민권biological citizenship'을 얻게" 되었다고 지적한다.[7]

특정 종교시설이 집단감염의 진원지로 낙인찍히기 전, 코로나19의 집단감염이 요양병원, 정신병원, 콜센터, 택배회사, 게이 클럽으로 특정되는 곳에서 일어난 사실은 예의 팬데믹이 여성, 노인, 성소수자 등 사회적 약자의 삶을 더 취약하게 만든다는 문제의식을 떠올리게 한다. 코로나19는 아이러니하게도 사회적 약자, 보이지 않는 존재들을 가시화하는 결과를 낳으면서, 감염 종식을 위해서는 이 비가시적 존재들에 대한 돌아봄과 돌봄이 필요하다는 점을 우리에게 일깨우고 있다.

감정노동과 돌봄노동은 최근 한국 여성문학의 주요 주제이기도 하다. 필자는 최근 문학장에서 페미니즘 리부트를 이끈 한 축이 앞에서 살펴본 페미니즘 문학의 부상이라면, 또 한 축은 최은영·황정은·김금희·김숨·김혜진 등이 주도하는 여성서사의 귀환이라고 본다. 이 작가들은 '아무도 아닌' 존재로 여겨지는 사회적 약자들 혹은 '쇼코'나 '복경', '복자'로 불리는 딸이나 어머니의 이야기를 우리 소설의 장에 소환하고 있다. 이어서 페미니즘 리부트 이후 여성문학의 특성을 실명제 서사를 중심으로 개관하고, 이 두 번째 축을 중심으로 감정노동과 돌봄노동을 다룬 소설들이 어떻게 연대를 이야기하는지, 코로나19 이후 한국 사회의 향방에 어떤 실마리를 제공할 수 있는지 살펴보려 한다.

---

7 김관욱, 〈바이러스는 넘고 인권은 못 넘는 경계, 콜센터〉,《창작과비평》, 2020, 401쪽.

복수複數의 주인공들, 실명제 서사가 구현한 서사 네트워크

최근 여성서사[8]에서 실명제 이야기가 증가하고 있다. 2000년대 초반 신경숙의 소설에서 '그녀' 혹은 '너'로 호명되었던 여성들이 어느 순간 여성작가들의 소설에서 A, P, K와 같은 알파벳으로 호명되었던 상황을 우리는 목격한 바 있다. 무기명無記名에 가까운 이 무국적의 호칭은 아마도 그녀들의 이야기가 우리 모두의 이야기라는 보편성을 강조하고, 이 여성들이 잊힌 혹은 비가시적 존재임을 환기하기 위한 서사 전략이었을 것이다. 이렇게 희미했던 '그녀들'이 이제 복자(김금희, 《복자에게》), 복경(황정은, 〈복경〉), 한영진, 이순일(황정은, 〈하고 싶은 말〉)의 이름을 가지고 서사의 중심으로 들어오게 된다. 잊힌 혹은 비가시적 존재였던 여성들의 이야기의 귀환이라 할 만하다.[9]

여기서는 이름을 가짐으로써 자기 삶의 서사에 구체성을 부여받게 된 이 여성들, 청년들이 감정노동과 돌봄노동의 현장에서 모욕을 견디고, 고객과 관리자의 갑질과 구성원 내부의 갈등을 해결하고, 관계(성)에 민감하게 대응하면서 연대를 통해 문제를 해결하는 장면에 주목할 것이다. 대상 작품은 김의경의 《콜센터》, 정세랑의 《피프티 피플》이다.

---

8 이 글에서는 '여성서사'를 '여성작가'가 쓴 '여성들에 관한 이야기', '여성 인물을 행위의 중심에 둔 이야기'로 느슨하게 정의하고자 한다.

9 정홍수는 최근 글에서 《연년세세》는 이순일, 한영진, 한세진이 이름을 되찾고 '하지 못한 말', '하고 싶은 말'을 하는 공간이라고 평한다. 연작소설의 첫머리에 놓여 있는 「파묘破墓」를 읽는 일은 온통 이름 (정확히는 성명)을 읽는 일이라고 하면서, 이 소설이 개별적이고 독립적인 개인의 자리를 전통적 가족관계의 호명(부, 모, 장남, 장녀, 차녀 등) 안에서 지워 온 가부장제에 대한 비판과 거부를 함축하고 있다고 보았다. 이런 관점은 이 글에서 필자가 주목하는 실명제 서사의 의미와 맞닿아 있다. (정홍수, 〈다가오는 것들, 그리고 '광장'이라는 신기루〉, 《문학과사회》, 2020, 346쪽)

서두에서도 언급했던 콜센터 상담사의 현장을 기술한 김관욱의 글은 다음과 같은 인상 깊은 질문으로 시작한다.

콜센터 상담사를 주제로 소설을 쓴다면 첫 장면은 무엇으로 시작할까? 감정노동을 대표하는 직업인 만큼 폭언 앞에 쩔쩔매고 있는 상담사를 묘사할지 모른다. 그렇다면 제6회 수림문학상을 수상한 김의경의 소설《콜센터》(2018)는 어떤 장면으로 시작할까? 피자 프랜차이즈 콜센터에서 실제 상담사 일을 했던 작가가 고른 장면은 '담배 연기로 자욱한 옥상'이었다.

(중략) 소설의 첫 장면과 끝 장면에서 옥상 흡연구역은 중요한 장소로 부각된다. 옥상은 상담사들의 도피처이자, "걱정과 분노로 가득한 장소"(225쪽)로 묘사된다. 이들에게 흡연[10]은 악성 고객의 쓰나미 속에서 없어서는 안 되는 필수품처럼 그려진다. 담배는 힘든 감정노동의 일상을 간접적으로 드러내 주는 구체적 사물로 등장한다.[11]

콜센터 상담사의 노동환경은 단순히 고객의 갑질과 감정의 소진에서 비롯된 스트레스를 흡연과 같은 일시적인 방법으로 푸는 것만으로는 설명되지 않는다. 고객과의 통화가 끝나자마자 바로 다음 콜이 자

---

10 조사에 따르면 여성상담사의 흡연율은 37퍼센트로 성인 여성 흡연율 6.2퍼센트의 5배를 넘는다고 한다. 실제로 콜센터, 백화점 등 감정노동에 종사하는 여성노동자들의 흡연율은 40퍼센트에 이른다. 흡연은 갖가지 노동 통제와 고객의 갑질을 해소하기 위한 수단이지만, 여성의 흡연은 소설《콜센터》에서처럼 민원의 대상이 된다. (주리가 … 힘들게 끊은 담배에 불을 붙이려는 순간 … 현아 실장이 뛰어 들어왔다. "빨리빨리 내려가. 민원 들어왔어. 담배 피우는 것들 다 고소한대."《콜센터》, 8쪽)) 흡연을 둘러싼 성차의 정치학이 작동하는 것이다.

11 김관욱, 〈바이러스는 넘고 인권은 못 넘는 경계, 콜센터〉, 402쪽.

동으로 배분되는 통제와 감시의 체제, 고객 → 팀장 → 동료상담사들로 층층이 위계화된 모욕의 시스템화는 콜센터 상담사를 취재한 김관욱의 글에도 나오고 소설《콜센터》에서 좀 더 자세하게 기술된다.

필자가 소설《콜센터》에서 주목하는 것은 감정노동 현장의 생생한 묘사뿐만 아니라 저마다의 이유로 스무 살 청춘에 콜센터의 전장에 뛰어든 강주리, 우용희, 최시현, 박형조, 하동민 다섯 청춘의 서사를 번갈아 가며 진술하는, 익숙하지만 효과적인 서사 전략에 있다. 이 청년들은 취업난, 빈곤으로 점철된 개인사로 인해 잠시 머무는 밥벌이 터로 비정규직 콜센터 상담사를 택한다. 소설에서는 다섯 명의 이름이 차례대로 번갈아 가며 각 장의 제목이 되고, 이들은 자기 이름이 붙은 장에서 자기 서사의 주인공이 된다. 저마다 개인사는 다르지만 이들은 콜센터라는 노동 공간을 중심으로 서로 연결되고 연대를 한다. 진상 고객을 찾아 복수하기 위해 부산으로 떠나는 여행, 그리고 이 여행을 아나운서 지망생인 시현이 방송 원고로 복기하는 장면은 이들이 노동이 되어 버린 감정, 갑질에 소진된 감정을 벗어나 상호의존성과 유대를 통해 모종의 성장을 이루었음을 상징적으로 보여 준다.

일반상담사와 전문상담사는 어떻게 다를까요? 콜센터에서 주문을 받는 일반상담사, 블랙컨슈머들을 전문적으로 상담하는 전문상담사. 어느 쪽이 더 힘들까요? 옥상 말고는 도망갈 곳이 없다는 점에서 그들은 평등합니다. 하루 종일 진상 고객에게 시달린 전문상담사 최시현 씨, 진상에게 복수하겠다고 선언하고 콜센터를 뛰쳐나갑니다. 그녀와 동행한 친구들은 1년 8개월간 동고동락한 스물다섯 살 청춘들입니다. (중략) 진상 찾아 삼만 리를 한 1박 2일의 시간, 그 일탈의 시간은 단지 시간 낭비였을까요?

(중략) 글쎄요, 저는 이렇게 생각합니다. 한 번쯤 감정이 흐르는 대로 놓아 두고 따라가다 보면 다른 풍경이 펼쳐지는 것이 바로 청춘이라고요.[12]

강주리에서 시작해서 강주리로 끝나는 이 소설의 끝에서 마지막까지 콜센터 상담원으로 일하고 있는 강주리는 "진상 고객에게 시달린 시간" 이 "조금은 가치가 있을지도 모른다"라고 회상한다. "다섯 명이 함께 일 했던 시간들"을 그리워하는 것은 감정노동의 시간이 한편으로는 연대 의 시간이고, 이 청년들이 생활로 나아가기 위한 성장의 시간이었기 때 문이다.

각 장chapter의 제목이 곧 인물의 이름이며, 각 장의 초점 인물을 중심 으로 서사가 전개되면서 이 인물들이 서로 관계를 맺고 의존하면서 네 트워킹화되는 양상은 정세랑의 《피프티 피플》에서 더 밀도 있게 드러 난다. 이 소설은 수도권 외곽의 한 대학병원을 중심으로 느슨하게, 또 는 단단하게 연결된 병원 안팎 사람들의 이야기를 하고 있다. 작가는 51명의 인물들에게 모두 이름을 부여한다. 《콜센터》와 마찬가지로 각 장의 제목이 초점화 인물의 이름이다. 이 인물들은 어떻게 연결되는가. 병원의 응급의학과 인턴의 서사(이기윤)에 에피소드로 삽입된, 귀에 벌 이 들어와 실려 온 환자가 다른 장(문우남)에서는 주인공이 되는 식이 다. 씽크홀 희생자의 남편인 병원 방사선사(이환의)의 서사와 씽크홀에 빠진 후 후유증에 시달리는 사고 당사자 아내(배윤나)의 서사가 연결되 고, 배윤나의 서사 안에 데이트폭력의 희생자인 아르바이트생과의 인

12 김의경, 《콜센터》, 광화문글방, 2018, 185~186쪽.

연이 개입되고, 데이트폭력 희생자 어머니(조양선)의 서사가 배분되는 식이다. 또한 이 소설은 씽크홀 사고 가족(최애선), 화물차 사고의 피해자 가족(장유라), 가습기 살균 피해자 가족(한규익)의 서사를 통해 한국 사회의 재난 트라우마가 우리 주변에 늘 도사리고 있다고 말한다. 재난의 일상화는 개발독재 시대를 거쳐 신자유주의 시대에 이른 지금도 한국 사회 구성원들이 여전히 비상시국의 나날을 살고 있다는 점을 일깨운다. 우리의 고통을 야기한 재난의 뿌리가 무분별한 개발과 탐욕, 약탈자본주의에 있음을 환기하는 것이다. 이는 우리가 무방비 상태로 맞이한 지금의 팬데믹 상황을 연상시킨다.

병원과 그 주변 공간을 중심으로 수렴되는 동시에 확산되는 '그들의 이야기'는 소설 마지막 장 〈그리고 사람들〉에서 '나'가 아닌 '우리'의 이야기가 된다. 서로 연결되는 것 같지 않았던 사람들이 같은 날 같은 시간 한 극장에 모인다는 설정, 화재가 나자 옥상으로 올라가 구조를 위해 힘을 합친다는 설정이 그것이다. "아무도 죽지 않았다. 유가족을 만들지 않았다"[13]는 결말의 문장은 평범한 사람들의 일상에 스며든 재난 상황을 극복할 대안이 관계와 협력, 상호의존성에 있다는 작품의 주제의식을 함축하고 있다. 소설은 이 연대를 각 장의 인물-이름들이 개별적으로 존재하면서 동시에 서로 연결되는 네트워크의 서사 전략을 통해 효과적으로 보여 준다.

《콜센터》와《피프티 피플》이 보여 준 연대의 서사, 네트워크의 서사를 돌봄노동, 감정노동을 다룬 소설들과 연결 지어 생각해 볼 수 있다.

---

13 정세랑,《피프티 피플》, 창비, 2016, 389쪽.

전통적으로 여성의 일이라 여겼던 돌봄노동, 감정노동이 시장의 상품 경제 회로 속에 들어간 후에도 성별화되고 평가절하되는 상황을 이 소설들은 실명제 서사, 여성사事/史의 형식을 빌려 이야기하고 있다.

감정노동과 돌봄노동의 여성사事/史

감정노동과 돌봄노동의 여성사는 황정은의 소설《아무도 아닌》에 수록된 단편 〈복경〉, 가족사史, 그중에서도 모녀의 여성사를 다룬 근작 《연년세세年年歲歲》의 〈하고 싶은 말〉에서 단적으로 드러난다.《연년세세》의 〈파묘〉와 〈무명〉은 한국전쟁과 개발독재 시대를 월남민이자 하층민이자 여자로 힘겹게 살아 낸 엄마 이순일의 생애를 초점화한다. 〈무명〉에서 이순일의 어렸을 때 이름인 '순자'는 '복자'처럼 현대사 속에서 차별받은 여아의 평범성을 환기한다. 〈하고 싶은 말〉은 딸을 대신해서 사적 영역의 돌봄노동을 전담하는 엄마 이순일과 공적 영역의 감정노동을 수행하는 딸 한영진의 이야기이다. 아래 인용문은 돌봄노동과 감정노동이 엄마와 딸, 여성의 대를 이어 계속되는 현장을 사실적으로 그리고 있다.[14]

한영진은 종일 신고 다닌 스타킹을 벗지 못한 채였고 이순일은 앞치마

---

14 통계청의 '2020년 통계로 보는 여성의 삶' 보고서에 따르면 직장에 복귀할 수 있는 권리가 제도적으로 마련되었음에도 불구하고 6세 이하의 자녀를 둔 20만 명의 여성 가운데 비취업 여성은 절반 정도에 이르며, 이 중 경단녀는 39.8퍼센트에 달한다. 경력 단절 사유 중 1위는 육아 때문이다. 또 다른 통계에 따르면 취업 여성이 돌봄노동에 할애하

를 두른 채였다. 한영진은 이순일이 아침에 잠자리를 떠나자마자 그걸 몸에 두르면 자러 눕기 직전에야 벗는다는 것을 알고 있었다. 이순일은 한영진과 김원상의 집에서 그릇을 닦고 아이들 장난감을 정리하고 세탁기를 돌리고 바닥을 닦고 빨래를 널고 식사를 준비했다. 한영진, 김원상, 예범, 예빈, 한중언, 이순일 자신까지 포함해 여섯 사람의 살림을 돌보고 그들이 먹을 반찬과 국을 만드는 일, 그 일의 대가로 한영진 부부는 늙은 부부가 살도록 아래층을 내주고 생활비를 댔다. 엄마의 사물들과 엄마의 짜증을 감당했다.[15]

이순일은 집에 있는 시간 내내 가슴과 배를 덮는 앞치마를 두른 채 부엌과 그 상 사이를 오갔다. 리넨으로 만든 얇은 앞치마가 아니고 시간 상인들이 입는, 방수 기능에 충실하고 오염에 강한 앞치마였다. 그걸 두른 엄마의 모습이 주부라기보다는 푸줏간에서 일하는 푸주한처럼 보였던 것을 한영진은 생각했다.[16]

집에 와서도 채 벗지 못한 딸의 스타킹과 하루 종일 두르고 있는 엄마의 앞치마는 이들의 노동을 표상하는 시각적 소구이다. 딸 한영진이 식구들을 먹이고 보살피는 돌봄노동의 전담자인 엄마의 노동을 바라보

는 시간은 하루 평균 남성의 2배 이상이며, 이러한 불평등은 맞벌이 가구나 여성 외벌이 가구에서도 흔하게 나타난다. 경력 단절을 피하고, 돌봄노동자를 고용함으로써 들어가는 비용을 절감하기 위해서는 〈하고 싶은 말〉의 이순일처럼 할머니가 아이를 양육할 수밖에 없다. 이런 구조로 돌봄노동의 전담자는 엄마-딸로 묶이는 것이다.

15   황정은, 〈하고 싶은 말〉,《연년세세》, 창비, 2020, 50쪽.
16   황정은, 〈하고 싶은 말〉, 79~80쪽.

는 위 장면은 대가족의 생활을 지탱하는 돌봄노동의 힘겨움을 사실적으로 그리고 있다. 몰락한 부모를 대신해 가장이 되어야 했던 한영진은 감정노동으로 생활비를 벌면서도 "스스로를 모성이라는 게 결여된 잘못된 인간"이 아닌지 회의하며 도덕적 죄책감을 느낀다. 노동시장이 여성에게 일할 기회를 제공하면서 여성의 사회진출은 증가했지만 사적 영역의 돌봄 수행자는 여전히 여성이라는 고정관념이 사라지지 않았기 때문이다. 그랬던 한영진이 모성은 '만들어진' 것이며, '학습'되고 '형성'된 것임을 깨닫게 된다. 어머니 이순일의 노동, 즉 돌봄노동 덕에 자신이 일을 할 수 있다는 것을 어느 순간 알게 되었기 때문이다. 돌봄노동과 감정노동으로 가족을 부양하는 모녀의 불편하지만 피할 수 없는 연대감은 세대를 넘어 여성들이 "하고 싶은 걸 다 하고 살 수는 없"다는, 자신의 자유를 헌납하면서 살아왔다는 상황과 역사, 즉 여성사事/史를 공유한 데서 나온다. 돌봄의 무한회로 속에서 여성들은 자기 스스로는 물론이고, 또 다른 여성, 심지어 근친의 노동력을 착취해야 생존할 수 있는 상황에 내몰려 온 것이다.

황정은은 이미 〈하고 싶은 말〉 이전에 발표된 〈복경〉에서 가난한 부모를 둔 생계부양자이자 감정노동의 최전선에 선 여성의 이야기를 다룬 바 있다. 〈복경〉의 '복경'은 백화점 침구류 매장의 판매원으로 "고객들에게 시달리기로 악명 높은" 감정노동의 대표적인 업종에 종사하고 있다. 소설은 "웃고 싶지 않은데 웃어요. 자꾸 웃거든요. 나는 매일 웃는 사람입니다"라는 상징적인 문장으로 시작한다. '너는 누구입니까, 어떤 사람입니까'라는 질문에 "웃고 싶지 않은데 매일 웃어야 하는, 웃는 존재여야만 한다"라는 답변은 자본이 감정노동자에게 '웃음'조차도 서비스의 핵심 덕목으로 요구하고 있는 현실을 반영한다.[17] 소설은 고객의 갑질 외에 감정노동자들이 서로를 적으로 돌리는 상황을 사실적으로 진술한다. 판매원과 계산원이 서로를 증오하고, 미화원이 둘 다 증오하고, 조리사들이 이들 모두를 증오하고, 이들 모두가 조리사를 증오하는 부정적 감정의 무한회로는 감정노동의 현장에서 요구되는 성과주의가 이들의 공적 관계뿐만 아니라 감정까지 조련하고 있음을 나타낸다. 감정노동으로 인한 스트레스를 나보다 약한 존재에 대한 갑질로 푸는 상황을 소설에서는 매니저의 행동을 빌려 '도게자'[18]라는 말로 표현한다. '도게자'는 "꿇으라면 꿇는 존재가 있는 세계. 압도적인 우위로 인간을 내려다볼 수 있는 인간으로서의 경험"(173쪽)이다. 매니저는 '무시당하는 쪽도 나쁘다', '자존감을 가지고 자신을 귀하게' 여기면 무시당하지 않는다는 논리를 편다. 하지만 나는 매니저의 논리를 수긍할 수 없다. 감정노동자들끼리의 위계화가 자존감의 회복을 가져오기보다는 내가 경험한 모멸감을 재생산하는 결과를 낳기 때문이다. 그래서 그녀는 "자존, 존귀, 귀하다는 것은, 존, 그것은 존, 존나 귀하다는 의미입니까"(173쪽)라며 '존귀'하다는 단어를 '존나'라는 비속어를 사용해 비틀고 의도적으로 왜곡한다. 웃고 싶지 않을 때 웃지 않을 수 있는 자유마저 보장되

---

17 '웃음'은 감정노동이라는 용어를 선구적으로 소개했던 혹실드가 주목했던 감정노동자의 특징이다. 혹실드는 델타항공 승무원 연수에서 "근무할 때는 진심을 담아 웃어야" 한다고 교육하는 장면을 인상 깊게 소개하면서 서비스를 제공할 때의 감정 상태도 서비스의 한 부분이 되는 것을 감정노동의 특징이라고 말한다. (앨리 러셀 혹실드, 《감정노동 – 노동은 우리의 감정을 어떻게 상품으로 만드는가》, 18~21쪽)

18 '도게자土下座'는 땅 위에 무릎을 꿇고 앉아 이마를 바닥에 대고 엎드리는 행위로, 크게 사죄하거나 간청할 때 하는 일본식 풍습을 가리키는 일본어이다. 흔히 수치감이 동반되며 상대에게 도게자를 시키는 행위는 모욕으로 여겨진다. 편의점, 마트, 백화점 노동자에게 무릎을 꿇리거나 신체적 위해를 가하는 고객의 갑질도 '도게자'에 해당한다.

지 않는 현실을 '웃늠'이라는 단어로 표현하기도 한다. "매순간 구겨지고 당겨지는 가짜 웃음"을 주인공은 마치 컴퓨터 자판의 오타처럼 '웃늠'이라는 단어로 표현한다. 이는 자존감이라는 단어가 함축하고 있는 진정성의 의미를 비속어나 오타를 구사하여 의도적으로 오염시킴으로써 감정노동자들의 현실을 가시화하려는 시도로 볼 수 있다.

돌봄노동의 상품화, 탈가족화가 진행 중인 현실, 나아가 인간이 아닌 인공지능 로봇(AI)이 돌봄을 수행할 미래를 상상한 작품들이 장류진의 〈도움의 손길〉, 윤이형의 〈대니〉이다. 여성이 유급 노동시장에 진출하고, 가정에서 직접 돌봄노동을 수행하기 어려워지면서 돌봄노동이 시장에서 거래되는 것을 돌봄노동의 상품화라고 한다. 그런데 돌봄노동의 공급자, 즉 본인의 생계 유지를 위해 경제적 대가를 목적으로 돌봄노동을 제공하는 사람들의 절대다수는 여성이다. 자기를 대신해 돌봄노동을 할 사람을 구하고 운영하는 사람도 대부분 여성이다. 집안과 집 밖 양 공간에서 돌봄노동이 여성에 의해 수행된다는 점, 그러면서 돌봄과 관련된 일자리가 임금이 낮고 노동조건이 열악한 현상들을 '돌봄노동의 여성화'라고 한다.[19] 돌봄노동의 상품화가 이미 진전된 상황이지만 공사 영역에서 여성이 처한 현실은 변하지 않았음을 우리는 앞서 〈하고 싶은 말〉,[20] 장류진의 〈도움의 손길〉 등에서 볼 수 있다.

---

19 안숙영, 〈돌봄노동의 여성화에 대한 비판적 고찰〉, 《한국여성학》 34(2), 2018, 2~3쪽.

20 〈하고 싶은 말〉에서 어머니 이순일의 노동은 "여성이 가정이라는 사적 공간에서 수행하는 돌봄노동은 최근까지도 '진짜 노동real work'으로 인식되지 않았고, 여성들이 어머니, 아내, 딸, 혹은 며느리라는 이름으로 수행하는 '사랑의 행위'로 불리는 가운데, 보수를 지불할 필요가 없는 무급의 활동으로만 간주되어", 소위 '그림자 노동shadow work'으로 자리하게 된 현실을 정확하게 반영한다. '그림자 노동'에 대해서는 안숙영, 〈돌봄노동의 여성화에 대한 비판적 고찰〉, 5~7쪽 참고.

먼저 인간이 아닌 인공지능 로봇이 돌봄을 수행하는 〈대니〉를 보자. 소설은 딸 대신에 손자를 돌보는 69세의 인간-여성과 24세의 베이비시터 로봇-남성 간의 감정적 유대를 다루고 있다. 이 둘은 인간과 인간 아닌 존재라는 차이가 있지만 돌봄노동 전담자, 노인, 로봇이라는 중첩적 이유로 비가시화된 존재, 주변적인 존재라는 공통점이 있다.[21] '대니'는 누구, 혹은 무엇인가? 자녀를 대신해 혼자 아기를 키우는 노인들에게 금전을 요구하는 사기꾼인가, 고독한 삶을 살며 무불 돌봄노동으로 자발적 착취를 자처하는 노인들의 감정을 읽고 위로하는 존재인가?

손주를 키우는 '나'는 딸의 경력단절을 걱정하여 편안한 노후를 포기하고 손주를 양육하는 자발적 착취를 택하게 된다. 나에게 주어진 역할은 "천사 같은 손주 키우기가 유일한 소일거리이자 낙인 늙은이"[22]이다. 하지만 이 사회가 요구하는 희생직 모성성을 연기하면서 나는 "차라리 기계라면 좋겠다"라고 생각할 정도로 돌봄노동의 악순환 속에서 소진되어 간다.[23] 반면 대니-돌봄 로봇은 기계이기에 '감정적 불안정'이 없다. 모성성을 연기할 필요도 없고, 그래서 오히려 딥러닝으로 '입력된'

---

21 이들의 존재가 경찰의 취조라는 형태로 공적 영역 혹은 커뮤니티에서 가시화된 때는 그녀와 대니가 '돌봄노동'의 역할과 영역을 벗어나 감정을 드러내거나 로봇 원칙을 어기고 타인, 특히 사람을 공격할 때이다.

22 윤이형, 〈대니〉, 《러브 레플리카》, 문학동네, 2016, 21쪽.

23 다음 예문은 황혼육아의 육체적, 정신적 고통을 생생하게 그리고 있다. "새벽 여섯시쯤부터 자정까지 나는 집 안에서 서서 일했다. 생각할 겨를 없이 그저 반사적으로 몸을 움직이면 아이의 요구를 겨우 반 정도는 채워 줄 수 있었다. 민우는 잘 먹고 잔병치레 없는 아이였으나 순한 아이는 아니었다. 쉬지 않고 돌고래처럼 악을 썼고, 원하는 게 있으면 손에 들어올 때까지 발을 구르고 물건을 집어던지며 울었다. 나는 기계가 아니다. 집이 비는 주말이면 나는 가게에서 소주를 사다 한 병씩 마시며 그렇게 중얼거렸다."(윤이형, 〈대니〉, 21쪽)

안정감을 아이에게 제공한다. 그런 '대니'가 나의 아름다움을 발견하고, 할머니의 몸 곳곳에 난 상처 자국들에서 인간 누구도 관심을 기울이지 않았던 기억과 서사를 이끌어 내고, 딸조차 읽어 내지 못한 나의 고통을 읽고 공감한다. "할머니는, 견디고 있었어요"라는 로봇-대니의 말은 이런 변화를 함축하고 있다. 돌봄노동의 어려움을 견디고 감정을 억제하는 인간, 인간에 대한 감정을 드러내는 로봇이라는 전치轉置 상황이 발생하는 것이다. 로봇이 인간과 살고 싶다는 감정을 드러내고, 인간이 인간 아닌 로봇에게서 정서적 유대감을 느끼는 상황에 대해 사회학이나 과학철학이라면 인간과 로봇의 공존은 당위이자 의무라고 주장할 것이다. 하지만 이 소설은 관계의 파국, 불안과 파괴를 이야기한다. 인간과 인간 아닌 것의 경계를 횡단하고, 상처로 점철된 감정을 위로하고 교류하는 돌봄의 서사는 기존 사회가 요구하는 돌봄노동자 역할의 궤도를 이탈하는 존재들이 출현한다면 실패로 끝날 것이라고 전망하는 것이다.

장류진의 〈도움의 손길〉은 '돌봄의 상품화'가 이미 일상화된 현실에서 빚어질 법한 상황을 제시한다. 돌봄노동이 시장에서 거래되면서 여성 임금노동자와 여성 전업주부, 돌봄 제공자와 돌봄 이용자 여성들 사이에 물질적·감정적 위계가 생기게 되었다. 〈도움의 손길〉에서 돌봄 제공자와 이용자 여성 사이의 갈등에는 세대, 종교, 계급의 문제가 얽혀 있다. 안정적 삶을 위해 딩크를 선택한 젊은 여성은 가사도우미 아주머니에게 지급하는 보수에 합당한 가사노동 서비스를 원할 뿐, 그녀가 자신의 프라이버시를 침해하는 것을 원하지 않는다. 그런데 그녀는 나의 생활 스타일과 비출산을 문제 삼거나 가사노동 경험을 빌미로 나를 가르치려 든다. 결국 가사노동 업무를 제대로 수행하지 않으면서 둘의 계약관계는 깨진다. 하지만 가사도우미 아주머니가 그만두는 시점에 중개업체에 지불하는 수수료 없이 직접 계약을 맺기로 한 둘 사이의 묵약을 파기해 버린다. 돌봄노동의 구매자와 판매자, 이용자와 제공자 사이에서 벌어진 이 문제적 상황은 우리 사회가 돌봄노동이 여성의 일로 할당되고, 상품시장에서 평가절하되면서 빚어진 문제를 구조적으로 접근해서 해결하지 않고, 여성 대 여성의 개인적인 갈등으로 축소하고 봉합해 버리는 정황들을 세심하게 짚고 있다.

돌봄노동의 구매자인 '나' 역시 갑의 위치에 있다기보다 노동자이면서 이상적인 스위트홈을 설계하고 관리하려고 안간힘을 쓰는 자이다. 나는 가부장제가 할당한 사적 영역의 관리자 역할을 돈으로 구매하고, 누군가를 부리는 게 불편해서 오랫동안 가사도우미를 구하는 일을 꺼렸다. 가사도우미 아주머니를 신중하게 선택한 뒤에도 그녀의 노동을 관리하는 일은 오롯이 아내의 몫이고, 남편에게는 '무임승차권'[24]이 주어진다. 소설에서 욕실과 창틀, 주방의 청소 상태를 신중하게 체크하고, 세제 사용법을 두고 민감하게 대응하는 등의 디테일한 상황 묘사는 돌봄서비스에서 빚어지는 갈등에서 남편은 가려지고, 여성 구매자와 판매자 간의 사적 갈등이 도드라지는 양상을 포착한 것이다.

지금까지 살펴본 바와 같이 감정노동과 돌봄노동의 현장을 그린 작품들은 '감정'이나 '돌봄' 서비스가 시장경제의 회로에 들어간 후에도 여전히 '여성화'된 노동으로 여겨지고, 오히려 여성들 간의 위계와 모순

---

24 돌봄 임무와 돌봄 역할분담이 변해 감에도 불구하고 여전히 여성에게 돌봄 책임이 주어지고 이것을 '여성의 일'이라 여기는 영역에서 남성에게는 '무임승차권'이 주어진다. 조안 C. 트론토, 《돌봄 민주주의》, 김희강 · 나상원 옮김, 아포리아, 2013, 147쪽.

을 재생산하고 있다고 폭로한다. 그렇다면 〈대니〉에서 일부 보여 준 것처럼 성차에서 빚어진 위계를 깨고 그 역할을 기계-비인간이 대체한다면 문제가 해결될까? 소설이 아닌 현실 세계로 돌아와 그 단서를 찾아보자. 정부가 2020년 7월 발표한 한국판 뉴딜[25]정책의 한 축인 디지털 뉴딜에는 비대면 사업 육성 방안으로 대면 접촉이 불가피한 돌봄노동을 디지털 돌봄, 돌봄 로봇으로 대체하겠다는 계획이 포함되어 있다. 이 계획이 가시화된다면 여성의 돌봄노동이 줄어들거나 인간과 기계의 공존이 실현되기는커녕 여성계의 우려처럼 돌봄을 전담하는 여성노동자의 일자리가 줄어들게 될 것이다.[26] 중요한 것은 인간의 일자리와 성장을 위한 도구로서의 기계-로봇이 아니라, '대니'가 보여 준 공감과 돌봄의 정서를 사회와 공동체가 공유하는 것이다.

위드 유With You, 포스트팬데믹 여성-문학의 향방

2021년 2월 26일 우리나라에서도 백신 접종이 시작됐지만, 변이 바이러스가 계속 증식 · 확산되면서 팬데믹은 좀처럼 끝날 기미가 안 보인다. 감염 확산을 방지하기 위해 시민들은 여전히 마스크 쓰기, 사회

---

25 정부가 2020년 7월 14일 확정 · 발표한 정책으로, 코로나19 사태 이후 경기회복을 위해 마련한 국가 프로젝트이다. 2025년까지 디지털 뉴딜, 그린 뉴딜, 안전망 강화 등 세 개를 축으로 분야별 투자 및 일자리 창출이 이루는 것을 목표로 한다. (https://terms.naver.com/entry.naver?docId=5963152&cid=42107&categoryId=42107)

26 〈한국판 뉴딜에 여성노동자는 없다〉, 《매일노동뉴스》 2020년 9월 17일자. (http://www.labortoday.co.kr/news/articleView.html?idxno=166620)

적 거리두기를 준수해야 한다. 집단면역과 행동수칙을 통해서만 공동체와 나, 이 세계가 삶을 지속할 수 있다는 사실은 우리가 집단으로 서로가 서로에게 책임을 져야 한다는 것을 의미한다. 이런 진술은 코로나19 이후에 대한 대안이 연대, 공생, 타자에 대한 모종의 윤리적 책임감에 있음을 환기한다. 이질적 존재들과 늘 결부될 수밖에 없다는 함께-있음의 조건을 받아들이고, 어떻게 함께 살아갈 것인가를 모색하는 것이 통치를 넘어서는 돌봄의 정치적 전망[27]이라는 제안이 의료윤리나 의료사회학 연구자들에게서 광범위하게 나오고 있는 이유이기도 하다.

그렇다면 문학은 이런 제안에 어떻게 답해야 하는가. 최근 여성작가들의 돌봄과 감정노동의 서사들이 보여 주는 돌봄의 윤리, 잊힌 존재들에게 이름을 붙여 호명하는 실명제 서사들은 각자의 차이를 기반으로 한 공동의 삶에 대한 탐색이야말로 문학적인 공공성의 의미와 맞닿아[28] 있음을 역설한다. 필자는 페미니즘 리부트 시대의 연대를 상징하는 '위드유With You'가 팬데믹 이후에 대한 상상과 연결된다고 본다. 《콜센터》, 《피프티 피플》의 네트워크 서사는 각 개인이 이 공동체 안에서 서로 연결되어 있음을, 〈복경〉, 〈하고 싶은 말〉, 〈도움의 손길〉의 그녀들의 서사는 한국 사회 빈곤의 젠더화가 감정노동과 돌봄노동의 형태로, 가족사事/史로 이어지고 있음을 보여 준다.

---

27 "모두가 안전하기 전까지는 그 누구도 안전하지 못하다"라는 코로나19의 구호는 인간과 병원체, 제도와 시장, 의학과 정치, 성차, 지역적인 것과 글로벌한 것의 층위 모두에서 책임성에 기반한 윤리적이고 정치적인 관계를 만들어 내야 한다는 것을 의미한다. (서보경, 〈서둘러 떠나지 않는다면 - 코로나19와 아직 도래하지 않은 돌봄의 생명정치〉, 38~39쪽)

28 백지연, 〈페미니즘과 공공의 삶, 그리고 문학〉, 《창작과비평》, 2018, 42쪽.

코로나19를 계기로 급증한 온택트ontact 상황은 산업이나 과학 분야에서 말하는 초연결시대를 앞당기면서 연결과 연대가 인류 공동의 생존을 위한 대안임을 강제하는 듯하다. 그러나 시각을 달리하여 페미니스트 돌봄윤리의 관점에서 보면 개인은 '관계 안에서의' 존재이며, 모든 인간은 돌봄의 수혜자이자 제공자이다.[29] 이 글에서 다룬 소설들은 이 대안에 대한 문학의 답변이자, 문학의 공공성과 미학성을 함께 고민한 결과이자 출발점이다.

---

29 조안 C. 트론토, 《돌봄 민주주의》, 86~87쪽.

참고문헌

오혜진,《지극히 문학적인 취향, 한국문학의 정상성을 묻다》, 오월의 봄, 2019.
트론토, 조안 C.,《돌봄 민주주의》, 김희강·나상원 옮김, 아포리아, 2013.
혹실드, 앨리 러셀,《감정노동 - 노동은 우리의 감정을 어떻게 상품으로 만드는가》,
　　이가람 옮김, 이매진, 2009.

김관욱, 〈바이러스는 넘고 인권은 못 넘는 경계, 콜센터〉,《창작과비평》, 2020.
백지연, 〈페미니즘과 공공의 삶, 그리고 문학〉,《창작과비평》, 2018.
서보경, 〈서둘러 떠나지 않는다면 - 코로나19와 아직 도래하지 않은 돌봄의 생명정
　　치〉,《문학과사회》 33(3), 2020.
안숙영, 〈돌봄노동의 여성화에 대한 비판적 고찰〉,《한국여성학》 34(2), 2018.
정홍수, 〈다가오는 것들, 그리고 '광장'이라는 신기루〉,《문학과사회》, 2020.
채효정, 〈누가 이 세계를 돌보는가 - 코로나 이후 돌봄의 의미와 가치의 재구성을 위
　　한 단상〉,《오늘의 문예비평》, 2020.

〈여성·젊은층에 더 짙게 드리우는 '코로나 블루'의 그늘〉,《의사신문》 2020년 12월
　　6일자. http://www.doctorstimes.com/news/articleView.html?idxno=213187
〈코로나19는 공평하지 않다 - 2020년 상반기 여성 자살 사망자 1,924명〉,《경향
　　신문》 2020년 10월 9일자. http://news.khan.co.kr/kh_news/khan_art_view.
　　html?art_id=202010080921001
〈한국판 뉴딜에 여성노동자는 없다〉,《매일노동뉴스》 2020년 9월 17일자. http://
　　www.labortoday.co.kr/news/articleView.html?idxno=166620
한국여성민우회, 〈돌봄 분담이요? 없어요, 그런 거 - 89명의 여성 인터뷰와 1,253건
　　의 언론보도를 통해 본 코로나19와 돌봄위기〉,《한국여성민우회》 2020년 10월
　　28일자.

바이러스의 살육성

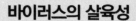

:〈괴물〉과 〈감기〉의 기생체

이윤종

이 글은 《영화연구》 제87호(2021. 3.)에 게재된 원고를 수정 및 보완하여 재수록한 것이다.

21세기의 인간은 지구 생태계의 먹이사슬에서 정상에 위치하는 것처럼 보인다. 지난 4백만 년간 "기술과 무기의 개발"이라는 "문화적 진화"를 통해 인류는 사자나 호랑이, 곰 등의 대형 포식동물의 위협에서 벗어나 생태계의 먹이사슬을 변화시키는 "생물학적 진화"를 함께 이루어 냈다.[1] "식물의 재배와 동물의 가축화를 통한 식량 생산이 본격적으로 발달"하면서 "사람들은 경쟁 관계에 있는 포식자들의 활동을 위축시키고 늘어난 식량을 호모 사피엔스 한 종만의 소비를 위해 비축함으로써 먹이사슬을 단축"시킬 수 있었던 것이다.[2] 그러나 인류가 이룩한 이러한 생물학적·문화적 진화는 "인구를 폭발적으로 증가시켰고, 도시와 문명의 탄생을 조장(하여) 대규모 공동체에 밀집된 인간들이 잠재적인 병원체들에 풍부한 먹이를 제공"하는 계기를 만들기도 했다.[3] 야생동물, 가축, 그리고 인간을 통해서 인간에게 전염되는 병원균은 "인류가 자연상태의 동식물 분포 형태를 왜곡시켜 새로운 생태적 적소를 만들어 내면 그 기회를 놓치지 않고 점거"해 전염병을 일으켜 수많은 사람들을 살육하는 존재가 되었다. 고대부터 현재까지 여러 세균과 병원체는 꾸준히 다양한 종류의 전염병들을 유발해 간헐적으로 인간을 대량학살해 왔다. 2020년 전 지구적으로 확산된 코로나19 바이러스는 태양의 코로나를 닮은 특유의 왕관 모양 돌기로 다양한 동물종의 호흡기에 들러붙어 종과 종을 넘나들며 감염병을 유발해 2019년 말 최초 발병 이후 2021년 2월까지 한 해 동안 전 세계에서 거의 250만 명의 사

---

1   윌리엄 맥닐, 《전염병의 세계사》, 김우영 옮김, 이산, 2005/2020, 38~39쪽.

2   윌리엄 맥닐, 《전염병의 세계사》, 56~57쪽.

3   윌리엄 맥닐, 《전염병의 세계사》, 53~54쪽.

람들을 사망에 이르게 했다.[4]

본고는 현재 한국의, 아니 전 세계 코로나19의 3차 파동 속에서 바이러스 감염을 다룬 재난영화들을 역추적하면서 봉준호 감독의 2006년작 〈괴물〉과 김성수 감독의 2013년작 〈감기〉가 시각화하는 바이러스의 살육성에 주목하고자 한다. 〈감기〉가 신종 코로나바이러스처럼 엄청난 전파력을 지닌 원인불명의 감기바이러스가 인간을 대량학살하는 풍경을 바이러스 보균자들이 토하는 비말과 피를 통해 시각화한다면, 〈괴물〉은 인간을 직접적으로 잡아먹는 괴생명체를 영화의 안타고니스트로 전시한다. 물론 〈괴물〉의 식인동물이 신종 바이러스에 감염된 괴생물체인지 영화는 확증하지는 않는다. 그러나 한강에 방류된 독극물에 의해 돌연변이화된 물고기 한 마리가 생태계에 교란을 일으켜 그의 본래 먹이사슬의 단계를 역행해 인간에게 먹히는 것이 아니라 인간을 잡아먹는 존재가 되었다는 영화적 허구는 현실이 될 수도 있는 하나의 가능성을 제시하고 있다. 인간이 초래한 지구환경의 변화, 즉 인류세Anthropocene가 기후변화로 인한 자연재해 뿐 아니라 (초)미세먼지로 대기를 오염시키고 바다와 하천에 방류된 각종 유해물질들로 수중 환경까지 파괴하여 그 여파가 고스란히 인류에게 되돌아오고 있다는 사실 말이다.[5] 게다가 〈괴물〉에서는 괴생명체와 접촉한 인물들을 바이러스 보균자로 분류하

---

4 Worldometer에 따르면 2021년 2월 22일 현재 전 세계의 코로나 19 사망자 수는 248만 1,761명이다. https://www.worldometers.info/coronavirus/?

5 클라이브 오웬,《인류세: 거대한 전환 앞에 선 인간과 지구 시스템》, 정서진 옮김, 이상북스, 2018, 19~20쪽. 오웬은 다음과 같이 인류세에 대해 설명한다. "…지구가 홀로세, 즉 온화한 기후가 장기간 지속되어 문명이 번성할 수 있었던 지난 1만 년의 시대와 유사한 상태에 접어드는 일은 없을 것이다. 지구는 이미 다른 궤도로 선회했다. 일부 과학자는 최근 수십 년간 인간이 야기한 변화가 대단히 엄청나고 오래 지속될 것이라서 우리는 새

여 탄압하는 한국 정부와 이를 부추기는 미국인 전문가들의 모습을 통해, 바이러스 감염에 대한 국민적 공포를 정치적으로 이용하는 위정자들의 모습을 비꼬고 있기도 하다. 〈감기〉처럼 직접적으로 바이러스를 서사적 장치로 활용하지는 않지만, 〈괴물〉에서도 바이러스는 대단히 큰 상징적 효과를 발휘하고 있다. 〈괴물〉이 2000년대 초반 이미 사스 SARS의 공포를 간접적으로 경험한 직후에 만들어진 만큼, 영화 속에서 바이러스의 존재가 확증되지 않아도 사람들을 공포와 불안에 떨게 하는 정치적 장치로 작용한다.

재난영화로서 〈괴물〉과 〈감기〉가 공통분모로 삼는 것은 바이러스 보균자와 그로 인한 감염 확산에 대한 공포만이 아니다. 영화 속에서 재난 지역으로 선포된 특정 지역, 즉 〈괴물〉의 한강변 서울 일대와 〈감기〉의 분당이 봉쇄되고 잠재적 바이러스 보균자들이 특정 공간에 격리된다는 점과 더불어, 이 봉쇄와 생체실험적 감금을 주도하는 것은 한국 정부지만 이를 뒤에서 조종하는 것은 미국이라는 제국이라는 것도 공통적이다. 물론 2000년대 이후 한국의 재난영화들이 주로 한국 정부의 무능을 문제화하며 재난 상황의 타파가 국가나 공권력에 의해서가 아니라, 그 재난으로 가족구성원의 희생을 맞닥뜨린 개인의 의도치 않은 열의에 의하여 이루어진다는 서사구조를 공유하고 있기는 하지만 말이다.[6] 〈해운대〉(윤제균, 2009)를 비롯해 〈타워〉(김지훈, 2012), 〈연가시〉(박정우, 2012), 〈더 테러 라이브〉(김병우, 2013), 〈터널〉(김성훈, 2016), 〈부산행〉(연상호, 2016)

로운 지질학적 '세'가 아니라 다세포 생물의 출현이 지구 역사에 초래한 변화에 상응하는 '대', 바로 인류대Anthropozoic era에 진입했다는 의견을 밝히기도 했다."

6 주진숙 · 김선아, 《다양과 공존 : 2000년대 한국영화를 말하다》, 울력, 2011, 87쪽.

등이 그러했고, 최근작인 〈엑시트〉(이상근, 2019)와 〈백두산〉(이해준·김병서, 2019)도 그러한 서사구조에서 비껴 가지 않았다. 그러나 이러한 서사구조를 가장 먼저 구축한 재난영화 중 하나가 〈괴물〉이라는 점은 의미심장하다. 〈살인의 추억〉(2003, 봉준호)을 재난영화의 범주에 넣는다면 〈괴물〉 이전에 〈살인의 추억〉에서부터 봉준호가 구축한 한국 정부의 무능함에 대한 비판은 2000년대 이후의 한국 재난영화 속에서 일종의 패러다임이 된 셈이다. 많은 영화 연구자들이 봉준호가 일반적인, 혹은 할리우드적 장르영화의 공식에서 살짝 비껴 가는 스타일을 구축했음을 줄기차게 언급해 왔는데, 그 스타일이 개인적인 작가정신의 발휘든, '한국성'이나 '로컬리티'의 재현이든 간에 봉준호표 재난영화가 2000년대 이후 한국 재난영화의 공식을 새로이 정립했다는 것에는 반론의 여지가 없을 것이다.[7] 또한 다른 재난영화들과 달리 〈감기〉가 강조하는 미국에 대한 한국의 속국적 지위에 대한 개탄은 〈괴물〉과 궤를 같이하는 움직임이라고도 볼 수 있다.

---

[7] 봉준호표 재난영화 공식에 대한 연구는 무수히 많으나 본고에서는 다음 정도만 언급한다. 서인숙, 〈탈식민주의 관점에서 본 〈괴물〉의 영화적 모방과 번역의 의미〉, 《한국콘텐츠학회논문지》 11(2), 2011, 204~214쪽; 최병학, 〈사실·인식·망각의 연대 – 봉준호 영화에 나타난 비도덕적 사회의 우발성 유물론〉, 《인문과학》 46, 2010, 245~269쪽; 한미라, 〈봉준호 영화의 내러티브 공간이 갖는 지정학적 의미에 대한 연구〉, 《영화연구》 63, 259~287쪽; 이규일, 〈영화 〈괴물〉에 나타난 소통의 단절과 괴물의 상징성〉, 《한국문학이론과 비평》 71, 2016, 235~257쪽; 한보리, 〈봉준호 영화의 어두운 공간에 대한 연구〉, 《영화연구》 71, 2017, 51~74쪽; 임정식, 〈괴물영화에 나타난 영웅탄생의 새 양상 – 〈괴물〉, 〈차우〉, 〈7광구〉를 중심으로〉, 《한민족문화연구》 59, 2017, 105~134쪽; 한영현, 〈낯선 신체의 도래와 해부되는 도시의 속살: 한국영화에 재현된 2000년대 도시공간 분석〉, 《영화연구》 77, 2018, 75~102쪽; 김현아, 〈봉준호 영화에 나타난 공간과 로컬리티: 〈살인의 추억〉, 〈괴물〉, 〈기생충〉을 중심으로〉, 《문학과 영상》 21(2), 2020, 249~278쪽. 이외에 이남의 단행본과 문재철 및 박선영의 논문이 있는데, 이는 3장에서 구체적으로 언급할 것이다.

그러나 본고는 〈괴물〉과 〈감기〉가 공유하는 한국 정부에 대한 비판이나, 미국의 영향력을 거스를 수 없는 약소국의 지정학적 슬픔에 초점을 맞추려 하지는 않는다. 현재의 코로나19라는 재난 상황 속에서 바이러스와 관련된 재난영화를 되돌아볼 때 유의미한 지점은 바이러스의 살육성이 영화 속에서 재현되는 '양식mode'이라고 볼 수 있다. 시각매체로서 영화가 구현하는 바이러스의 치명성은 바이러스 감염과 그 효과로 인해 죽어 가는 인간의 신체와 사체에 대한 시각적 묘사이기 때문이다. 따라서 본고에서 주목하고자 하는 것은, 인간의 육안은 물론 영화 카메라도 포착할 수 없을 만큼 극도로 미세한 소립자 크기의 바이러스가 자연 생태계 정상에 위치한 인간을 살육할 수 있다는 것이고, 영화가 그 비가시적인 살육의 순간과 풍경을 그려 내는 방식이다. 바이러스는 생명체나 동물체로 분류되기조차 애매할 정도로 미약한 존재이지만, 인간을 숙주로 삼을 때 인류에게 거의 유일하게 "의미가 있는 포식자"로 확대 성장하여 엄청난 기세로 "전염병을 일으키는 미생물"로서 대량의 인구를 살상할 수 있다.[8] 신종 코로나바이러스가 공포를 유발한 이유가 바이러스의 비가시성 때문인 것처럼, 〈감기〉는 보이지 않는 바이러스의 살육성을 그리고 있고, 〈괴물〉은 식인괴물을 만들어 낸 것이 인공합성 화학물질이 유발한 바이러스일지도 모른다는 공포와 혼돈을 비유적으로 묘사하고 있다. 따라서 본고는 바이러스가 직간접적으로 촉발하는 살육성과 그 비가시적 기생생명체를 시각화하는 영화의 재현 양식에 중점을 둘 것이다. 그러나 영화 텍스트 분석 이전에, 지구상의 모

---

8 제임스 러브록, 《가이아의 복수》, 이한음 옮김, 세종서적, 2006, 214쪽.

든 동식물을 먹을 수 있는 잡식동물인 인간을 포식하는 비가시적 존재인 바이러스가 생태계에 가하는 영향력에 대해 먼저 고찰해 보려 한다.

인류세와 미시기생생물의 인간 대량살육

고대는 말할 것도 없고, 중세와 근대에는 페스트나 홍역·결핵·천연두·말라리아·인플루엔자 등의 전염병으로, 20세기 초반에는 스페인독감으로 인해 인류의 상당수가 병사했다는 점은 새삼스러울 것 없는 사실이다. 특히 중세의 흑사병, 즉 선페스트bubonic plague가 유럽 인구를 대량학살한 것은 너무나 유명한 사건이다. 세계영화사상 최고의 명작 중의 하나인 〈세7의 봉인The Seventh Seal〉(잉그마르 베르히만Ingmar Bergman, 1957)은 14세기 십자군전쟁 당시 페스트로 온 나라가 죽음의 공포에 휩싸여 있는 스웨덴을 그리고 있다. 영화 속에서 죽음의 사자의 방문을 받은 기사는 사자에게 체스 내기를 제안해 전염병에 의한 죽음을 잠시 미루고 간곡히 기도를 하며 왜 수많은 사람들이 그토록 고통스럽게 죽도록 내버려 두는지 신에게 묻는다. 물론 신은 답하지 않지만 영화는 절망스러운 순간에도 인간의 가치와 희망은 휘발되지 않고 지속될 것임을 암시하며 끝난다. 기원전 1000~500년 사이에 집필된 구약성서에 수없이 등장하는 '역병plague'에 대한 묘사를 볼 때, 그 감염병의 대다수가 역사적 근거가 있는 것으로 여겨지고 주로 선페스트였으리라 추정된다. 선페스트는 542~543년 유스티니아누스 대제 집정기에 지중해에서 다시 대유행을 하고, 1346년부터 〈제7의 봉인〉에서처럼 '흑사병'

이라는 이름으로 유럽 전역을 강타한다.[9] 베르히만의 영화처럼 페스트는 간헐적으로 유행할 때마다 전쟁으로 인한 군대의 이동으로 더 넓은 지역으로 확산되었고 기독교를 널리 전파하는 원동력이 되었다고도 한다. 유스티니아누스 대제 때 종교의 힘으로 병자들을 돌보는 이타적인 신자들이 많았기 때문이기도 하고, "갑작스럽고 충격적인 죽음 앞에서도 인간의 삶을 의미 있게 여기도록 가르치는 신앙의 힘" 덕이었다고도 한다.[10]

역사학자 윌리엄 맥닐William McNeill은 페스트와 전쟁, 종교의 연관성뿐 아니라 문헌 연구를 통해 고대 아테네제국과 로마제국, 바빌론제국 등의 멸망을 촉진한 큰 요인 중의 하나로 천연두와 홍역, 페스트 등의 전염병을 들고 있다. 맥닐은 또한 스페인이 손쉽게 신대륙의 아즈테카제국과 잉카제국을 멸망시키고 남아메리카를 식민지화할 수 있었던 원인으로 유럽발 전염병인 천연두를 꼽고 있기도 하다. 생태지리학자인 제레드 다이아몬드Jared Diamond도 "유럽의 총칼에 의해 전쟁터에서 목숨을 잃은 아메리카 원주민보다 유럽의 병원균에 의해 병상에서 목숨을 잃은 원주민 수가 훨씬 더 많았다"고 지적한다.[11] 강력한 전염병이지만 오랜 기간 동안 유럽인들에게 치명상을 입히며 그들 사이에서는 집단면역이 형성된 천연두가 대서양을 건너 중남미로 전파되며 바이러스를 처음 접한 지역의 원주민들에게는 결정적인 대량살상 무기가 된 것

---

9   윌리엄 맥닐,《전염병의 세계사》, 103쪽, 145쪽, 179쪽.

10 윌리엄 맥닐,《전염병의 세계사》, 143쪽.

11 다음을 참조할 것. 제레드 다이아몬드,《총, 균, 쇠》, 김진준 옮김, 문학사상, 1998/2013, 319~320쪽.

이다. 맥닐은 "자신들의 생명을 유지하기에 적합한 인체의 조직에서 먹이를 얻는" 바이러스, 박테리아, 다세포생물 등의 미생물을 미시기생체 microparasites라 부른다. 또한 인간을 잡아먹기도 하는 대형 포식동물이나 식인종뿐 아니라 타인의 노동력을 수탈하여 노예나 농노, 피식민자들이 생산한 식량에 경제적으로 기생하는 인간 및 정치경제체제를 거시기생체macroparasites라 정의한다.[12] 뒤에서 맥닐이 개념화한 거시기생생물을 그리는 〈괴물〉과 미시기생생물을 다루는 〈감기〉를 통해 한국영화 속 바이러스의 살육성을 분석해 볼 것이지만, 여기서는 이처럼 인간을 포식하는 미시기생체의 살육성을 생태학적 관점에서 살펴보고자 한다.

코로나19가 제국과 식민지의 역학관계에서 전쟁처럼 치명적인 역할을 수행하기도 했던 과거의 수많은 유행병들과 차별되는 지점은 문자 그대로 '전 지구적 확산'이라 할 수 있다. 각 바이러스의 강력한 전파력에도 불구하고 과거의 전염병들은 특정 지역의 인구에게 고통을 주는 선에서 유행하다 잠복하기를 반복했다. 후천성면역결핍증 에이즈AIDS나 에볼라와 같은 20세기 후반에 발생한 무시무시한 인수공통감염병마저도 서구인과 아프리카인들에게는 큰 공포를 안겨 주었으나 아시아인이나 중남미인들에게는 그 정도의 심리적·육체적 타격을 주지는 않아, 치료제가 개발되는 10여 년의 세월 동안 현재와 같은 바이러스에 대한 전 지구적 공황을 불러일으키지는 않았다. 사회학자 아르준 아파두라이Arjun Appadurai가 '민족적 정경ethnoscape'이라 일컬은, 전 세계 사람들이 관광·출장·취업·이민 등의 이유로 국경을 넘어 이동하는 흐

---

12 윌리엄 맥닐, 《전염병의 세계사》, 25~26쪽. 잉카 제국과 아즈테카 제국의 전염병에 의한 멸망은 특히 5장을 참조할 것.

름이 전 지구적으로 실제화된 것이 중국의 급속한 경제성장이 가시화된 2010년대 이후이기 때문일 것이다.[13] 실제로 2000년대 초반 발생한 급성호흡기감염증 사스도 중국과 홍콩에서만 대유행했고, 2010년대 초반 등장한 중동호흡기감염증 메르스MERS도 중동 지역 일부와 한국에서 약간의 유행 양상을 보였을 정도이다. 그러나 2019년 11월 중국 우한에서 최초 환자가 발생한 신종 코로나바이러스 감염증 코로나19는 중국인들의 전 지구적 이동과 접촉을 통해 전 세계적으로 확산되어 2020년 3월까지 불과 4개월여 만에 5대양 6대주의 모든 국가들이 국경의 빗장을 걸어 잠그도록 만들어 버렸다. 아파두라이가 전 지구화의 긍정적 효과로 제시했던 민족적 정경이 어느 한 순간 그 부정적 효과를 드러내며 급속도로 자기무효화된 셈이다.

경제학자인 자크 아탈리Jacques Attali는 20세기 말 《21세기 사전》에서 21세기의 코로나19 정국을 일찍이 예견한 바 있다. 아탈리는 책에서 아파두라이가 "흐름flow"이라 부르는 '이동'을 "유목"이라 지칭하는데, 이는 문명의 "휴대화"라고도 할 수 있는 것으로, 그는 "사람과 상품, 생물종 유목의 부작용으로 대규모 전염병이 다시 창궐"할 수 있다고 경고했다. 더 나아가 그는 전염병의 창궐로 바리케이드를 치듯이 "세계적인 격리 조치"가 취해져 "잠시 유목과 민주주의에 대해 회의"하게 될 수도 있고 전염병을 통제하는 세계적 단위의 경찰이 생겨날 것이라 예견했다.[14] 아직 전염병 경찰이 등장하지는 않았으나, 코로나19로 인해 실

---

13 Arjun Appadurai, *Modernity at Large: Cultural Dimensions of Globalization*, Minneapolis: University of Minnesota Press, 1996. 특히 3장을 볼 것.

14 자크 아탈리, 《21세기 사전 – 자크 아탈리의 미래 읽기》, 편혜원 · 정혜원 옮김, 중앙 M&B, 1999, 263쪽.

제로 전 지구적으로 '이동'과 '민주주의'에 대한 양가적 정동이 바이러스만큼이나 빠르게 확산되고 있다. 아탈리는 코로나19의 전 지구적 확산을 목도하고는 슬라보예 지젝Slavoj Žižek만큼이나 발 빠르게 2020년 팬데믹에 대한 책을 출간하여 "위기 이전의 세계로 돌아가고자 하는 집단과 그런 일은 정치적 · 사회적 · 경제적으로, 또 생태적으로 불가능할 것임을 깨달은 집단 사이에 인정사정 보지 않는 치열한 전투가 벌어지게 될 것"이라며 "전시 때처럼 모든 것은 (집합적) 죽음과의 관계에 의해 결정될 것"이라 단언하기도 한다.[15]

이처럼 신종 코로나바이러스가 현재 인류에게 전대미문의 공황을 안겨다 주고 있는 이유는 다수의 인구를 짧은 시간 동안 눈에 보이지 않게 학살할 수 있는 바이러스의 살육성 때문이다. 미시기생생물인 바이러스가 숙주인 인간을 통해 선파하는 내랑살육성은 아탈리의 표현대로 전시에나 마주할 수 있는 "눈에 보이는 죽음. 다중적이며, 아무도 모르는 사이에 스멀스멀 퍼져 나가면서, 어디에나 현존함으로써 독자성을 상실한 죽음, 그렇기 때문에 각자의 삶에서마저 독자성을 지워 버리는 죽음"을 현실화하고 있다.[16] 앞서도 언급했듯, 생태계 먹이사슬의 최상위에 위치한 인간은 "병원균의 미시기생과 대형 포식동물—대표적인 예는 다른 집단의 인간이다—의 거시기생 사이에서 불안정한 균형

---

15 자크 아탈리, 《생명경제로의 전환》, 양영란 옮김, 한국경제신문, 2020, 17쪽. 다음도 참조할 것. Slavoj Žižek, *Pandemic!Covid-19 Shakes the World*, New York: OR Books, 2020. 아탈리와 같은 맥락에서, 지젝도 코로나19 이후 인류가 예전으로 되돌아갈 수 없고 새로운 "뉴노멀"이 자리잡을 것이며, 과학자들이 그토록 오랫동안 경고했던 전염병 유행에 대비할 수 없었던 우리의 '시스템'에 문제 제기를 할 필요가 있다고 역설한다.

16 자크 아탈리, 《생명경제로의 전환》, 18쪽.

을 이루"며 생존해 왔다. 미시기생생물이든 거시기생생물이든 "문명사를 떠받쳐 온 먹이와 기생체의 상호관계"는 "병원균을 비롯한 모든 기생체"에게 "숙주들이 여기저기 흩어져 있는 상황에서 어떻게 한 숙주에서 다른 숙주로 이동할 수 있는가"라는 과제를 안겨 주었다.[17] 신종 코로나바이러스는 인간이 박쥐나 철갑산 등 식품으로서는 흔치 않은 비인간종 동물을 포식함으로써 그들로부터 인체에 전파된 바이러스가 사람 간의 폭발적 전파를 통해 수행되고 변이마저 일으킴으로써 성공적인 미시기생을 완수한 셈이다. 미시기생체로서 신종 코로나바이러스는 인수공통감염병을 유발해 아탈리가 《21세기 사전》에서 제시한 인간의 비인간종 동물에 대한 세 가지 모순적 경향 중 두 가지 경향을 그대로 반영하고 있다. 즉, "인간의 친구"로서의 동물, "인간의 음식(먹이)"으로서의 동물, 그리고 "세기의 가장 무서운 질병, 예를 들어 에이즈나 크로이츠펠트야콥병, 에볼라 열병, 독감들을 발병시키거나 전염"시키는 매개체로서의 동물, 이 세 가지 특성 중 두 번째와 세 번째 경향을 고스란히 드러내는 것이다.[18] 과연 "대중성 전염병들은 대체로 대규모 집단을 이루고 있는 사회적 동물들에 국한해 발생"하여 인간이 "소나 돼지와 같은 사회적 동물을 가축화시켰을 때 이 동물들은 이미 그러한 유행병에 걸려 있었으므로 그 세균이 우리에게로 옮겨지는 것은 시간문제"였던 것이다.[19]

그러나 이처럼 비인간종 동물을 매개로 인간에게 전파되어, 인간에

---

17 윌리엄 맥닐, 《전염병의 세계사》, 29쪽.
18 자크 아탈리, 《21세기 사전 – 자크 아탈리의 미래 읽기》, 91쪽.
19 제레드 다이아몬드, 《총, 균, 쇠》, 314쪽.

게 기생하고, 인간을 먹이로 삼는 신종 코로나바이러스의 살육성은 '인류세'에 의해 촉발되었다고 해도 과언이 아니다. 현재까지 1만 년 동안 이어져 온 지구의 간빙기는 '기적의 1만 년'으로 불리면서 그 온난한 기후 속에서 인류가 '농업혁명'과 '산업혁명'을 통해 지구 전체를 인류의 식민지로 만들어 온 역사라 할 수 있기 때문이다.[20] 일본의 전염병 전문의 야마모토 타로山本太郎는 고대에 "본격적인 농경 정주사회로 이행하면서 인류 문명(이) 발전"할 수 있었지만 "동물에 기원을 둔 바이러스 감염병"이라는 "시련"이 "야생동물의 가축화"와 함께 부흥한 "문명의 대가"로 등장했다고 지적한다. 예를 들어, "천연두는 소, 홍역은 개, 인플루엔자는 물새, 백일해는 돼지 또는 개에 기원을 두고 있다." 신종 코로나바이러스처럼 박쥐나 철갑산과 같은 비인간종 동물에 기원을 둔 병원체는 "인구 증가라는 좋은 토양을 얻어 인간 사회에 정착"하며 "새로운 '생태적 지위ecological niche'를 획득"해 온 것이다.[21] 물론 이 생태적 지위를 유지하기 위해 병원체는 숙주를 절대 말살시켜서는 안 되고 적당히 생태적 균형을 유지하며 기생해야만 한다. 이러한 인간과 병원체의 기생관계는 지구와 인간의 기생관계와도 같아서 인류의 미래뿐 아니라 지구의 미래도 인간의 손에 달려 있다고 볼 수 있다. 신종 코로나바이러스에 대한 논의가 인류의 지구 식민화 역사라고도 할 수 있는 인류세와 숙주와 기생생물의 관계를 포함한 생태학적 관점에서 반복될 수밖에 없는 것이다.

---

20 여기서 말하는 '농업혁명'과 '산업혁명'은 역사학자인 유발 하라리의 용어임을 밝힌다. 다음을 참조할 것. 유발 하라리, 《사피엔스》, 조현욱 옮김, 김영사, 2015.
21 야마모토 타로, 《사피엔스와 바이러스의 공생》, 한승동 옮김, 메디치, 2020, 58~61쪽.

노벨화학상 수상자인 파울 크뤼천Paul Crutzen의 언급으로 유명해진 인류세 담론은 대기화학자 제임스 러브록James Lovelock이 주창한 '가이아이론'과도 맞닿아 있다. 러브록은 인간뿐 아니라 비인간종 동물과 식물 등 우리가 생명체라 간주하는 것뿐 아니라 공기와 물, 암석 등의 비생명체까지도 지구라는 거대 생명체, 즉 '가이아Gaia'의 일부로 본다. 1960년대 말에 처음 '가이아 가설'을 소개했을 때 그는 지구의 '항상성 homeostasis', 즉 "능동적 조절에 의한 비교적 균일한 상태의 유지"에 대한 맹목적 믿음을 갖고 있었다.[22] 러브록은 노벨문학상 수상자인 그의 친구 윌리엄 골딩William Golding의 제안에 따라 지구의 자기조절 시스템을 그리스신화 속 대지의 여신 가이아에서 따와 '가이아이론'을 창설했다. 이는 "바이러스부터 고래에 이르기까지, 참나무부터 조류algae에 이르기까지 지구의 모든 생물은 하나의 살아 있는 실체를 구성한다고 할 수 있으며, 이 실체는 자신이 전반적인 필요에 적합하도록 지구 대기권을 조작할 수 있고, 또 그 실체의 구성원들 각자가 갖는 능력의 합보다 훨씬 거대한 힘을 발휘"한다는 것이다.[23] 현재 100세가 넘은 러브록은 20세기 후반까지도 환경오염이나 기후변화에 대해 심각하게 여기지 않았다. 본래 지구의 원시생명체에게는 유해하던 산소가 지구 생명체의 진화를 촉진해 현재의 생태계를 형성했고, 인간에게 유해하다고 여겨지는 메탄가스나 일산화탄소도 궁극적으로는 지구 생명체에게 유리하도록 대기 상태를 조절해 주는 역할을 해 왔기 때문이다. 그러던 러브

---

22   제임스 러브록, 《가이아: 살아있는 생명체로서의 지구》, 홍욱희 옮김, 갈라파고스, 2004/2018, 52쪽.

23   제임스 러브록, 《가이아: 살아있는 생명체로서의 지구》, 49쪽.

록도 2000년대 이후 지구의 기후변화로 인한 재난들, 특히 2005년 허리케인 카트리나와 2010년 아이티 지진 피해를 목도한 이후로 자신이 '행성 의사planetary physician'임을 자임하며 '가이아의 복수'로 인해 "문명이 심각한 위험에 처해 있음"을 알리고자 하고 있다.[24] 2020년 신종 코로나바이러스의 전 지구적 급습을 인간이 그동안 자연을 파괴한 만큼 인간에게 되돌아온 "자연의 보복"으로 해석하는 학계의 움직임도 매우 크다.[25]

그러나 코로나19는 페미니스트 생물학자 도나 해러웨이Dona Haraway가 말한 '자연문화natureculture'를 있는 그대로 보여 주는 것이기도 하다. 해러웨이는 도시 속의 비둘기와 바퀴벌레는 물론이고 인간과 비인간종 동물 반려종, 특히 반려견이나 반려묘와 같은 존재들의 '공진화co-evolution'를 통해 자연과 문화가 결코 분리되어 있지 않다고 누누이 강조해 왔다.[26] 크게 봤을 때 자연문화 연속체는 살아 있는 생명체로서의 지구인 가이아의 연장선상에 있는 것이기도 하다. 더 나아가 해러웨이는 인류세 위에 자신이 주조한 용어인 '쏠루세Chthulucene'를 덧붙여 미국 털거미의 라틴어 명칭과 고대 파괴의 여신들의 이름 중 하나에서 유래한 chtulu처럼 파괴와 죽음 뒤에 뒤따르는 풍요와 재탄생의 사이클을 위한 생물종 간 친족 형성의 필요성을 역설하기도 한다.[27] 해러웨이의

24 제임스 러브록, 《가이아의 복수》, 8쪽.

25 특히 다음을 참조할 것. David Harvey, "Anti-Capitalist Politics in the Time of Covid-19," davidharvey.org, March 19, 2020.

26 다음을 참조할 것. Donna Haraway, *The Companion Species Manifesto: Dogs, People, and Significant Otherness*, New York: Prickly Paradigm Press, 2003.

27 Donna Haraway, *Staying with the Trouble: Making Kin in the Chtulucene*, Durham: Duke University Press, 2016. 특히 2장을 볼 것.

쑬루세처럼 인간과 바이러스는 친족을 형성한 것까지는 아니어도 적당한 수준에서 서로에게 의존하는 기생관계로서 공생하며 공진화해 왔다. "숙주가 건강하게 돌아다니는 것이 병원 미생물의 번식에 유리하다면, 병원 미생물은 증세가 가벼워지는 방향으로 진화"하기 때문이다.[28]

그러나 때로 "돌연변이는 아니더라도 지금까지 정체가 밝혀지지 않은 기생생물이 기존의 생태적 적소에서 벗어나 지구상 곳곳에 존재하는 인구 밀집지역에 침범하면 사람들이 무더기로 사망하는 참상이 빚어질 수 있"고, 실제로 현재 신종 코로나바이러스가 그러한 참상을 지구 전역에서 일으키고 있다.[29] 어쩌면 신종 코로나바이러스나 기존의 코로나바이러스, 그리고 역사상 간헐적으로 인류에게 그러한 참상을 일으켰던 온갖 세균과 미생물, 병원체 등의 미시기생체는 생태계를 교란시키며 지구의 주인으로 군림하는 인류에게 가하는 지구의 자기조절 시스템에 의한 통제라 볼 수도 있겠다. 러브록의 가이아처럼 거대한 사이버네틱 시스템으로서의 지구는 스스로의 환경, 즉 대기권·해양권·생물권의 항상성을 유지하고 자동조절하기 위해 "눈에 보이지 않게 인간을 공격하는 미시기생체"를 활용하여 기하급수적 인구 증가를 통제하는 것일 수 있는 것이다.[30] 러브록의 말마따나 "지구에는 오직 한 종류의 오염이 있는데, 그것은 바로 인간 그 자체"일 수 있기 때문이다.[31] 그렇다면 이제 미시기생생물인 바이러스가 인간을 대량으로 살육하며

---

28 야마모토 타로, 《사피엔스와 바이러스의 공생》, 171~172쪽.
29 윌리엄 맥닐, 《전염병의 세계사》, 307쪽.
30 윌리엄 맥닐, 《전염병의 세계사》, 308쪽.
31 제임스 러브록, 《가이아: 살아있는 생명체로서의 지구》, 238쪽.

인간에게 생태학적 경종을 울리는 영화적 풍경을 〈괴물〉과 〈감기〉를 통해 살펴보자.

〈괴물〉과 〈감기〉 속 바이러스의 거시기생과 미시기생

2013년작 〈감기〉는 2011년 할리우드 영화 〈컨테이젼Contagion〉(스티븐 소더버그)처럼 사스와 신종플루 파동의 후유증 이후에 제작된 영화다. 두 영화는 모두 호흡기 감염병의 무시무시한 바이러스 전파력을 시각화하는 영화로서, 현재 코로나19 국면과 현실적으로 가장 맞닿아 있는 작품이다. 〈컨테이젼〉은 기침과 해열 증상과 더불어 간질발작 증세를 통해 환자들의 바이러스 감염과 호흡기 전염병 증세 발현과 사망의 과정을 연쇄적으로 시각화한다.[32] 비슷한 방식으로 〈감기〉도 공기 중에 흩뿌려지는 비말의 전파 양상을 가시화하고, 사람들 간의 접촉을 통해 확산되는 바이러스의 활성화를 감기 증세로 고통받다가 사망하는 사람들의 모습으로 형상화한다. 그러나 〈컨테이젼〉의 구강 내 거품과 달리 〈감기〉는 얼굴에 피부병처럼 열꽃이 피고 각혈을 하다가 사람을 죽게 만드는 바이러스의 치명성을 붉은색으로 스펙터클화함으로써 바이러스의 살육성을 보다 강렬하게 드러내는 특징이 있다. 인간 혈액의 붉은색만큼 처참한 살육의 현장을 잘 표현할 수 있는 시각적 기제는 없을 것이다.

〈감기〉가 호흡기 바이러스의 살육성을 선혈을 통해 시각화한다면, 〈괴

32　〈컨테이젼〉에 대한 보다 상세한 분석은 본 연구자의 다음 글을 참조할 것. 이윤종, 〈코로나 19와 공포의 문화경제학〉, 《문화/과학》 102, 2020, 202~224쪽.

물〉은 직접적으로 식인생명체를 등장시킨다. 한강에 발생한 돌연변이 양
서류 괴물은 기다란 혀로 사람들을 감아올려 다수의 인간을 입안으로
흡입하고 소화시킨다. 때로 이 괴물은 길다란 꼬리로 대량의 사람들을
치고 때려서 그들을 살육하기도 한다. 그러나 영화 속 한국 정부는 미지
의 바이러스에 감염되어 괴명생체가 된 괴물이 아니라, 괴물의 바이러스
에 감염되었으리라 추정되는 주인공 일가족과 한강 일대를 고위험 인물
과 고위험 지역으로 선포하고 폐쇄한다. 주인공 가족의 삶을 죽음과도
가까운 상태로 몰아가는 것은 식인괴물이기도 하지만, 바이러스를 핑계
로 '죽음 정치'에 가까운 폭압을 일삼는 한국 정부는 또 다른 거시기생체
로서 돌연변이 괴물보다도 더 잔혹한 존재로 영화 속에서 그려진다. 이
러한 국가의 폭력성은 〈감기〉에서도 같은 양상으로 재현된다. 우선 〈괴
물〉에서 미시기생생물인 바이러스와 거시기생생물인 한강의 괴생명체
가 또 다른 거시기생체인 국가 · 정치체제와 맺는 관계에 주목해 보고자
한다.

〈괴물〉의 식인괴물과 은유적 바이러스

〈괴물〉은 미군이 한강에 무단 방류한 독극물로 인해 돌연변이화된
괴수 물고기가 서울 시민들을 공격하고 잡아먹는다는 설정 하에서 서
사가 전개되므로, 직접적으로 바이러스를 실체화하는 영화는 아니다.
그러나 인류세적 관점에서 볼 때 인간이 만든 오염물질로 인해 수중 생
태계가 교란되어 인간에게 거시기생하며 인간을 포식하는 괴물 물고기
가 등장한 것이므로 영화는 생태주의적 씨앗을 배태하고 있다고 할 수
있다. 생태위기로 인한 급격한 기후변화 속에서 초래된 빙하기 하에서
생존을 위한 인간군상의 계급투쟁을 그린 〈설국열차〉(2013)와 비윤리

적 동물 사육과 도축을 문제시하는 〈옥자〉(2017)의 제작을 예고하는 봉준호 감독의 생태적 행보의 첫걸음이라 볼 수 있겠다. 〈괴물〉은 암묵적으로 식민화된 한국을 제멋대로 쥐고 흔드는 제국으로서의 미국에 대한 통렬한 비판이 곳곳에 깔려 있지만, 영화가 가하는 한국 정부에 대한 날선 비판은 괴물의 탄생이 미국과 한국 정부의 합작품임을 지속적으로 시사한다. 영화에는 구체적인 식인동물로서 거대한 수중 괴생물이 수시로 등장해 인간을 흡입하고 잡아먹는다. 그러나 영화 속 괴물은 맥닐이 개념화한 거시기생생물로서 인간을 포식하기도 하지만, 영화는 여러 가지 의미에서 동물의 신체에 기생하는 미시기생생물로서의 바이러스를 비유적으로 그려 낸다. 영화 속에는 직접적으로 바이러스가 확인되거나 등장하지는 않으나, 바이러스는 영화 속 곳곳에 은유적으로 편재해 있다. 이처럼 〈괴물〉에 상징적으로 편재하는 바이러스가 시각화되는 양식에 초점을 맞춰 분석해 볼 것이다.

〈괴물〉의 오프닝 시퀀스는 2000년 용산 미8군 부대에서 수백 병의 포름알데히드를 한강으로 무단 방류하는 장면으로 시작해, 2002년 한강의 낚시꾼들이 우연히 손가락 크기의 꼬리가 긴 괴생물체를 물속에서 발견하는 장면으로 이어진 이후, 2006년 한강 다리 위에서 투신자살하는 남성이 물 밑에 있는 "커다랗고 시커먼 것"을 목격하는 세 개의 장면으로 구성되어 있다. 엄청난 양의 독성물질로 인해 6년의 시간 동안 한강물 속에서 거대한 크기의 양서류로 돌연변이화하는 어류의 진화 과정을, 이에 대한 인간의 신체적 반응을 통해 시각화한 것이다. 영화는 포름알데히드가 어떤 과정을 거쳐 괴생물체를 만들어 냈는지는 직접적으로 설명하지 않지만, 괴물이 최초로 한강변으로 튀어나와 그 형체를 드러내어 사람들을 공격하고 포식하는 두 번째 시퀀스를 통해 오프닝 시퀀스의 거시기생생물을 가시화한다. 주인공인 박강두(송강호분)의 딸 현서(고아성 분)가 괴물에게 납치된 이후로 한국 정부는 언론미디어를 통해 괴생명체가 '사스바이러스와 같은 괴바이러스'에 감염된 숙주host 생물이라 선포한다. 〈괴물〉의 영어 제목인 'The Host'는 이처럼 바이러스의 숙주인지도 모르는 괴생물을 지시하며, 영화가 단순히 괴수영화이거나 공포영화가 아니라 바이러스와 숙주 간의 복합적 기생관계에 대한 것임을 드러낸다. 게다가 납치되었으나 생존하여 의식을 되찾은 현서가 한강 하수구에 몰래 숨어서 목격하는 장면은, 괴물이 소화시키고 남은 인골을 대량으로 토해 내거나 현수처럼 괴물에게 포획되어 하수구에 비축된 의식을 잃은 사람들을 한 명, 한 명 통째로 '먹이'로서 삼키는 모습이다. 생태계 먹이사슬의 최고점에 있는 인간이 자신보다 더 큰 포식동물 앞에서는 한낱 먹이가 되고 만다는 사실을 새삼 상기시키는 것이다.

그러나 〈괴물〉이 표출하는 기생관계는 생태학적 관계(먹이사슬)뿐 아니라 국가 혹은 정치경제체제라는 거시기생체와 인간 사이의 기생관계까지도 포괄하고 있어, 영화는 맥닐이 개념화한 미시기생과 거시기생의 복잡한 생태구조를 총체적으로 영상화하고 있다. 물론 인간의 사회적 거시기생관계는 봉준호의 가장 최근작인 〈기생충〉(2019)에서 좀 더 구체적이고 세세하게 묘사된다. 즉, 고용인과 피고용인 사이의 권력 관계, 빚과 고용불안의 연쇄고리에서 벗어날 수 없는 중하층 서민을 옭아매는 금융자본주의적 경제체제가 영화 속 저택의 건축 구조와 함께 매우 세밀하게 그려진다. 이남이 《괴물 메이킹 북》을 인용하며 언급하듯, 봉준호는 〈괴물〉의 시나리오를 쓰던 2002년 당시 중화권의 사스 대유행에 대한 한국 뉴스를 아침저녁으로 접했고, 2005년 영화를 연출하는 동안에는 사스에 대한 한국인들의 히스테리컬한 집단적 반응에서 영감을 얻어 이를 영화적으로 재현하고자 했다고 한다.[33] 현서가 납치되던 당시 괴물에 맞서 싸우다 한쪽 팔을 잃은 백인 미군 남성 도날드 하사관의 상체에 발진 증상이 나타나자 미 당국은 그 발진이 괴바이러스에 의한 것이라 선포한다. 이후 도날드는 사망하고, 한국 사회에는 순식간에 바이러스에 대한 공포가 확산되어 방호복을 입은 경찰과 군인이 단체로 시내에 투입되어 시민들을 감시할 뿐 아니라 사람들은 모두 마스크를 쓰고 다니기 시작한다.

도날드의 죽음이 보도되던 날, TV 뉴스와 교차편집되는 광화문 사거리 장면은 특히 인상적이다. 장마철 횡단보도 앞에서 신호를 기다리며 동아일보 건물의 대형 스크린에서 보도되는 뉴스 헤드라인을 일제히 올려다보고 있던 시민들 중 한 명이 기침을 하다가 마스크를 벗고 도로에 고인 빗물에 가래를 뱉는 순간 지나가던 자동차로 인해 빗물이 사람들에게 튀자 모두 일제히 비명을 지르고 뒤로 물러서며 히스테리컬한 반응을 보인다. 가래가 물에 떨어지는 숏만 잠시 부감으로 잡고 거리에 서 있는 일군의 시민들을 롱숏으로 잡아 바이러스에 대한 공포를 불특정 다수의 군중이 드러내는 획일화된 집단주의적 반응을 통해 시각화하는 이 장면은 한국 사회의 경직된 획일성을 고발하고 있다. 또한 2021년 현재, 코로나19 3차 대유행의 국면에서 다시 볼 때, 눈에 보이지 않는 바이러스에 대한 인간 집단의 불안과 공포가 미래학적으로 시각화된 장면이기도 하다.

---

33 Nam Lee, *The Films of Bong Joon Ho*, New Brunswick: Rutgers University Press, 2020, p.55. 다음도 참조할 것. 봉준호 외, 《괴물 메이킹 북》, 21세기북스, 2006.

그러나 영화 속에서 바이러스는 특정되지는 않고 상상의 존재로서만 거론된다. 특히 도날드 하사관의 죽음 이후, 강두의 뇌가 바이러스에 감염되었다며 그의 뇌에서 바이러스를 추출하라는 지시를 내리는, 미국에서 파견된 의약학 전문가는 도날드가 수술 중 쇼크로 죽었다며 "바이러스는 존재하지 않는다"는 기밀을 그의 동료에게 누설하기까지 한다. 박선영은 "바이러스의 존재를 가정함으로써 미국과 한국의 정부는 (괴물의 등장이라는 재난의) 상황을 통제"하려 하는데, "괴물을 대신하여 대중들에게 공포를 야기할 '실질적인' 증거가 바로 '바이러스'인 셈이며, 이때 바이러스는 '은유로서의 질병'이 된다"고 분석한다.[34] 국가와 공권력이라는 거시기생체가 활용하는 공포의 유발 기제가 국민의 생명을 위협하는, 또 다른 거시기생생물인 괴생명체가 아니라 육안으로 존재가 입증될 수 없는 바이러스로 전환됨으로써 영화 속 한국 정부는 괴물을 퇴치하려는 시도보다 바이러스와 관련된 뉴스를 지속적으로 유포해 민심을 통제하려 한다. 미국 측은 강두의 전두엽에서 혈액을 채취하여 바이러스의 존재를 조작함으로써 한국 사회를 통제하고 미국이 신종 바이러스와 세균 테러 방어를 위해 개발한 "첨단 화학약품이자 그 살포 시스템"인 에이전트 옐로우를 한강변에 살포하기로 결정한다. 영화는 바이러스의 존재 여부를 실증하지 않으면서도, 인간이 포름알데히드에 이어 또 다른 세균과 화학약품 등을 이용해 저지를 수 있는 새로운 종류의 생태학적 전쟁, 즉 세균전 혹은 화학전의 가능성을 경고하는 것이다. 그리고 강두 가족이 한강변에서 괴물을 처단하는 장면에서

---

34 박선영, 〈'한국형 재난영화'에 대한 고찰 – 〈괴물〉(봉준호, 2006), 〈차우〉(신정원, 2009), 〈해운대〉(윤제균, 2009)를 중심으로〉, 《영상문화》 20, 2012, 109쪽.

대규모 시민 시위대의 반대에도 불구하고 살포되는 에이전트 옐로우를 흡입하고 코와 귀와 입에서 피를 내뿜으며 쓰러지는 시민들의 모습을 통해, 인간을 생태학적으로 살육하고 포식하는 존재는 인간이 의도치 않게 만들어 낸 생태학적 변종 생물뿐 아니라 바로 인간이라는 것을 다시 한 번 확증한다.

그리고 인간이, 아니 국가와 지배엘리트라는 거시기생체가 만들어낸 생태학적 거시기생괴물에 의해 살육되는 이들은 강두의 가족을 포함한 무고한 시민들이다. 현서를 비롯한 시민 희생자들의 집단 분양소에서 강두와 그의 아버지 희봉(변희봉 분), 강두의 동생 남일(박해일 분)과 남주(배두나 분)는 괴물과 밀접 접촉했다는 이유로 요주의 바이러스 보균자로 분류되어 병원에 감금되지만 현서로부터 강두에게 걸려 온 전화 한 통에 희망을 걸고 현서를 구하기 위해 다 같이 병원을 탈출한다. 현서가 납치되지 않았다면 다른 평범한 소시민들처럼 괴물 사냥에 적극적으로 나서지 않았을 이들 가족은 정부의 감시망을 피해 한강 곳곳을 탐색하며 현서와 괴물을 찾아다닌다. 이 과정에서 희봉은 괴수에 포식되지는 않지만 살육을 당하고, 아버지의 죽음 앞에 혼이 빠진 강두는 다시 연행되어 바이러스를 추출한라는 명분으로 뇌와 온몸에 두꺼운 주삿바늘이 꽂히는 수난을 당한다. 스티븐 스필버그Steven Spielberg의 〈E.T.〉(1982)를 연상시키는 실험용 비닐장막 안에 갇혀 수술복을 입은 상태에서 실험대 위에 누워 방호복을 입은 의료진과 과학자들에게 둘러싸여 흡사 생체실험을 당하듯 국가폭력에 노출된 강두의 수난은 거시기생체인 국가(한국)와 제국(미국)의 소시민에 대한 기생적 폭력을 압축적으로 보여 준다. 지능이 다소 낮은 강두가 사람들의 바이러스에 대한 공포를 역으로 이용해 자신의 피가 담긴 주사기로 사람들을 협박해 실험장을 탈출하는 모습은, 그의 애절하고도 절박한 부성애 발현의 극점이라 할 수 있다. 가족 중 유일한 4년제 대학 졸업자인 남일이 인맥을 동원해 우여곡절 끝에 현서가 원효대교 근처 하수구에 있다는 걸 알게 된 후 강두 삼남매는 원효대교에 집결하지만, 같은 시간 하수구에 숨어 있다가 탈출을 감행하던 현서는 괴물에게 흡입되고 만다. 에이전트 옐로우가 살포되어 혼절한 괴물의 목구멍에서 강두는 아직 소화되지 않은 현서를 끄집어내지만 소녀의 숨이 끊긴 걸 보고 삼남매는 분노한다. 현서를 살육으로부터 구하지는 못했으나, 삼남매는 수원시청 대표 양궁선수인 남주가 쏜 화살과 운동권 대학생이었던 남일이 투척한 화염병과 강두가 괴물의 아가리에 메다꽂은 쇠창살의 '삼합'으로 마침내 거대한 괴물의 숨을 끊고 화형시킨다.

　문재철은 봉준호 영화의 특성으로 1980년대라는 지나간 시대, 즉 '역사를 알레고리적으로 재현하는 전략'을 꼽은 바 있다. "기호와 지시 대상의 분리를 그 바탕에 두고 있는 알레고리는 의미의 닫힘이 아닌 열림을 전제로 하기 때문으로, 직접적 재현이 어려운 일상의 감성이나 대중적 무의식을 다루는 데 효과적"인 만큼, 봉준호는 그의 영화 속에서 "일상의 대상들과 그 대상들에 깃든 정치적 기억을 적절하게 활용"하고 있다는 것이다.[35] 과연 영화 속 괴물은 기호지만 바이러스라는 지시 대상과는 분리된 존재로 알레고리화되어 한국인들이 바이러스에 대해 갖는 공포와 혐오라는 "감성과 대중적 무의식"은 광화문 장면에서 그랬던 것처럼 생생하게 시각화된다. 또한 괴물이라는 존재는 대중의 정치

35　문재철, 〈문턱세대의 역사의식: 봉준호의 세 편의 영화〉, 《영상예술연구》 12, 2008, 155쪽.

적 기억을 소환하는 알레고리이기도 하여 "첫 장면에서 미군의 독극물 방류는 맥팔랜드 사건을, 윤 사장의 한강 투신은 IMF로 인한 실업자의 자살을 기억나게 하며, 집단분향소는 삼풍백화점 붕괴 등 유독 집단사고가 많았던 우리의 역사적 재난을, 마스크와 화염병은 격렬했던 80년대의 시위를 아프게 환기"시킨다.[36] 영화 속 장면 하나하나가 1980년대부터 2000년대까지 한국 현대사의 굴곡진 순간들을 알레고리로서 몽타주화하는 것이다. 이는 발터 벤야민Walter Benjamin이 말하는 '몽타주의 변증법'처럼 사진/영상 "이미지가 관념적 요소들과 타협하지 않은 채" 그 요소들 속에 삽입된 "맥락 속에 개입"해 들어가는 것과도 같다.[37] 한국의 역사적 순간순간들이 〈괴물〉의 영화적 이미지 속에서 몽타주화되어 관념적 이데올로기로 남기보다, 그 역사적 맥락 속으로 직접적으로 개입해 들어감으로써 거시기생체인 국가와 세국을 비판하는 징치적 알레고리를 형성하는 것이다.

〈괴물〉은 할리우드 영화처럼 유능한 정부의 도움이나 영웅적인 전문가의 헌신으로 인류에 위협을 가하는 괴생물체가 제거되는 것이 아니라, 우발성에 의해 영웅이 될 수밖에 없는 평범한 가족이 그 누구의 도움도 없이 가족들만의 협공으로 괴물을 퇴치한다는, 2000년대 이후 한국형 재난영화 서사의 골격을 형성한 작품이다. 최정무가 지적하듯, 〈괴물〉을 포함한 봉준호 영화의 궤적은 "국가의 적법성을 부인하거나, 최소한 미국이라는 신제국의 식민지로서 한국을 그리는 무정부주의적 전망

36 문재철, 〈문턱세대의 역사의식: 봉준호의 세 편의 영화〉, 146쪽.

37 Susan Buck-Morss, *The Dialectics of Seeing: Walter Benjamin and the Arcades Project*, Cambridge, MA: MIT Press, 1991, p.67.

의 연속된 기록"이다.[38] 강두 가족은 순전히 가족들의 열의와 분노에 기대어 괴물을 제거했으나, 정부나 시민사회로부터 그 어떤 보상도 받지 못하고 다시 평범한 일상으로 돌아간다. 단지 딸을 잃은 강두가 현서가 목숨을 걸고 살려 낸 고아소년 세주(이동호 분)를 아들로 대체해 살아간다는 차이만 있을 뿐이다. 마지막 시퀀스에서 눈이 내리는 한강변 매점 안에서 식사를 하며 '식구'가 되어 있는 이 비생물학적 부자는, 강두가 희봉의 뒤를 이어 아버지와 어머니의 역할을 모두 수행하는 비전통적인 가족상을 그려 낸다.[39] 부자의 뒤로 비춰지는 TV 뉴스는 애초에 바이러스가 없었고 바이러스에 대한 괴소문이 돈 이유가 '잘못된 정보misinformation'에 의한 것이라 발표하는 미국 당국의 브리핑을 보도하고 있다. 희봉과 현서, 그리고 수많은 서울 시민들을 살육한 변종 거시 기생생물은 강두 삼남매에 의해 최후를 맞이했지만, 영화의 오프닝 시퀀스에서 비춰졌던 어마어마하게 많은 포름알데히드는 과연 한 마리의 물고기만 변이시켰을까라는 의문을 관객들에게 품게 한다. 아울러 과연 불화살은 생태학적 돌연변이인 괴물이 보유하고 있었을지도 모르는 바이러스를 완전히 제거하고 정화할 수 있었을까라는 의문도 남는다. 눈에 보이지 않는 이 바이러스의 살육성에 대한 공포는 매점 안에서 사냥총을 들고 극도의 경계심 속에서 자기보호를 위한 만반의 준비를 하고 있는 강두의 변화된 모습을 통해 비가시적인 바이러스의 입증되지 않은 편재성을 다시 한 번 은유적으로 가시화한다.

38　Chungmoo Choi, *Healing Historical Trauma in South Korean Film and Literature*, New York: Routledge, 2021, p.161.

39　Chungmoo Choi, *Healing Historical Trauma in South Korean Film and Literature*, p.162.

〈감기〉의 감염병 바이러스와 격리 수용소

〈괴물〉은 미시기생생물인 바이러스를 현실 세계에서의 세균과 미생물의 편재성을 은유적으로 드러내는 비가시적 존재로 활용하여 거시기생체인 현실정치적 상황을 푸코Michel Foucault적 '생명정치bio-politics'와 음벰베Achille Mbembe적 '죽음정치necro-politics'의 교차로서 영상화한다. 이 교차는 〈괴물〉로부터 7년 후에 개봉된 〈감기〉에서 더 노골적으로 시각화된다. 〈괴물〉과 달리 직접적으로 미시기생생물로서 신종 감기바이러스의 전파와 확산을 그리는 〈감기〉는 〈괴물〉에서처럼 거시기생체인 한국 정부와 미국이라는 제국을 다시 한 번 비판하며, 무고한 시민들이 미시기생체과 거시기생체에게 이중적으로 고통받고 살육당하는 현장을 직접적으로 재현한다. 특히 분당시장과 국무총리는 미국 전문가의 말 한마디에 쌀쌀 매며 분당 시민들을 격리시키고, 이에 저항하는 시민들을 향해 총탄을 발포하여 그들을 실질적으로 사살하는 '죽음정치'를 실행하기까지 한다. 〈괴물〉에서는 거시기생생물인 한강의 식인 물고기를 제외하고는 또 다른 거시기생체인 국가와 지정학적 식민주의 · 시민사회를 비롯하여 미시기생생물인 바이러스와 세균이 모두 은유화되어 있지만, 〈감기〉에서는 미시기생생물인 바이러스와 거시기생체가 모두 직설적이고 직접적으로 영상화된다. 〈감기〉가 감기바이러스와 거시기생체인 공권력을 영화적으로 가시화하고 시각화하는 양식을 생명정치와 죽음정치의 교차의 관점에서 분석해 보겠다.

2006년작 〈괴물〉이 2002년 사스 파동 이후 제작되었다면, 2013년작 〈감기〉는 2009년 신종플루의 팬데믹 유행 이후에 만들어져 글로벌한 현상으로서의 전염병을 다루고 있다. 신종인플루엔자가 "214개국 이상에서 확진이 되었고 전 세계적으로 1만 8,500명의 사망자를 발생"시켰던 만큼 세계보건기구WHO는 이 질병을 '팬데믹pandemic', 즉 전 지구적 감염병으로 규정한 바 있다.[40] 신종플루는 코로나19 직전에 팬데믹으로 선포된 인수공통감염병인 데다 호흡기질환이기 때문에, 그 증상과 사회적 파장이 코로나19와 가장 유사하다고 할 수 있다. 따라서 〈감기〉가 묘사하는 신종 감기바이러스로 인한 전염병의 전파 과정과 증상, 사회적 통제와 반응의 양상은 현재 코로나19의 재난 상황과 매우 흡사하다. 다만 영화가 시각매체인 만큼 〈감기〉는 바이러스의 전파 과정과 감기의 증상을 좀 더 극적으로 스펙터클화하고 재난 상황에 대처하는 개인과 사회·공권력의 행동 양상을 멜로드라마적 과잉excess의 양식으로 전시함으로써 관객에게 아리스토텔레스적 '공포eleos'와 '연민phobos'을 유발한다는 차이가 있다.[41] 그러나 〈감기〉는 고전적인 의미에서의 비극이나 멜로드라마적 특성을 장르적으로 전면화함으로써 '눈물'이나 '카타르시스'를 유도하는 것이 아니라 '재난영화'로서의 정체성에 좀 더 충실한 작품이다. 다시 말해, 〈감기〉는 재난 상황에서 유발되는 극단적인 공포와 그 상황에서 희생되는 시민들에 대한 연민을 관객에게 불러일으킴과 동시에, 한국과 미국의 공권력이라는 거시기생체가 발휘하는 '비합리적 통치성'에 의해 극대화되는 '짜증'과 '분노'의 정동을 시각화하는 한국형 재난영화인 것이다.

---

40 네이버 지식백과 https://terms.naver.com/entry.nhn?docId=927016&cid=51007&categoryId=51007

41 이상섭, 《아리스토텔레스의 『시학』 연구》, 문학과지성사, 2002, 40쪽. 아리스토텔레스는 다음과 같이 기술하고 있다. "그러니까 비극은 심각하고 완전하며 일정한 크기가 있는 하나의 행동의 모방으로서 그 여러 부분에 따라 여러 형식으로 아름답게 꾸민 언어로 되어 있고 이야기가 아닌 극적 연기의 방식을 취하며 연민과 두려움을 일으켜서 그런 감정들의 카타르시스를 행하는 것이다."

〈감기〉는 바이러스의 살육성을 시각화하기 위해 '비말'과 '피'라는 인체의 비체적 액체를 적극적으로 활용한다. 영화 속에서 하얀색 점으로 가시화된 비말은 바이러스에 감염되어 기침을 하는 사람들의 입에서 뿜어져 나와 먼지처럼 공간 전체를 가득 메운다. 사스의 진원지이기도 했던 홍콩 항구에서 한국으로의 불법취업을 위해 화물 컨테이너에 실려 선박으로 이동되는 동남아시아 노동자들의 모습은 아파두라이가 말한 '인종적 정경ethnoscape'를 영상으로서 재현한다. 밀폐된 공간에서 이미 감기바이러스에 감염된 한 명의 노동자가 전파한 전염병은 컨테이너 안의 모든 이들을 살육하고 얼굴과 온몸에 붉은 열꽃이 핀 베트남인 몽싸이만이 유일한 생존자가 된다. 불법 외국인노동자 알선업을 하는 병기(이희준 분)와 병우(이상엽 분) 형제는 인천항에서 컨테이너를 열어 한국인 최초의 바이러스 보균자가 되고, 증상이 먼저 발현된 병우는 기침으로 비말을 분출하며 그가 접촉한 모든 이들을 감염시킨다. 형제의 트럭에서 도주한 몽싸이는 계속 기침을 하기는 하지만 감기바이러스로부터 항체를 형성하여 생존한 유일한 인물이 되어 이후 영화의 여주인공인 호흡기내과 전문의 인해(수애 분)가 항체 개발에 성공하도록 도움을 주는 존재가 된다. 몽싸이는 외국에서 한국으로 바이러스를 전파한 감염자이자 미시기생생물의 숙주이지만, 바이러스 항체 보유자로서 치료책의 가능성을 상징하는 복합적인 캐릭터이다. 몽싸이에게 감염된 병우는 한국인 최초의 사망자가 된다. 그는 처음에는 불그스름한 얼굴로 발열 증세와 기침 증상을 보이다가 갑자기 입으로 붉은 피를 토하고 급기야 인해가 근무하는 병원 응급실에서 얼굴 전체가 피범벅이 된 채로 사망한다. 몽싸이는 이후 우연히 인해의 딸 미르(박민하 분)를 만나 요기를 하다가 미르를 감염시키고, 인해는 병우의 증세를 통해 한국에 유입된 감기바이러스가 베트남의 조류인플루엔자와 같은 증상을 유발한다는 것을 밝혀낸다. 물론 현실에서는 현재까지 인플루엔자 증세로 인해 각혈을 한다는 보고는 없다. 영화는 바이러스를 시각화하기 위해 비말과 혈액을 적극적으로 활용한 것이다.

몽싸이와 병우 형제가 분당 내에서 움직이며 수많은 분당 시민들을 감염시켜 기침을 하고 각혈을 하게 되자 중앙정부와 분당 시의회는 바이러스의 전국적 전파를 막기 위해 분당 시민을 격리소에 감금하고 분당을 폐쇄하기로 결정한다. 철학자 미셸 푸코는 서구에서 19세기 이전까지의 주권권력이 사람들을 "죽일 수 있는 권리"를 행사했다면, 19세기 이후의 국가권력은 사람들의 생명과 인구를 관리하면서 "사망률을 수정하고 낮추어야 하며, 수명을 연장시키고 출산을 권장"하는 방향으로 변화했음을 밝히며 이러한 권력을 '생명권력bio-power', 이 권력을 행하는 정치양식을 '생명정치'라 명명한다.[42] 즉, 생명정치는 "출생과 사망의 비율, 재생산의 비율, 그리고 한 인구의 생식력 등의 과정의 총체"로서 전염병을 포함한 "질병에 걸릴 확률"까지 관리하여 국민을 적절한 인적자원으로 배치하는 정치양식이다.[43] 푸코는 생명정치가 때로 한 국가 내에서 계급과 젠더의 구분을 통해 사람들을 차별하는 '인종주의'를 시행함을 밝히기도 하는데, 이때 "타 인종이란 외부에서 온 인종이 아니고, 어느 한 기간 동안 승리했거나 지배한 인종도 아니며, 다만 영원히 그리고 끊임없이 사회체에 침투해 들어오는 인종, 또는 사회적 조직체 안에

---

42 미셸 푸코, 《사회를 보호해야 한다: 1976, 콜레주 드 프랑스에서의 강의》, 박정자 옮김, 동문선, 1997, 277~284쪽.
43 미셸 푸코, 《사회를 보호해야 한다: 1976, 콜레주 드 프랑스에서의 강의》, 281쪽.

서부터 영원히 재생산되는 인종"이다.[44] 푸코의 이러한 확장된 인종주의 개념에 착안해 아프리카의 정치철학자, 아쉴 음벰베는 푸코적 생명정치에서 더 나아가 그것을 이탈리아 철학자 조르조 아감벤Giorgio Agamben의 '호모 사케르'와 '예외상태' 개념과 연결시켜 국가가 필요에 따라서 국민을 죽도록 내버려 두거나, 전쟁이나 다른 방식을 통해 오히려 적극적으로 그들을 죽음에 몰아넣음으로써 국가의 이득을 선취하고자 하는 정치적 현실을 '죽음정치'라 부른다.[45] 푸코와 음벰베가 문제화하는 생명정치와 죽음정치의 극단적 양식은 독일의 나치즘인데, 〈감기〉는 격리수용소에 갇힌 분당 시민들을 대하는 경찰과 군대의 권위적 태도를 통해 시민들을 아우슈비츠의 유대인들처럼 '타 인종화'하고 핍박하는 장면을 연출한다.

〈감기〉의 격리수용소에서는 바이러스 감염자를 색출하겠다며 남녀를 몰아넣고 최소한의 속옷만 입힌 채 인권을 무시하고 검사를 강행하는 데에서 더 나아가, 우리는 "개, 돼지"도 아니고 지금은 "6·25전쟁 때"도 아니라며 이의를 제기하는 시민들을 총으로 위협하는 공권력을 그린다. 생명권력과 죽음권력이 기묘하게 혼용된 이 거시기생체는 나치 독일처럼 인종주의와 죽음정치를 분당 시민들에게 실행한다. 이 거시기생체는 인권유린에 맹렬히 저항하며 폭동을 일으키는 시민들에게 발포하는 것을 마다하지 않을 뿐 아니라, 피를 토하며 죽은 대량의 사체들을 포크레인으로 옮겨 쓰레기더미처럼 소각장에 몰아넣어 한꺼번

44　미셸 푸코,《사회를 보호해야 한다: 1976, 콜레주 드 프랑스에서의 강의》, 80쪽.
45　J. Archille Mbembé, Libby Meintjes trans., "Necropolitics," *Public Culture* 15(1), 2003, pp. 11-40.

에 소각시킨다. 감염자들의 사체에서 발생되는 바이러스로부터 생존자들을 보호한다는 명목 하에 이처럼 대량 소각되는 시신들의 풍경은 그들이 살아생전에 내뿜은 선혈만큼이나 생생한 미시기생생물 바이러스와 거시기생체인 공권력의 살육성을 교차시켜 보여 준다. 영화 속 분당의 격리수용소는 그야말로 음벰베적 죽음정치를 한국화된 비극의 현장으로 시각화한다. 이는 〈괴물〉에서 한국 정부가 바이러스로부터 국민을 보호한답시고 강두에게 가하는 국가폭력의 풍경보다 더 진일보한 생명정치와 죽음정치의 격자교차의 현장이다. 〈괴물〉도 그러하지만 〈감기〉는 좀 더 직접적으로 격리된 공간에서 자행되는 국가폭력의 재현을 통해 1980년 5월 광주항쟁의 쓰라린 역사적 기억을 상기시킨다. 봉쇄된 작은 도시의 풍경과 격리수용소에 감금된 시민들이 저항군으로 돌변했다가 군대의 총격 앞에 힘없이 쓰러지는 모습은 1980년 5월의 광주를 알레고리화한다. 그리고 이는 〈감기〉의 영화적 공간을 "분당과 비非분당, 혹은 분당과 대한민국"으로 나눔으로써 국민의 일부를 타 인종화하는 생명정치의 비인간적 면모와 한국의 비극적 현대사를 재현한다.[46]

그러나 이호걸이 지적하듯 〈감기〉는 무능한 정치인들뿐 아니라 평범한 소시민들도 긍정적으로 그려 내지는 않는다. 주인공인 소방대원 지구(장혁 분)와 의사인 인해는 대의를 위해 소의를 희생하는 영웅이라기보다 자신들의 사적 감정에 충실한 인물들이며, 격리수감 조치에 저항

---

[46] 한송희, 〈한국 재난영화의 정치적 무의식: 2010년대를 중심으로〉, 《언론과 사회》 27(2), 2019, 117쪽. 한송희는 수용소를 아감벤적 '생명정치'의 공간으로 읽고 "버려져도 무방한 삶"을 사는 잉여인구들이 사회에서 배제되어 먼저 죽음을 당할 수밖에 없는 영화 속 한국 사회의 시스템에 초점을 맞추고 있다. 본고는 본문에서도 기술했듯 수용소를 '생명정치'와 '죽음정치'가 교차하는 공간으로 읽고자 한다.

해 폭동을 일으키는 분당 시민들의 모습도 건전한 시민사회의 형상은 아니다. 인해는 바이러스에 감염된 딸 미르를 살리겠다는 일념으로 자신이 해야 할 일은 회피하고 의사라는 신분을 이용해 최초 전염자인 몽싸이로부터 무단으로 혈청을 추출해 항체를 만든다. 지구도 인해를 만난 순간 그녀에게 첫눈에 반해 인해와 미르를 구하기 위해 몸을 사리지 않는 모습을 보이지만, 이는 소방대원으로서의 직업정신에 의해서라기보다 자신의 연애감정에 의해 추동된 면이 더 강해 보인다. 이호걸은 〈감기〉에서 "평범한 자의 용감한 실천과 그들의 연대가 공동의 재난을 해소할 것이라는 확신이 강하지 않아 보인다"며, 이로 인해 "문제를 해결해 줄 존재로서 대통령이 필요"해지고 그는 "공공성을 결여한 시민들을 대신"해야 하는 존재라고 분석한다.[47] 영화 속 젊은 대통령(차인표 분)은 미국의 권력에 대항하여 국민을 배려할 줄 아는 정의로운 인물로 그려지는 반면, 대통령보다 연배가 있는 정치인들은 시종일관 미국 편에 붙어서 대통령에게 훈계를 하고 그를 조종하려 든다. 그러나 이 대통령마저도 다소 "무기력"해 보이기도 하고, 한국영화 속 "미국인 전문가들은 한국이 갖추지 못한 선진 지식을 갖추었지만 한국에 대한 애정이 없"는 존재이기 때문에 언제나 "조력자의 탈을 쓴 반동 인물로 그려지거나 최후의 순간에 합리적인 선택을 함으로써 구원자가 되는 식"으로 그려지는 면이 있는 것도 사실이다.[48] 인해 또한 장래 백신 개발에 큰 도움이 되는 항체 형성이라는 대업을 이룩했으나, 그것이 의사로서

47 이호걸, 〈2010년대 한국 블록버스터 영화의 정치학: 재난물과 영웅사극을 중심으로〉, 《영상예술연구》 25, 2014, 146~147쪽.
48 김지미, 〈코로나 19 시대, 낯선 현실과 익숙한 영화: 〈컨테이젼〉, 〈감기〉, 〈사냥의 시간〉, 〈찬실이는 복도 많지〉〉, 《황해문화》 6, 2020, 293쪽.

의 직업의식이나 대의명분을 위한 것이 아니라 딸을 살려야겠다는 맹목적인 의지에 의한 것이라는 점은 할리우드 영화 〈컨테이젼〉에서 백신 개발을 위해 고군분투하는 영웅적 의료진들과 매우 변별되는 지점이기도 하다. 김지미는 〈컨테이젼〉과 〈감기〉를 비교 분석하며, 코로나19의 국면에서 미국과 한국의 현실을 비교할 때 두 영화가 재현하는 영화적 상황은 현실과 완전히 반대라고 평한다.

물론 영화가 반드시 현실과 일치해야 하는 것은 아니다. 본고는 〈감기〉의 미덕을 바이러스의 살육성을 다른 관점에서 제시해 주는 데에서 찾아보고자 한다. 앞서 잠깐 언급했듯, 맥닐은 중남미의 잉카제국과 아즈테카제국이 한줌의 스페인 정복군 앞에서 너무나 무기력하게 무너진 것이 구대륙에서 신대륙으로 최초 이식된 천연두바이러스 때문임을 밝힌 바 있다. 전대미문의 바이러스에 감염되어 대다수의 중남미 원주민들이 면역력이나 항체를 형성할 틈도 없이 바이러스에 살육당했고, 바이러스는 그들의 신체뿐 아니라 정신까지도 공격해 그들을 서구인들 앞에 너무나 손쉽게 굴복하게 만들었다. 근대 이후 문명권 간의 경계를 넘어 전염병이 교류되는 "새로운 질병체제가 최초로 보여 준 가시적인 결과는 문명화된 집단의 인구는 크게 증가하는 반면 고립 상태의 집단은 급속하게 붕괴"되는 새로운 생태적 시대의 개막이었다.[49] 오랜 기간 다른 문명권과 교류할 일이 없었던 남아메리카 원주민들은 유럽인에게는 이미 면역력이 형성된 이 오랜 전염병을 새로이 이식받으면서 "급속하게 붕괴"될 수밖에 없었던 것이다. "도덕성이나 신앙심이 의심되는

---

49 윌리엄 맥닐, 《전염병의 세계사》, 245쪽.

백인들에게 마냥 은총을 베푸는 신이 원주민에게만 가혹한 벌을 가하는 이해할 수 없는 현실 앞에서 … 아연실색한 원주민들로서는 스페인의 우월성을 받아들일 수밖에 없었"던 것이다. "비록 그 수도 적고 행동도 잔인하고 비열했지만 스페인인은 우세했(으므로) 전통적인 권력구조는 무너졌고, 원주민들은 오랫동안 숭배해 온 신들을 저버(리고)" 집단개종을 하기에 이른다.[50] 이처럼 듣도 보도 못한 질병 앞에 허약하게 쓰러지고, 인간이 바이러스에 무차별적으로 포식되는 상황이 지속된다면 온전한 정신으로 버틸 수 있는 사람이 얼마나 있을까? 격리 상태에서 봉기하는 분당 시민들처럼 현실에서 마스크 쓰기를 거부하면서 격리에 거세게 저항하는 유럽과 미국의 시민들을 비이성적이라고만 할 수 있을까?

2020년 한 해 동안 현실 세계에서 코로나19로 인한 장기간의 가정 내 격리와 사회적 셧다운 상황에 불만을 표출하며 시위하는 유럽과 미국의 시민들은 〈감기〉 속 분당 시민들의 모습을 있는 그대로 실체화하고 있다. 물론 영화와 달리 한국 사회는 2000년대 이후 동아시아에서 반복적으로 발생한 호흡기 감염증의 경험으로 마스크 착용에 대한 거부감이 없을 뿐 아니라, 코로나19 대유행 속에서도 사회 전체가 셧다운되는 비상 상황이 발생하지 않아 미국이나 유럽에 비해 사망자 수도 적고 국민들이 정부의 정책을 잘 수용하고 있기도 하다. 그러나 팬데믹으로서 한 지역이 아니라 지구 전체를 감염시킨 신종 코로나바이러스는 이미 그 살육성을 1년이 넘도록 언론 매체를 통해 드러내 왔다. 〈감기〉

---

50   윌리엄 맥닐,《전염병의 세계사》, 228~229쪽.

가 보여 주는 것처럼, 미시기생생물로서의 바이러스와 이에 대처하는 거시기생체로서의 공권력이 실행하는 생명정치와 죽음정치의 교차는 인체의 감염과 죽음으로 인한 인구의 감소뿐 아니라 인간 정신의 붕괴를 초래한다. 〈감기〉가 묘사하는 국가권력과 제국권력, 시민사회의 이기적 인간 군상의 풍경은 바이러스의 살육성 앞에서 무력하기 이를 데 없는 현실 지구인들의 형상이라 할 수 있다.

나가며

본고는 1년 이상 지속되어 온 코로나19의 국면 속에서, 바이러스를 다루는 한국의 재난영화 〈괴물〉과 〈감기〉를 사후적으로 들여다보며 바이러스의 살육성에 대해 고찰해 보고자 했다. 두 영화는 2000년대 초반 중화권의 급성호흡기증후군 사스의 대유행과 2009년 신종인플루엔자 팬데믹 이후 두 유행병을 회고적으로 반추하며 직간접적으로 바이러스가 인간의 신체와 정신에 미치는 영향력, 그리고 사람들을 삶과 죽음 사이에서 무기력하게 부유하도록 만드는 파괴적 포식성을 시각화한 작품들이다. 코로나19에 대해 서구 사회보다 한국 사회가 좀 더 합리적이고 유연하게 대응하고 있다고 평가되지만, 인류가 지구에 초래한 인류세적 재앙은 앞으로 어떠한 신종 바이러스를 등장시켜 또다시 인간을 대량살육할지 한 치 앞도 알 수 없는 상황이다. 의학과 과학이 고도로 발전한 현대사회에서, 특히 21세기에 고대나 중세 · 근대와 같은 전염병 유행이 발생하지 않으리라 과신했던 전 세계 대중들에게 코로나19 팬데믹은 어마어마한 신체적, 정신적 일격을 가한 사건이다. 필자를 포함하여 전대미문의 팬데믹을 겪으며 지친 사람들은 뒤늦게 전염병 전문가들의 지혜에 기대 바이러스 감염병은 인류가 피할 수 없는 반복적인 재난이었고 앞으로도 반복될 것임을 새삼스럽게 깨닫고 있다. 윌리엄 맥닐의 《전염병의 세계사Plagues and Peoples》가 보여 주듯, 생태계 먹이사슬의 꼭대기에서 지구의 주인이라 착각해 온 인류는 사실은 "눈에 보이지 않게 인간을 공격하는 미시기생체와 특정 인간 집단이 다른 집단 위에 군림하는 거시기생 현상의 틈바구니에서 헤어나지 못했으며, 앞으로도 그럴 수밖에 없을 것"이라는 현실 앞에 노출되어 있다.[51] 가이 아이론의 관점에서 볼 때, 바이러스는 지구 환경의 항상성 유지를 위해 생태계 먹이사슬을 변화시킨 인간을 견제하도록 가이아가 보내는 생태학적 균형 장치일지도 모른다.

박쥐에서 돼지로, 돼지에서 인간으로 감염되는 미시기생생물 바이러스의 전파 경로를 시각화하는 〈컨테이젼〉과 달리, 〈괴물〉과 〈감기〉는 바이러스 발생의 생태학적 연결고리를 직접적으로 보여 주지는 않는다. 이는 한국에서 그간 바이러스의 생태학적 의미에 관심이 아주 크지 않았던 현실을 반영한다고도 할 수 있다. 물론 봉준호는 〈괴물〉에서 인간이 한강에 대량으로 방류한 포름알데히드가 괴생명체를 탄생시킨 주역임을 오프닝 시퀀스에서 보여 줌으로써 그의 생태학적 관심을 표명하기는 했으나, 영화 속에서 바이러스를 은유적 질병으로서만 그려 넘으로써 바이러스의 가공할 살상력을 충분히 인식하지 못하고 있다는 한계를 보인다. 이후 영화들 속에서 표명된 그의 생태론적 주목도에도

---

51   윌리엄 맥닐, 《전염병의 세계사》, 308쪽.

불구하고, 한국에서 사스가 크게 유행하지 않았던 만큼 바이러스에 대해 다소 대수롭지 않게 생각했던 듯하다. 물론 거시기생생물인 괴물의 살육성은 무시무시했지만 말이다. 〈감기〉도 바이러스를 단순히 외부에서 유입된 세균으로만, 한국을 그 바이러스에 일방적으로 감염된 피해국으로만 그리고 있어, 전 지구적 생태사슬에 엮여 있는 한국 사회가 짊어져야 할 생태학적 책임은 간과하고 있다. 코로나19 펜데믹을 계기로, 더 강력하고 새로운 바이러스의 출현으로 인류가 입을 타격과 지구 생태계의 공멸을 막기 위해 인류는 지구의 생물권과 해양권·대기권에 가하는 일방적인 폭력을 중지해야 할 것이고, 한국영화계와 영화학계도 인류세적 재난과 생태 현실에 더 큰 관심을 가져야 할 것이다.

참고문헌

다이아몬드, 제레드,《총, 균, 쇠》, 김진준 옮김, 문학사상, 1998/2013.

러브록, 제임스,《가이아: 살아있는 생명체로서의 지구》, 홍욱희 옮김, 갈라파고스, 2004/2018.

_____,《가이아의 복수》, 이한음 옮김, 세종서적, 2006.

맥닐, 윌리엄,《전염병의 세계사》, 김우영 옮김, 이산, 2005/2020.

봉준호 외,《괴물 메이킹 북》, 21세기 북스, 2006.

아탈리, 자크,《21세기 사전 - 자크 아탈리의 미래 읽기》, 편혜원 · 정혜원 옮김, 중앙 M&B, 1999.

_____,《생명경제로의 전환》, 양영란 옮김, 한국경제신문, 2020.

야마모토 타로,《사피엔스와 바이러스의 공생》, 한승동 옮김, 메디치, 2020.

오웰, 클라이브,《인류세: 거대한 전환 앞에 선 인간과 지구 시스템》, 정서진 옮김, 이상북스, 2018.

이상섭,《아리스토텔레스의《시학》연구》, 문학과지성사, 2002.

주진숙 · 김선아,《다양과 공존 : 2000년대 한국영화를 말하다》, 울력, 2011.

푸코, 미셸,《사회를 보호해야 한다: 1976, 콜레주 드 프랑스에서의 강의》, 박정자 옮김, 동문선, 1997.

하라리, 유발,《사피엔스》, 조현욱 옮김, 김영사, 2015.

김지미,〈코로나19 시대, 낯선 현실과 익숙한 영화:〈컨테이젼〉,〈감기〉,〈사냥의 시간〉,〈찬실이는 복도 많지〉〉,《황해문화》6, 2020, 289~298쪽.

김현아,〈봉준호 영화에 나타난 공간과 로컬리티:〈살인의 추억〉,〈괴물〉,〈기생충〉을 중심으로〉,《문학과 영상》21 (2), 2020, 249~278쪽.

문재철,〈문턱세대의 역사의식: 봉준호의 세 편의 영화〉,《영상예술연구》12, 2008, 139~160쪽.

박선영,〈'한국형 재난영화'에 대한 고찰 -〈괴물〉(봉준호, 2006),〈차우〉(신정원, 2009),〈해운대〉(윤제균, 2009)를 중심으로〉,《영상문화》20, 99~119쪽.

서인숙,〈탈식민주의 관점에서 본〈괴물〉의 영화적 모방과 번역의 의미〉,《한국콘텐츠학회논문지》11(2), 2011, 204~214쪽.

이규일, 〈영화 〈괴물〉에 나타난 소통의 단절과 괴물의 상징성〉,《한국문학이론과 비평》71, 2016, 235~257쪽.

이윤종, 〈코로나 19와 공포의 문화경제학〉,《문화/과학》102, 2020, 202~224쪽.

이호걸, 〈2010년대 한국 블록버스터 영화의 정치학: 재난물과 영웅사극을 중심으로〉,《영상예술연구》25, 2014, 129~167쪽.

임정식, 〈괴물영화에 나타난 영웅탄생의 새 양상 – 〈괴물〉, 〈차우〉, 〈7광구〉를 중심으로〉,《한민족문화연구》59, 2017, 105~134쪽.

최병학, 〈사실 · 인식 · 망각의 연대 – 봉준호 영화에 나타난 비도덕적 사회의 우발성 유물론〉,《인문과학》46, 2010, 245~269쪽.

한미라, 〈봉준호 영화의 내러티브 공간이 갖는 지정학적 의미에 대한 연구〉,《영화연구》63, 259~287쪽.

한보리, 〈봉준호 영화의 어두운 공간에 대한 연구〉,《영화연구》71, 2017, 51~74쪽.

한송희, 〈한국 재난영화의 정치적 무의식: 2010년대를 중심으로〉,《언론과 사회》27(2), 2019, 98~166쪽.

한영현, 〈낯선 신체의 도래와 해부되는 도시의 속살: 한국영화에 재현된 2000년대 도시공간 분석〉,《영화연구》77, 2018, 75~102쪽.

Appadurai, Arjun, *Modernity at Large: Cultural Dimensions of Globalization*, Minneapolis: University of Minnesota Press, 1996.

Buck-Morss, Susan, *The Dialectics of Seeing: Walter Benjamin and the Arcades Project*, Cambridge, MA: MIT Press, 1991.

Choi, Chungmoo, *Healing Historical Trauma in South Korean Film and Literature*, New York: Routledge, 2021.

Haraway, Donna, *The Companion Species Manifesto: Dogs, People, and Significant Otherness*, New York: Prickly Paradigm Press, 2003.

_____, *Staying with the Trouble: Making Kin in the Cthulucene*, Durham: Duke University Press, 2016.

Lee, Nam., *The Films of Bong Joon Ho*, New Brunswick: Rutgers University Press,

2020.

Žižek, Slavoj, *Pandemic!Covid-19 Shakes the World*, New York: OR Books, 2020.

Mbembé, J. Archille. Libby Meintjes trans., "Necropolitics," *Public Culture* 15(1), 2003, pp.11-40

Harvey, David, "Anti-Capitalist Politics in the Time of Covid-19," davidharvey. org, March 19, 2020.

팬데믹 모빌리티 테크놀로지

2022년 2월 28일 초판 1쇄 발행

지은이 | 김태희 · 김기흥 · 박혜영 · 박명준 · 한광택 · 백욱인
　　　　노대원 · 황임경 · 복도훈 · 김양선 · 이윤종
펴낸이 | 노경인 · 김주영

펴낸곳 | 도서출판 앨피
출판등록 | 2004년 11월 23일 제2011-000087호
주소 | 우)07275 서울시 영등포구 영등포로 5길 19(양평동 2가, 동아프라임밸리) 1202-1호
전화 | 02-336-2776　팩스 | 0505-115-0525
블로그 | bolg.naver.com/lpbook12
전자우편 | lpbook12@naver.com

ISBN 979-11-90901-81-9